이 책을 검토해 주신 분들

Chunjae
Makes
Chunjae

▼

개발총괄	김덕유
편집개발	강인애, 권소영, 김보경, 김현아, 노신희,
	박유리, 송자영, 이동주, 이명진, 조은미
디자인총괄	김희정
표지디자인	윤순미, 장미
내지디자인	박희춘, 우혜림
조판	대진(구민범, 강성희)
제작	황성진, 조규영

발행일	2021년 4월 15일 초판 2021년 4월 15일 1쇄
발행인	(주)천재교육
주소	서울시 금천구 가산로9길 54
신고번호	제2001-000018호
고객센터	1577-0902
교재 내용문의	(02)3282-8526

비문학

시작은
하루
국어

하루 국어의 **차례 _ 비문학**

1주 읽기의 기초

2주 설명하는 글 읽기

3주 주장하는 글 읽기

4주 읽기의 방법

시작하며

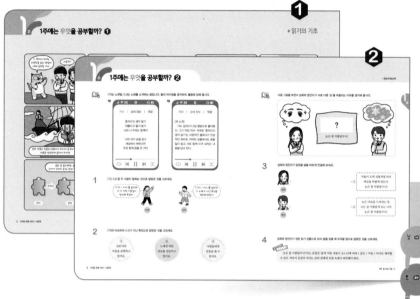

▌1~4주에는 무엇을 공부할까? ❶, ❷

❶ 공부할 내용을 만화로 가볍게 살펴봅니다.

❷ 공부할 내용을 간단한 문제로 확인하고 점검
합니다.

공부할 내용이
무엇인지
확인해 봐!

한 주를 마무리하며

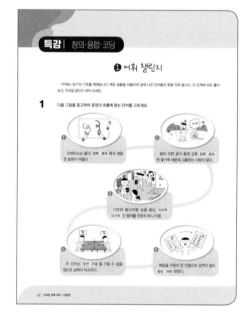

▌누구나 100점 테스트

매주 학습한 내용을 바탕으로 하여 다양한
문제를 풀어 봅니다.

▌특강 창의·융합·코딩

공부한 내용을 다양한 상황에 적용해 보며
창의력과 문제 해결 능력을 길러 봅니다.

5일 동안

▌개념 설명 + 개념 원리 확인 + 기초 집중 연습

❶ 꼭 알아야 할 비문학의 주요 개념을 그림을 통해 재미있게 이해 합니다.

❷ 그림으로 살펴본 개념을 보기 쉽게 정리한 개념 노트로 확인합니다.

❸ 간단한 확인 문제를 풀어 보며 개념을 확실하게 이해합니다.

❹ 다양한 유형의 연습 문제를 풀어 보며 개념 이해를 점검합니다.

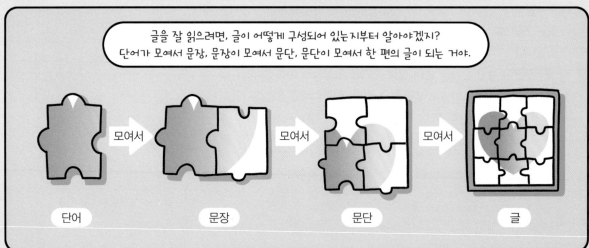

◑ 비문학은 어떻게 읽어야 할까요?

배울 내용			
1일	화제 찾기	**4일**	글 전체 읽기
2일	문맥 읽기	**5일**	읽기의 기초_종합
3일	문단 읽기	**특강**	창의·융합·코딩

(가)는 노랫말, (나)는 노래를 소개하는 글입니다. 둘의 차이점을 생각하며, 물음에 답해 봅시다.

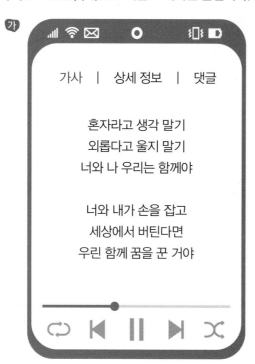

가

가사 | 상세 정보 | 댓글

혼자라고 생각 말기
외롭다고 울지 말기
너와 나 우리는 함께야

너와 내가 손을 잡고
세상에서 버틴다면
우린 함께 꿈을 꾼 거야

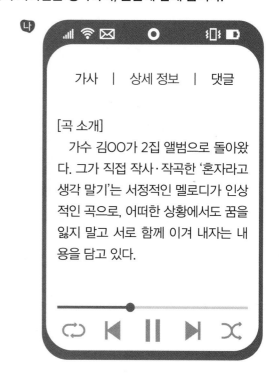

나

가사 | 상세 정보 | 댓글

[곡 소개]
　가수 김OO가 2집 앨범으로 돌아왔다. 그가 직접 작사·작곡한 '혼자라고 생각 말기'는 서정적인 멜로디가 인상적인 곡으로, 어떠한 상황에서도 꿈을 잃지 말고 서로 함께 이겨 내자는 내용을 담고 있다.

1 (가), (나) 중 두 사람이 말하는 것으로 알맞은 것을 고르세요.

((가) / (나))를 읽으며,
'나'가 어떤 기분일지
상상해 보았어.

지현

((가) / (나))를 읽으며,
이 노래가 지닌 특징을
정리해 보았어.

진우

2 (가)와 비교하여, (나)가 지닌 특징으로 알맞은 것을 고르세요.

① 글쓴이의 마음을 표현하고 있어요.

② 노래에 대한 정보를 전달하고 있어요.

③ 사람들에게 감동을 줄 수 있어요.

다음 그림을 보면서 성희와 영진이가 서로 다른 '눈'을 떠올리는 이유를 생각해 봅시다.

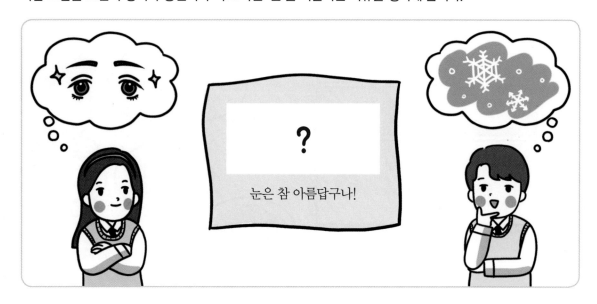

눈은 참 아름답구나!

3 성희와 영진이가 읽었을 글을 바르게 연결해 보세요.

성희

영진

· ①
겨울이 오면 선물처럼 와서
세상을 하얗게 만든다.
눈은 참 아름답구나!

· ②
눈은 마음을 드러내는 창.
모든 걸 아름답게 보는 너의
눈은 참 아름답구나!

4 성희와 영진이가 겪은 읽기 상황으로 보아 글을 읽을 때 유의할 점으로 알맞은 것을 고르세요.

'눈은 참 아름답구나!'라는 문장은 앞에 어떤 내용이 오느냐에 따라 (같은 / 다른) 의미로 해석할 수 있다. 따라서 문장의 의미는 글의 전체적 흐름 속에서 파악해야 한다.

▶ 문장의 화제 찾기

늘 옳다!

매콤 달콤한 맛을 즐기세요!
070-123-4567

떡볶이? 양념 치킨?
무슨 음식인지 몰라서
못 시켜 먹겠어.

문장의 화제

떡볶이는 늘 옳다!

매콤 달콤한 맛을 즐기세요!
070-123-4567

'떡볶이'처럼 문장에서
말하려는 무엇에 해당하는
부분이 그 문장의 화제야. 문장의
의미를 파악하려면 제일 먼저
화제를 찾아야 해.

개념 노트

● **문장**: 생각이나 감정을 마무리하여 표현하는 가장 작은 (ㄱ)의 단위. 마침표(.), 느낌표(!), 물음표(?)와 같은 문장 부호가 끝에 옴.

● **문장의 화제**: 문장에서 '누가/무엇이'에 해당하는 부분. 문장에서 진술하고 있는 (ㄷㅅ).

● **문장의 화제 찾기**: 문장을 '누가/무엇이' 부분과 '어떠하다/어찌하다/무엇이다' 부분으로 나눔.
  예 민화에는 / 나쁜 기운을 물리치고자 하는 서민들의 바람이 담겨 있다.
       무엇이   어떠하다
     └ 이 문장의 화제는 '민화'이다.

답 글, 대상

우리나라의 세계 문화유산

종류 설명하는 글
중심 화제 세계 문화유산
주제 우리나라의 세계 문화유산

가 ㉠세계 문화유산은 '인류 전체를 위해 보호해야 할 가치가 있다고 인정한' 세계 유산의 한 형태이다. ㉡유네스코는 1972년 세계 문화 및 자연 유산 보호 협약을 채택하고 이에 따라 세계 유산을 지정하고 보호해 왔다. 우리 고장의 대표적인 문화재인 화성은 동양 건축 기술의 으뜸으로 평가받아 세계 문화유산으로 지정되었다.

나 종묘는 석굴암, 불국사와 함께 1995년 우리나라 최초의 세계 문화유산으로 지정되었다. 종묘는 조선 시대에 왕과 왕비의 위패를 모시고 제사를 지내던 공간이다. 종묘는 조상을 추모하는 장소이므로 화려한 단청 같은 장식은 없지만 모든 건축물이 단순하고 절제된 아름다움을 드러내고 있다.

● **유산** 앞 세대가 물려준 사물 또는 문화.
● **위패** 죽은 사람의 이름을 적은 나무로 된 패.
● **추모하다** 죽은 사람을 그리며 생각하다.
● **단청** 옛날식 집의 벽, 기둥, 천장 따위에 여러 가지 빛깔로 그림이나 무늬를 그림. 또는 그 그림이나 무늬.

● **문장의 화제 찾기**
문장의 앞부분에서 '은/는/이/가'가 붙은 말을 잘 찾아봐요.

1-1 〈보기〉를 참고하여, 문장 ㉠, ㉡을 끊어 읽고 각각의 화제를 찾아 빈칸에 쓰시오.

> 보기
>
> | 1단계 | 문장을 '무엇이'와 '어떠하다/어찌하다/무엇이다' 부분으로 나누기 |
> | --- | --- |
> | | 예 우리 고장의 대표적인 문화재인 화성은 / 동양 건축 기술의 으뜸으
　　　　　　　　　　　　　　　무엇이
로 평가받아 세계 문화유산으로 지정되었다.
　　　　　어떠하다 |
>
> | 2단계 | '무엇이' 부분에서 꾸밈을 받는 대상을 찾기 |
> | --- | --- |
> | | 예 우리 고장의 대표적인 문화재인 화성은
　　　　　　　　　　　　　　└ 꾸밈받는 대상(화제) |

㉠ 세계 문화유산은 '인류 전체를 위해 보호해야 할 가치가 있다고 인정한' 세계 유산의 한 형태이다. ▶ 문장의 화제: ☐☐☐☐☐☐

㉡ 유네스코는 1972년 세계 문화 및 자연 유산 보호 협약을 채택하고 이에 따라 세계 유산을 지정하고 보호해 왔다. ▶ 문장의 화제: ☐☐☐☐

● **문장의 화제 찾기**
한 문단을 구성하는 문장의 화제는 같을 수 있어요.

1-2 (나)에 나타난 문장의 화제에 대한 설명으로 알맞은 말을 고르시오.

(나)를 구성하는 문장들의 화제는 모두
(세계 문화유산 / 종묘)(이)야.

> **중심 화제 찾기**

도전 퀴즈 쇼

추석은 우리나라 명절 중 하나이다. 추석은 음력 팔월 보름날로, 한가위라고도 한다. 추석 때는 햅쌀로 송편을 빚고, 햇과일을 마련해 차례를 지낸다.

저는 무엇에 대해 이야기하고 있나요?

정답! 추석!

→ **중심 화제**

난 모르겠는데. 이번 문제는 포기해야겠어!

침착하게 글을 읽고, 글에서 가장 많이 나온 대상을 찾아봐.

개념 노트

- **글의 화제:** 글에서 이야기하는 대상이나 소재.
- **중심 화제:** 글에서 가장 (ㅈㅇ)하게 다루는 대상. 글쓴이가 글에서 가장 주목하는 대상.
- **중심 화제 찾기:** 글에서 가장 많이 (ㅂㅂ)되는 대상을 찾으면서 글에서 무엇을 중요하게 다루는지 파악함.
- 예 음악은 목소리나 악기 등으로 다양한 정서를 표출하는 예술이다. 음악을 통해 사람들은 여가 생활을 즐기고 표현의 자유를 누린다. 따라서 음악에는 그것을 창작하고 즐겨 온 이들의 삶이 녹아들어 있다. → 음악의 뜻, 음악의 효용과 특성을 설명하므로 중심 화제는 '음악'임.

답 중요, 반복

남극과 북극, 어떤 점에 서 다를까 (고현덕 외)

종류 설명하는 글
중심 화제 남극과 북극
주제 남극과 북극의 차이점

㉮ 지구에서 따뜻한 태양 에너지를 넉넉하게 받지 못하는 땅이 바로 남극과 북극이다. 이 두 지역은 겉으로는 비슷해 보이지만 서로 전혀 다른 특징을 갖고 있다.

㉯ 남극은 면적이 1,350만km²로, 한반도의 60배에 이르는 거대한 대륙이며, 지구상의 7대 대륙 중 다섯 번째로 크다. 오랜 세월 쌓이고 쌓인 눈이 단단하게 굳어져 생긴 두께 2km의 거대한 얼음덩어리가 남극 대륙 표면의 98%가량을 덮고 있다. 남극에서 오래된 운석이 발견되는 것으로 보아 이곳에는 오래전 지구 겉면의 모습을 확인할 수 있는 천연 자료들이 보관되어 있을 것으로 보인다.

㉰ 반면에 북극은 아시아와 아메리카 대륙으로 둘러싸인 거대한 북극해를 말한다. 북극해는 면적이 1,400만km²로, 지중해의 6배이며, 전 세계 바다의 3%를 차지한다. 북극은 이 북극해 주변의 바닷물이 얼어서 된 거대한 얼음덩어리가 떠 있는 것이다. 물론 바다 위로 보이는 빙하는 전체 얼음덩어리의 10% 정도에 불과하다. '빙산의 일각'이라는 표현은 여기에서 나온 것이다.

● **태양 에너지** 태양이 내보내는 에너지. 생물의 생명 활동의 근원이 됨.
● **대륙** 넓은 면적을 가지고 있어 바다의 영향이 미치지 않는 육지. 일반적으로 유럽, 아시아, 아프리카, 북아메리카, 남아메리카, 오스트레일리아, 남극 등을 이름.
● **운석** 지구상에 떨어진 별똥. 유성(流星)이 지구의 대기권 안으로 들어와 다 타지 않고 땅에 떨어진 것.

● **중심 화제 찾기**
각 문단에서 중요하게 설명하는 대상을 찾아봐요.

2-1 (가)~(다)의 중심 화제로 알맞은 것을 바르게 연결하시오.

(가) ·   · ① 남극과 북극

(나) ·   · ② 북극

(다) ·   · ③ 남극

● **중심 화제 찾기**
글 전체에서 글쓴이가 설명하려는 대상이 무엇인지 생각해 봐요.

2-2 이 글의 중심 화제를 알맞게 찾은 사람을 고르시오.

이 글에서 가장 많이 나온 말은 북극이니, 북극이 중심 화제야.
미연

남극과 북극을 모두 중요하게 다루니 남극과 북극 모두 중심 화제야.
종우

이 글은

한중일 삼국의 식사 문화와 젓가락 모양에 대해 설명한 글입니다. 나라별로 다르게 발달한 식사 문화와 젓가락 모양에 대해 다루고 있습니다.

간단 체크

· 주제: 한중일 삼국의 (ㅅㅅ) 문화와 젓가락 차이
· 문단 요약
(가): 식사 문화에 따른 (ㅈㄱㄹ) 모양 차이
(나): 중국의 식사 문화와 젓가락 모양
(다): (ㅇㅂ)의 식사 문화와 젓가락 모양
(라): 한국의 식사 문화와 젓가락 모양
(마): 한중일 삼국의 젓가락 특징 정리

어휘 풀이

● **재질** 재료가 가지는 성질.
● **양상** 사물이나 현상의 모양이나 상태.
● **뭉툭하다** 끝이 뾰족하지 않고 굵고 짤막하다.

[01~03] 다음 글을 읽고 물음에 답하시오.

가 전 세계 인구의 약 30퍼센트 정도가 젓가락을 사용한다고 한다. 한중일 삼국은 물론 베트남, 태국 등 일부 동남아시아 국가에서도 젓가락을 사용한다. 포크가 어느 나라에서 쓰이든 사용법, 재질, 크기에 큰 차이가 없는 것과는 달리 젓가락은 사용하는 나라에 따라 길이와 모양 등에 차이가 있다. 각 나라의 식사 문화에 따라 다른 양상으로 발전해 왔기 때문이다. 이 글에서는 한중일 삼국의 식사 문화와 이에 따른 젓가락의 차이에 관해 살펴보고자 한다.

나 중국인은 온 식구가 커다란 식탁에 둘러앉아 식사를 한다. 또 기름기가 많은 음식을 즐겨 먹는다. 그래서 멀리 놓인 음식을 집기 편하도록 젓가락의 길이를 길게 했고, 기름기가 많은 음식이 미끄러지는 것을 막으려고 젓가락 끝을 뭉툭하게 만들었다.

다 일본인은 밥을 먹을 때에 한 손으로 밥그릇을 들고 젓가락을 사용하여 먹는다. 게다가 독상에 음식을 차려 먹으므로 젓가락이 길 필요가 없는 것이다. 일본인은 생선구이, 생선회, 야채 절임 등을 즐겨 먹기 때문에 이런 음식들을 집기 편하도록 젓가락 끝이 뾰족하다.

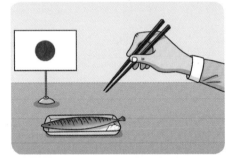

라 한국인은 가족이 함께 먹긴 해도 밥상을 따로 차려 먹었기 때문에 중국처럼 젓가락이 길지 않았다. 또 기름기가 많은 음식이나 해산물을 많이 먹지 않았으므로 젓가락 끝 모양이 중국처럼 뭉툭하거나 일본처럼 뾰족하지 않았다. 대신 김치, 깻잎, 콩자반과 같이 굵기와 크기가 다양한 음식을 두루 집기 편하도록 젓가락 끝을 납작하게 만들었다.

마 지금까지 살펴본 바와 같이 한중일 삼국의 젓가락은 그 길이와 모양이 다르다. 중국의 젓가락은 길고 끝이 뭉툭하고, 일본의 젓가락은 짧고 끝이 뾰족하다. 한국의 젓가락은 길이가 중국과 일본의 중간쯤 되고, 끝이 납작하다. 한중일 삼국의 젓가락 가운데 무엇이 더 우수하다고 할 수는 없다. 각국의 식사 문화가 낳은 산물이기 때문이다. 젓가락도 문화다.

– 김경은, 〈   ?   〉에서

정보 이해하기

01 이 글의 내용과 일치하지 <u>않는</u> 것은?

① 중국의 젓가락은 끝이 뭉툭한 모양이다.

② 한국의 젓가락은 끝이 뾰족하게 생겼다.

③ 일본의 젓가락은 생선을 쉽게 집을 수 있다.

④ 일본은 밥그릇을 들고 밥을 먹는 문화가 있다.

⑤ 한국과 중국에서는 가족이 함께 식사하는 문화가 있다.

도움말

지문과 선택지를 비교하며 내용의 옳고 그름을 따져 봐요. 각 문단의 중심 화제를 기억해 두면, 좀 더 빨리 비교할 수 있어요.

문단의 중심 화제 찾기

02 (가)~(마)의 중심 화제로 알맞은 것은?

① (가): 젓가락의 다양한 모양

② (나): 중국의 가족 문화

③ (다): 일본인이 좋아하는 음식

④ (라): 한국의 반찬 종류

⑤ (마): 한중일 식사 문화의 특징

도움말

각 문단에서 무엇을 중점적으로 설명하고 있는지 확인해 봐요. 자주 나오는 단어가 있다면, 그 단어가 중심 화제일 가능성이 높아요.

글의 중심 화제 찾기

03 이 글의 제목으로 알맞은 것은?

① 젓가락 문화의 장점

② 젓가락과 포크의 특징

③ 동남아시아 젓가락의 특징

④ 한중일 음식 문화의 공통점

⑤ 한중일 젓가락 모양의 차이점

도움말

글의 제목에는 글 전체에 걸쳐서 다루는 중심 화제가 제시되어야 해요. 각 문단에서 찾은 중심 화제를 모두 아우르는 글의 중심 화제를 찾아봐요.

주 **2일** 문맥 읽기

> ### 지시어로 문맥 읽기

개념 노트

- **문맥**: 글이나 문장에 표현된 의미의 앞뒤 연결.

- **지시어**: 앞에서 나온 말이나 내용을 대신하여 사용하는 말.
  > 예 이, 그, 저, 이것, 그것, 저것, 이러한, 그러한, 저러한, 이렇게, 그렇게, 저렇게 등

- **지시어로 문맥 읽기**
  - 지시어의 (ㅇ) 부분을 살펴 지시어가 가리키는 내용을 파악함.
  - 지시어는 글에서 (ㅂㅂ)되는 대상을 가리키므로, 중심 화제를 찾는 데 도움이 됨.

답 앞, 반복

한글의 창제 원리
(국립한글박물관)

종류 설명하는 글
중심 화제 훈민정음
주제 훈민정음을 만든 방식

570여 년 전, 우리말은 우리글로 담을 수 없었다. 조선은 말을 옮길 글자가 없어 중국의 한자를 빌려 썼다. 하지만 말과 글이 다른 데다 한자는 수가 많고 어려워 백성들이 소통하기 힘들었다. ㉠이에 세종 대왕이 누구나 쉽게 익혀 읽고 쓸 수 있는 새로운 문자를 만드니 그것이 '훈민정음'이다. 세종 대왕이 창제한 훈민정음은 자음자 열일곱 자, 모음자 열한 자, 총 스물여덟 자로 구성되었다. 〈중략〉

모음자의 기본자는 석 자인데, ㉡이 글자에는 심오한 철학이 담겨 있다. '•'는 세상에 처음 존재한 하늘을 뜻하고, 'ㅡ'는 그 모양처럼 평평하니 땅을 가리키고, 'ㅣ'는 하늘과 땅 다음에 생겨난 사람을 나타낸다. 즉, 천지인(天地人)을 본떠서 모음자의 기본자를 만들었다.

나머지 모음자는 기본자를 합하여 만들었다. 예를 들어 'ㅏ'는 'ㅣ'와 '•'를 합하여 만든 글자이다. 이런 방식으로 기본 석 자인 모음자가 총 열한 자가 되었다. 이렇게 한글은 최소의 기본자를 만들고, 나머지는 기본자에서 규칙적으로 확대해 나간 간결하면서도 배우기 쉽고 쓰기 편한 문자이다.

──────
● **창제** 전에 없던 것을 처음으로 만들거나 정함.

● **지시어 파악하기**
지시어가 가리키는 내용을 찾으려면 지시어의 앞부분을 읽어야 해요.

1-1 다음 그림에서 ㉠이 가리키는 상황에 처한 인물에 ○ 표시하시오.

(1) (   )   (2) (   )

● **지시어 파악하기**
㉡이 어떤 표현 대신 쓰였는지 생각해 봐요.

1-2 ㉡에 해당하지 <u>않는</u> 글자를 고르시오.

| ㅣ | ㅏ | ㅡ | • |

> 접속어로 문맥 읽기

● **접속어**: 앞뒤 문장의 내용을 이어 주는 말이나 표현.

　예 그리고, 또한, 게다가, 그래서, 따라서, 그런데, 한편, 그러나, 하지만, 반면에, 결국, 즉 등

● **접속어로 문맥 읽기**

• (ㅈㅅㅇ)를 활용하여 앞뒤 문장의 내용이 비슷하게 이어지는지 서로 반대되는 내용으로 이어지는지 등을 파악함.

• 접속어를 활용하면 글의 논리적인 (ㅎㄹ)을 알 수 있어 글에서 중요하게 다루어지는 내용을 찾을 수 있음.

📖 답 접속어, 흐름

간접 광고의 본모습

종류 주장하는 글
중심 화제 간접 광고
주제 간접 광고를 비판적으로 수용하는 태도를 갖춰야 함.

간접 광고는 특정 기업이 영화나 드라마에 협찬을 한 대가로 해당 기업의 상품이나 브랜드 이미지를 소품처럼 끼워 넣는 광고를 말한다. 이 경우 매체 이용자들은 해당 상품이나 브랜드 이미지를 광고로 인식하지 못하는 경우가 많다. ㉠자신이 좋아하는 영화나 드라마에 사용된 소품이기 때문에 무의식 속에 그 상품이나 기업을 '좋은 상품', '좋은 기업'으로 인식하게 된다.

[A]
간접 광고는 다가가는 방식이 교묘하여 매체 이용자는 간접 광고를 보고도 광고가 아닌 것으로 착각할 수 있다. 하지만 간접 광고는 광고일 뿐이다. 광고는 매체 이용자의 소비 심리를 부추겨 상품을 사게 하려는 뚜렷한 목적이 있다. 그러므로 광고를 접할 때 광고가 제공하는 정보가 거짓인지, 참인지 따져 보아야 한다. 또한 영화나 드라마의 지나친 간접 광고는 프로그램을 즐겁게 보려는 시청자의 권리를 침해하는 것이므로 이에 대한 비판의 목소리도 낼 수 있어야 한다.

● **협찬** 어떤 일에 돈이나 물건을 대 도움을 줌.
● **브랜드** 사업자가 자기 상품에 대하여, 경쟁업체의 것과 구별하기 위하여 사용하는 기호 · 문자 · 도형 따위를 통틀어 이르는 말.
● **무의식** 자신의 말과 행동이나 상태 따위를 스스로 깨닫지 못하는 상태.
● **교묘하다** 어떤 일을 하는 방법이나 꾀가 아주 뛰어나고 빠르다.

● **접속어의 역할 파악하기**
접속어를 활용해 길고 복잡한 문장을 끊어 읽으면, 그 문장의 의미를 쉽게 파악할 수 있어요.

2-1 ㉠은 '때문에'로 두 내용이 이어져 있습니다. '때문에'의 역할에 맞게 빈칸에 들어갈 알맞은 말을 쓰시오.

앞의 내용		뒤의 내용
(간접 광고에 해당하는 제품은) 자신이 좋아하는 영화나 드라마에 사용된 소품이다.	때문에	무의식 속에 그 상품이나 기업을 '좋은 상품', '좋은 기업'으로 인식하게 된다.
원인 · 이유		☐☐

● **접속어의 역할 파악하기**
접속어 앞뒤 문장의 내용을 살펴 접속어의 역할을 파악해 봐요.

2-2 [A]에 쓰인 접속어와 그 역할을 바르게 연결하시오.

하지만 · · ① 서로 반대되는 내용의 앞뒤 문장을 연결

그러므로 · · ② 서로 비슷한 내용의 앞뒤 문장을 연결

또한 · · ③ 앞뒤 문장을 원인과 결과로 연결

이 글은

우리나라에서 살고 있는 귀화 식물을 중심 화제로 다룬 글입니다. 다양한 예를 들어 귀화 식물에 대해 설명하고 있습니다.

간단 체크

· 주제: 우리 주변의 귀화 식물에 대한 (ㄱㅅ) 권유
· 문단 요약
  1문단: (ㄱㅎㅅㅁ)의 뜻
  2문단: 우리나라에 사는 다양한 귀화 식물의 예
  3문단: 귀화 식물이 우리 땅에 들어오게 된 경로
  4문단: 사람들이 귀화 식물에 대해 (ㄱㄹㄱ)을 갖는 이유
  5문단: 귀화 식물에 대한 관심 촉구

어휘 풀이

● **자생** 저절로 나서 자람.
● **외래** 밖에서 옴. 또는 다른 나라에서 옴.
● **귀화** 원산지가 아닌 지역으로 옮겨진 동식물이 그곳의 기후나 땅의 조건에 적응하여 번식하는 일.
● **분포하다** 일정한 범위에 흩어져 퍼져 있다.
● **비옥하다** 땅이 기름지고 영양분이 많다.
● **비탈면** 산이나 언덕 따위가 기울어진 곳.
● **목초** 말이나 소에게 먹이는 풀.
● **반감** 반대하거나 반항하는 감정.
● **번식력** 동식물의 수나 양이 늘어서 많이 퍼지는 힘.
● **배척하다** 따돌리거나 거부하여 밀어 내치다.
● **생태계** 어느 환경 안에서 사는 생물들과 그 생물들을 조절하는 모든 요인을 포함한 복합 체계.

[01~03] 다음 글을 읽고 물음에 답하시오.

식물은 원산지를 기준으로 원산지가 우리 땅인 식물과 다른 나라에서 들어온 식물로 나눌 수 있다. 원산지가 우리 땅인 식물을 '자생 식물'이라 하고, 다른 나라에서 들어온 식물을 '외래 식물'이라고 한다. 외래 식물 가운데 ㉠이 땅에 완전하게 정착하여 스스로 씨를 퍼트리며 살아가는 식물을 '귀화 식물'이라고 한다. 귀화 식물이 늘어난다는 것은 우리나라에 분포하는 식물 종의 수가 늘어난다는 것을 뜻한다.

귀화 식물은 우리 주변에서 쉽게 볼 수 있다. 늦여름에서 초가을까지 들판 가득 꽃을 피우는 개망초, 환하고 노란 꽃이 아름다우며 그 씨앗에서 기름을 얻을 수 있는 달맞이꽃, 농사짓는 땅을 비옥하게 하려고 일부러 심는 자운영, 행운을 안겨 준다는 '네잎클로버'로 우리에게 친숙한 토끼풀…… ㉡이것들 모두 귀화 식물이다.

▲ 개망초　　　　　▲ 달맞이꽃　　　　　▲ 오리새

귀화 식물들은 도대체 어떻게 원래 살던 곳을 떠나 이 먼 곳에까지 와서 살게 되었을까? 오리새나 큰김의털의 경우 도로 공사 때 땅을 깎아 만든 비탈면에 심으려고 들여왔던 것들인데, 이것들이 퍼져 나가 우리나라에 정착하였다. 그리하여 지금은 우리나라 전 지역에서 오리새나 큰김의털을 볼 수 있게 되었다. ㉢이 밖에 사료용 목초로 들여왔는데 퍼져 나간 경우도 있고, 수입되다가 운반되는 차에서 떨어져 퍼져 나간 경우도 있다. 이렇게 다양한 경로로 들어온 귀화 식물은 우리나라에 뿌리를 내리고 살아가고 있다.

㉣그런데 사람들은 귀화 식물이라고 하면 좋지 않은 느낌이 드는 모양이다. 달맞이꽃이나 자운영같이 우리에게 매우 친숙하고 유익한 식물들도 귀화 식물이라고 하면 갑작스레 거리감을 나타내기도 한다. 낯선 것에 대한 거부감, 자생 식물을 밀어낸다는 것에 대한 반감 등을 그 이유로 들 수 있을 것이다. 이 가운데 귀화 식물이 자생 식물을 밀어낸다는 것은 과학적인 근거가 있는 것이다. 예를 들면 번식력이 왕성한 서양등골나물은 자생 식물들의 분포지 한복판까지 파고들어 자생 식물을 밀어낸다.

㉤그러나 모든 귀화 식물이 문제가 되는 것은 아니다. 달맞이꽃처럼 유익한 귀화 식물도 있다. 우리 땅에는 이미 삼백여 종의 귀화 식물이 자리를 잡고 살아가고 있다. 귀화 식물이라고 하여 무조건 배척할 것이 아니라 그것들 또한 이 땅의 생태계를 구성하는 가족들이라는 인식을 갖고 좀 더 관심을 둘 필요가 있다.

— 이유미, 〈다시 보는 귀화 식물〉에서

글의 특성 파악하기

01 이 글에 대한 설명으로 알맞은 것은?

① 외래 식물에 대해 설명하고 있다.

② 귀화 식물을 막자고 주장하고 있다.

③ 여러 가지 자생 식물을 소개하고 있다.

④ 귀화 식물에 대해 관심을 가질 것을 권유하고 있다.

⑤ 우리나라의 자생 식물을 보호하자고 설득하고 있다.

도움말

이 글이 주로 무엇에 대해 설명하고 있는지 생각해 봐요. 또한 마지막 문단에서 글쓴이가 읽는 이들에게 당부한 내용이 무엇인지 찾아봐요.

정보 이해하기

02 이 글을 이해한 내용으로 알맞지 <u>않은</u> 것은?

① 자생 식물은 원산지가 우리 땅인 식물이다.

② 우리나라에는 삼백여 종의 귀화 식물이 있다.

③ 토끼풀은 우리에게 친숙한 귀화 식물 중 하나이다.

④ 서양등골나물은 자생 식물을 밀어내는 귀화 식물이다.

⑤ 오리새는 사료용 목초로 수입되어 퍼진 귀화 식물이다.

도움말

글의 내용을 있는 그대로 이해했는지 묻는 문제예요. 각 문단의 중심 내용을 정리해 두면, 글의 내용과 일치하지 않은 선택지를 쉽게 찾을 수 있어요.

문맥 파악하기

03 ㉠~㉤을 활용하여 문맥을 파악한 것으로 알맞지 <u>않은</u> 것은?

① ㉠: 앞서 나온 '우리 땅'을 대신 가리키는 표현이군.

② ㉡: '개망초, 달맞이꽃, 자운영, 토끼풀'을 의미하겠어.

③ ㉢: 앞서 설명한 내용과 관련 있는 내용이 뒤에서 추가되겠군.

④ ㉣: 앞에서 설명한 내용이 일어나게 된 원인이 뒤에서 제시되겠어.

⑤ ㉤: 앞 문단과 반대되는 내용이 이어질테니 집중해서 살펴야겠군.

도움말

지시어의 의미를 파악하려면 지시어 앞에 온 내용을 잘 살펴야 해요. 또 접속어의 쓰임에 주의하여 접속어 앞뒤로 내용이 어떻게 이어지고 있는지를 확인해야 해요.

> **문단의 중심 내용 찾기**

개념 노트

- **문단:** 행갈이로 구분되는 글의 구성단위. 여러 (ㅁㅈ)이 모여 하나의 중심 내용을 표현함.
- **중심 내용:** 문단을 대표하는 내용. (ㅈㅅ ㅎㅈ)에 대한 설명이나 글쓴이의 생각이 드러난 내용.
- **중심 내용 찾기:** 문맥을 파악하여 문단에서 중심 문장과 뒷받침 문장을 구분하고 중심 내용을 찾음.

중심 문장	• 중심 내용이 잘 드러난 문장. • 중심 화제를 설명하거나 중심 화제에 대한 글쓴이의 주장이 드러난 문장.	←	뒷받침 문장	• 중심 문장을 뒷받침하는 문장. • 중심 화제에 대해 자세하게 설명하거나 이유를 제시하는 문장.

🔑 **답** 문장, 중심 화제

아침밥을 먹자 (서울신문)

종류 주장하는 글
중심 화제 아침밥
주제 아침밥을 먹을 필요성

㉮ ㉠현대 사회에서는 많은 사람이 아침을 바쁘게 시작한다. ㉡그러다 보니 아침밥을 거르거나 대충 때우는 경우가 많다. ㉢바쁜 직장인들이나 학생들은 단 5분이라도 더 자려고 아침밥을 포기하기도 한다. ㉣물론 바쁜 생활 속에서 아침밥을 꼬박꼬박 챙겨 먹기란 쉬운 일이 아니다. ㉤그러나 건강을 지키고 하루를 활기차게 시작하려면 반드시 아침밥을 챙겨 먹어야 한다. ㉥아침밥을 챙겨 먹으면 다음과 같은 좋은 점이 있다.

㉯ 먼저, 아침밥을 먹으면 뇌의 기능이 활발해진다. 아침에 음식을 먹고 냄새를 맡으면 대뇌가 자극을 받는다. 이렇게 아침 일찍 대뇌를 자극하면 작업 능률이 오르고 학습 능력도 향상된다. 아침밥을 먹으면 기억력이 좋아진다는 연구 결과도 있다. 또한 아침밥을 먹은 사람은 그렇지 않은 사람에 비해 집중력이 높아져 문제를 풀 때 실수가 적다고 한다.

㉰ 다음으로, 아침밥을 먹으면 소화 기능이 좋아진다. 아침밥을 먹으면 위산°등이 분비되어 위장 운동이 활발해진다. 또한 규칙적으로 아침밥을 챙겨 먹으면 위염이나 위궤양과 같은 위장병°을 예방하는 데에도 도움이 된다.

● **위산** 위에서 분비되는 소화액인 위액 속에 들어 있는 산.
● **위장병** 위 또는 장에 일어나는 병을 통틀어 이르는 말. 위염은 위에 생기는 염증. 또는 그 때문에 생기는 병이며, 위궤양은 위 점막에서 피가 날 정도로 상처가 생기고 짓무르는 병임.

● 중심 내용 정리하기
문단에서 내용의 흐름이 바뀌는 경우 그 부분이 문단의 중심 내용일 확률이 높아요.

1-1 (가)의 문맥을 파악한 것을 바탕으로 하여 (가)의 중심 내용으로 알맞은 것을 고르시오.

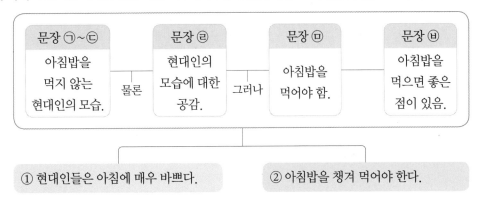

● 중심 내용 정리하기
중심 내용은 문단 전체의 내용을 담아내야 하기 때문에 대체로 추상적이고 포괄적인 내용으로 진술돼요.

1-2 (나)의 중심 내용을 알맞게 정리한 사람을 고르시오.

문단의 구성 방식 파악하기

문단은 중심 문장이 어디에 있느냐에 따라 다음과 같이 구분할 수 있어.

민지야, 나 너 좋아해.
너만 보면 얼굴이 빨개지고, 심장이 엄청 빨리 뛰어. 어젠 꿈에서도 네가 나왔어.

너만 보면 얼굴이 빨개지고, 심장이 엄청 빨리 뛰어. 어젠 꿈에서도 네가 나왔어.
민지야, 나 너 좋아해.

너만 보면 얼굴이 빨개지고, 심장이 엄청 빨리 뛰어.
민지야, 나 너 좋아해.
어젠 꿈에서도 네가 나왔어.

민지야, 나 너 좋아해.
너만 보면 얼굴이 빨개지고, 심장이 엄청 빨리 뛰어. 어젠 꿈에서도 네가 나왔어.
내가 너를 정말 좋아하나 봐.

어쨌든 중요한 건 남욱이가 날 좋아한다는 거네?

그렇지!

- **문단의 구성 방식**: (ㅈㅅ ㅁㅈ)이 문단의 어느 곳에 있느냐에 따라 구분할 수 있음.

두괄식	중심 문장이 문단의 앞에 있음.	미괄식	중심 문장이 문단의 끝에 있음.
중괄식	중심 문장이 문단의 가운데에 있음.	양괄식	중심 문장이 문단의 앞과 끝에 반복됨.

- **문단 읽기**
  - 문단의 구성 방식을 바탕으로 하여 중심 문장을 찾음.
  - 중심 문장은 보통 문단의 (ㅇ)부분이나 (ㄲ)부분에 나타나는 경우가 많음.

답 중심 문장, 앞, 끝

황사의 심각성 (박경화)

종류 설명하는 글
중심 화제 황사
주제 황사가 일으키는 피해

가 황사는 바람을 타고 하늘로 올라간 미세한 모래 먼지가 대기 중에 퍼져 있다가 서서히 떨어지는 현상이다. 옛날에는 '토우(土雨)'라고 했는데 일제 강점기부터 '황사(黃砂)'라고 부르기 시작했다. 해마다 봄이면 우리 하늘은 황사로 누렇게 물이 든다.

나 대륙을 거쳐 우리나라에 온 황사에는 산업화의 몸살을 앓고 있는 중국의 여러 도시에서 배출되는 중금속까지 섞여 있어 더욱 문제이다. 봄의 불청객인 황사는 천식 등 호흡기 질환을 일으키고, 아토피 피부염을 악화시키는 원인이 된다. 황사가 동반하는 흙먼지와 탁한 공기는 항공 운항과 통신에도 장애를 일으킨다. 이처럼 황사는 우리의 일상생활과 산업에 엄청난 피해를 끼치고 있다.

● **산업화** 산업과 기술이 발달하여 생산이 기계화되고 인구의 도시 집중과 같은 특징을 가진 사회로 변화함.
● **중금속** 비중이 4 이상인 무거운 금속을 통틀어 이르는 말. 철, 금, 백금 따위가 있음.
● **운항** 배나 비행기가 정해진 길이나 목적지를 오고 감.

● **문단의 구성 방식 파악하기**
중심 문장은 중심 화제의 뜻을 밝히거나 내용을 정리하는 경우가 많아요. (가)에서 중심 문장이 어디에 있는지를 살펴봐요.

2-1 (가)의 구성 방식에 대해 바르게 설명한 사람을 고르시오.

이 문단은 중심 문장이 처음에 나오는 두괄식 구성이야. 첫 번째 문장에서 황사의 뜻을 구체적으로 밝히고 있지.

화연

이 문단은 중심 문장이 가운데에 있는 중괄식 구성이야. 두 번째 문장에서 황사라 불리게 된 시점을 알려 주고 있어.

민우

● **문단의 구성 방식 파악하기**
문맥을 살펴 문단 전체의 내용을 포괄하고 있는 중심 문장의 위치를 확인해 봐요.

2-2 (나)의 구조를 나타낸 그림으로 알맞은 것을 고르시오.

① 중심 문장이 문단의 맨 앞에 있음.

② 중심 문장이 문단의 맨 끝에 있음.

③ 중심 문장이 문단의 앞과 끝에서 반복됨.

이 글은

빅터 파파넥이 만든 깡통 라디오를 예로 들어 이타적 디자인에 대해 설명한 글입니다.

간단 체크

· **주제**: 빅터 파파넥이 강조한 (ㅇㅌㅈ) 디자인

· **문단 요약**
(가): 사회적 (ㅇㅈ)를 돕기 위한 이타적 디자인
(나): 파파넥이 깡통 라디오를 만든 계기
(다): (ㄲㅌ ㄹㄷㅇ)의 특징
(라): 디자인에 대한 파파넥의 생각
(마): 깡통 라디오의 의의

어휘 풀이

● **이타적** 자기의 이익보다는 다른 사람의 이익을 더 중요하게 생각하는. 또는 그런 것.

● **개발 도상국** 산업의 근대화와 경제 개발이 선진국에 비하여 뒤떨어진 나라.

● **속절없이** 어찌할 방법이 없이.

● **배선** 전력을 쓰기 위하여, 전선을 끌어 장치하거나 여러 가지 전기 장치를 전선으로 연결하는 일.

● **고정 관념** 어떤 사람이나 집단의 마음속에 이미 굳어져서 쉽게 바뀌지 않는 생각.

● **죄악** 죄가 될 만한 나쁜 일.

● **파라핀 왁스** 양초, 연고, 화장품 따위를 만드는 데 쓰는 희고 냄새가 없는 반투명한 고체.

● **연소** 물질이 산소와 결합하여 열과 빛을 내며 타는 현상.

[01~03] 다음 글을 읽고 물음에 답하시오.

가 현재 활동하는 세계적인 디자이너들에게 존경하는 디자이너가 누구인지 물으면 많은 사람이 빅터 파파넥을 꼽습니다. 빅터 파파넥은 사회적 약자를 돕는 데 디자인이 중요한 역할을 할 수 있다고 생각했습니다. 그래서 세계 곳곳을 다니며 가난한 사람, 장애인, 어린이와 여성, 문맹 등을 위한 디자인에 힘썼습니다. 이처럼 사회적 약자들에게 쓸모 있는 물건을 만드는 일, 또는 그렇게 만든 물건을 '이타적 디자인'이라고 합니다.

나 1960년대 빅터 파파넥은 국제 연합 교육 과학 문화 기구(유네스코)에서 진행하는 개발 도상국 지원 프로그램에 참가하려고 인도네시아 발리섬을 찾았습니다. 그 당시 인도네시아 발리섬에서는 화산 폭발이 자주 일어나 많은 사람이 목숨을 잃거나 부상을 당하곤 했습니다. 인도네시아를 찾은 파파넥은 발리섬 원주민들이 왜 화산 폭발에 제대로 대처하지 못해 큰 피해를 입을 수밖에 없었는지 깨닫게 되었습니다. / 원주민들은 재난 경보를 들려주는 간단한 장비조차 살 수 없을 만큼 가난했기 때문에 예고 없이 찾아오는 재난에 속절없이 당할 수밖에 없었습니다. 화산 폭발 경고를 듣고 바로 대피만 했더라도 많은 사람이 최소한 목숨은 구할 수 있었을 거라고 생각하니 파파넥은 가슴이 몹시 아팠습니다.

다 파파넥은 이 문제를 해결하리라 마음먹고 원주민들과 함께 이른바 '깡통 라디오'를 제작합니다. 깡통 라디오는 관광객들이 버리고 간 깡통을 이용해 몸체를 만들었기 때문에 붙은 이름입니다. 부품 역시 발리섬 여기저기에서 구할 수 있는 간단한 것들로 만들었습니다. 전기 배선, 안테나 등이 그대로 드러나 겉모습은 매우 보기 흉했습니다. 그러나 겉모습을 보기 좋게 하려면 제작 비용이 많이 들기 때문에 그대로 두었습니다.

▲ 깡통 라디오

라 그가 만든 라디오는 처음 보는 사람은 라디오라고 알아보기도 어려울 만큼 겉모습이 이상했습니다. 그런데 우리는 그것을 왜 이상하다고 느낄까요? 바로 우리가 가진 '디자인에 대한 고정 관념' 때문입니다. 좋은 디자인은 보기 좋고 아름다워야 한다는 생각이 바로 그것이지요. 파파넥은 디자인에 대한 이러한 고정 관념을 다음과 같은 말로 뛰어넘습니다.

"사물을 아름답게만 만드는 것은 죄악입니다. 사물을 쓸모 있게 만드는 것이 바로 디자인 이지요."

마 이러한 철학은 깡통 라디오를 만드는 데에 고스란히 담겼습니다. 이 라디오를 제작하는 데 든 비용은 9센트(약 100원)에 불과했습니다. 또 파라핀 왁스나 연소가 가능한 쓰레기, 동물의 배설물 등을 에너지원으로 사용함으로써 전기 문제도 해결하였습니다. 파파넥의 아이디어에서 탄생한 깡통 라디오는 수많은 원주민의 목숨을 살릴 수 있었습니다.

– 공규택, 〈이타적 디자인으로 사람을 살리다〉에서

정보 이해하기

01 이 글에서 언급된 내용이 아닌 것은?

① 이타적 디자인의 의미
② 깡통 라디오를 만든 이유
③ 깡통 라디오의 제작 비용
④ 라디오 디자인의 변화 과정
⑤ 디자인에 대한 파파넥의 관점

도움말

이 글에서 언급된 내용이 아닌 것은 글에서 설명하지 않는 내용을 뜻해요. 문단이나 글의 중심 화제를 생각하면 문제를 쉽게 풀 수 있어요.

정보 이해하기

02 '깡통 라디오'에 대한 설명으로 알맞은 것은?

① 태양열을 에너지원으로 이용한다.
② 화산 폭발 횟수를 줄이는 물건이다.
③ 발리섬 관광객들을 위한 디자인이다.
④ 전기 배선과 안테나로 아름다운 모양을 만들었다.
⑤ 발리섬 여기저기에서 구할 수 있는 것들로 만들었다.

도움말

설명 대상에 대한 정보를 잘 정리했는지 묻고 있어요. 어느 문단에서 깡통 라디오에 대한 내용을 다루는지 알고 있으면 문제를 빨리 풀 수 있어요.

중심 내용 정리하기

03 (가)~(마)의 중심 내용을 정리한 것으로 알맞지 않은 것은?

① (가): 이타적 디자인은 사회적 약자를 돕는 디자인을 의미함.
② (나): 발리섬 원주민들은 가난하여 화산 폭발의 피해를 입음.
③ (다): 파파넥은 원주민들을 위해 흔한 재료로 깡통 라디오를 만듦.
④ (라): 파파넥은 디자인이 보기 좋고 아름다워야 한다고 생각함.
⑤ (마): 값싸고 실용적인 깡통 라디오에는 파파넥의 철학이 담겨 있음.

도움말

문단의 흐름을 정리하면서 중심 내용을 파악해 봐요. 문단에서 작은따옴표(' ') 친 부분은 글쓴이가 강조하려는 내용이므로 주의 깊게 살펴야 해요.

> 글의 구조 파악하기

탕수육 시켜 먹을 때 꼭 싸우게 되지 않나요?
탕수육 소스를 부어 먹는 사람(부먹)도 있는 반면
탕수육을 소스에 찍어 먹는 사람(찍먹)도 있으니까요.
여러분은 탕수육을 어떻게 먹나요?

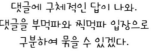

댓글 193개

당연히 부먹이죠. 소스와 튀김의 맛을 함께 즐기려면 부어 먹어야 함.

저도 부먹이요. TV에서 봤는데 탕수육은 소스랑 볶아 먹는 음식이랬어요.

탕수육도 튀김인데요? 튀김은 바삭바삭하게 먹어야죠. 고로 탕수육은 찍먹임!

소스를 부으면 돌이킬 수 없잖아요. 많은 사람을 배려하려면 찍먹이 맞죠.

탕수육을 어떻게
먹는지 물어보고 있네!

댓글에 구체적인 답이 나와.
댓글을 부먹파와 찍먹파 입장으로
구분하여 묶을 수 있겠다.

긴 글이라 한참
읽어야 할 줄 알았는데,
'부먹 vs 찍먹'으로 정리하면 되네.
비슷한 내용끼리 묶고,
그 부분들이 어떤 관계를 맺는지
생각하니 금방 알겠다!

● **글**: 여러 문단이 모여 어떤 대상에 대한 정보나 글쓴이의 생각 따위를 기록한 것.

● **글의 구조**: 글의 짜임새. 글쓴이가 글에서 전달하려는 내용이 잘 드러나게 (ㅁㄷ)을 배치한 것.

● **글의 구조 파악하기**

(ㄴㅇ)상 관련 있는 문단을 묶기	문단 간의 관계 파악하기
앞뒤 문단에서 다루는 중심 화제가 같거나, 비슷한 내용끼리 묶기.	글 전체에서 각각의 문단이 내용상 어떤 관계를 맺고 있는지 생각하기.

답 문단, 내용

> **시대에 따른 기상 관측법**
>
> 종류 설명하는 글
> 중심 화제 기상 관측법
> 주제 기상 관측법의 변화

옛날 사람들은 기상 관측기가 없었으므로, 눈으로 보고 그날그날의 날씨를 예측하였다.

17세기 중엽에 갈릴레이가 온도계를 발명하면서 관측기를 이용하여 날씨를 예측하는 관측 시대가 시작되었다. 관측 시대에는 기압계, 풍향계, 풍속계, 일사계, 습도계 등 대기 상태를 관측하는 여러 가지 기상 관측기가 발명되어 기상을 예측하는 데 널리 이용되었다.

오늘날에는 첨단 기기를 이용하여 날씨를 예측하는 관측 시대가 열리게 되었다. 위성을 이용한 예측은 그 정확도를 크게 높였다. 그리고 슈퍼컴퓨터를 이용하여 더욱 신속하고 정확하게 기상을 예측할 수 있게 되었다.

———
● **관측** 눈이나 기계로 자연 현상을 자세히 살펴보아 어떤 사실을 짐작하거나 알아냄.
● **일사계** 태양의 복사 에너지가 땅에 닿는 양을 재는 기구.
● **슈퍼컴퓨터** 많은 양의 데이터를 초고속으로 처리할 수 있는 컴퓨터.

● **글의 구조 파악하기**
각 문단의 첫 번째 문장을 훑어 읽으면 글의 구조를 빠르게 파악하는 데 도움이 돼요.

1-1 선생님의 질문에 대한 학생의 답변으로 알맞은 것을 고르시오.

> 하나의 글을 구성하는 문단들은 밀접하게 연결되어 있어요. 이 글의 문단들도 모두 중심 화제인 '기상 관측법'에 대해 설명하면서도 일정한 기준에 따라 각각의 문단으로 나뉘어져 있죠. 이 기준은 무엇일까요?

> 각각의 문단이 '옛날, 17세기 중엽, 오늘날'로 시작하는 것을 볼 때, 이 글의 문단들은 (시간 / 공간)을 기준으로 나눌 수 있어요. 세 문단이 모여 (시간 / 공간)의 흐름에 따른 기상 관측법의 변화를 설명하고 있어요.

● **글의 구조 파악하기**
글의 구조를 선과 도형으로 도식화하여 나타내면, 글의 내용을 한눈에 파악할 수 있어요.

1-2 이 글의 내용을 정리할 때 알맞지 **않은** 것을 고르시오.

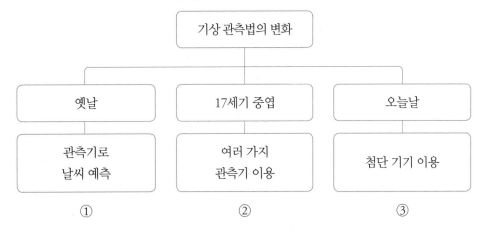

> **글의 주제 파악하기**

막내아들

엄마, 아빠 오늘 두 분 다 늦게 퇴근하시죠? 집에서 저녁 먹으려면 평소보다 늦겠어요.

그러면 오늘은 배달 음식 시켜 먹을까요? 식사 준비하려면 힘드실 테니까요.

집 앞에 새로 연 중국집에서 개업 기념 행사를 하고 있어요. 탕수육이 무려 20% 할인!

영양사 선생님이 성장기에는 고기를 먹어야 힘도 세지고 키도 쑥쑥 큰대요.

오늘 저녁에 탕수육 시켜 먹자는 거지? ㅎㅎ 알았어.

> 어, 아들이네! 처음엔 배달 음식을 시켜 먹자고 하다가 탕수육이 싸다는 얘기와 고기를 먹어야 하는 이유를 덧붙이고 있으니…

> 우리 아들 오늘 저녁으로 탕수육을 먹고 싶나 보네!

 **개념 노트**

● **주제**: 글 전체를 통해 글쓴이가 궁극적으로 이야기하고자 하는 내용. 글 전체에서 글쓴이가 가장 중요하게 다루는 내용.

● **주제 파악하기**
- 글의 (ㄱㅈ)를 파악하여 글의 끝부분에서 글쓴이가 글 전체의 내용을 정리하는지 확인함. 이러한 부분이 있다면, 이 부분의 내용을 요약한 것이 곧 글의 주제가 됨.
- 중심 화제와 문단의 (ㅈㅅㄴㅇ)을 종합하여 글 전체를 포함할 수 있는 내용으로 정리함.

답 구조, 중심 내용

개 기르지 맙시다 (서민)

종류 주장하는 글
중심 화제 개 기르기
주제 책임감을 가지고 개를 길러야 함.

가 개를 입양하는 것은 가족 구성원을 늘리는 일과 같다. 그럼에도 사람들은 개를 입양하는 것을 너무 쉽게 결정한다. 개의 입양 결정을 쉽게 해서 그런지 버리는 것도 쉽게 한다. 해마다 5만 마리가 넘는 개가 버려진다.

나 그래서 말씀드린다. "개를 기르지 마세요."라고. 당장 심심하다고, 애들이 원한다고, 인간관계에서 상처를 받았다고 쉽게 입양을 결정해서는 안 된다. 개를 자식처럼 기를 마음이 있다면, 그리고 그 마음이 변치 않을 자신이 있다면 개를 입양하라. 가족 중 한 명이라도 반대하면 개를 입양해선 안 된다. 이사 가려는 아파트에서 개를 못 기르게 하면 그 아파트 대신 다른 집을 찾을 사람만 개를 기를 자격이 있다.

● **주제 파악하기**
주제는 글쓴이가 글을 통해 궁극적으로 전하려는 생각이에요.

2-1 〈보기〉를 글쓴이의 입장에 따라 구분하여 빈칸에 쓰시오.

보기
ㄱ. 아이들이 심심해하여 개를 입양하려는 경우
ㄴ. 변치 않고 개를 자식처럼 기를 마음을 먹은 경우
ㄷ. 인간관계에서 받은 상처를 치유하기 위해 개를 입양하는 경우
ㄹ. 이사 가려는 집에서 개를 못 키우게 하면 다른 집을 찾아 이사 가는 경우

저는 (,)처럼 개를 쉽게 입양하려는 사람들은 개를 기르면 안 된다고 생각합니다.
(,)처럼 개를 책임감 있게 돌보는 사람들이 개를 기를 자격이 있다고 생각합니다.

글쓴이

● **주제 파악하기**
글의 구조를 이해하고 이를 종합하면 주제를 파악할 수 있어요.

2-2 다음 표에 들어갈 알맞은 말을 〈보기〉에서 골라 쓰시오.

(가) 중심 내용		문제 상황
(나) 중심 내용		주장

↓

주제	

보기
① 개를 쉽게 입양하고 버리는 사람이 많다.
② 자격을 갖춘 사람만이 개를 길러야 한다.
③ 신중하고 책임감 있게 개를 입양해야 한다.

이 글은

내향적인 사람과 외향적인 사람의 특성을 비교하고, 그러한 차이가 나타난 이유를 설명한 글로, 성향을 바르게 이해할 것을 당부하고 있습니다.

간단 체크

· 주제: 사람의 (ㅅㅎ)에 대한 올바른 이해 당부
· 문단 요약
(가): 외향적인 사람이 강하다는 일반적인 생각
(나): (ㄴㅎㅈ)인 사람의 특성
(다): 외향적인 사람의 특성
(라): 성향의 (ㅊㅇ)가 나타나는 이유
(마): 성향에 대한 바른 이해

어휘 풀이

· **주관적** 자기의 생각이나 관점을 기준으로 하는. 또는 그런 것.
· **유약하다** 부드럽고 약하다.
· **심사숙고하다** 깊이 잘 생각하다.
· **생리학적** 신체의 조직이나 기능을 연구하는 학문에 관계되는. 또는 그런 것.
· **전두엽** 대뇌의 앞부분으로 기억력, 사고력 등을 주관하는 기관.
· **우열** 나음과 못함.

[01~03] 다음 글을 읽고 물음에 답하시오.

가 ㉠내향적인 사람은 자신의 에너지를 내부에 있는 주관적인 세계를 관찰하는 데 쓰는 반면, ㉡외향적인 사람은 자신의 에너지를 바깥 방향으로 내보낸다고 한다. 그래서 내향적인 사람은 외향적인 사람에 비해 앞에 나서서 말하는 일이 적고, 뒤에 남겨지는 경향이 있다고 한다. 그런데 숫기가 없고 말수가 적으면 사회 적응력이 떨어지고 유약(柔弱)한 사람으로 보이기 쉽다. 반대로 활달하고 명랑하면 사교성 있고 강인한 사람으로 보이게 된다. 그렇다면 실제로 외향적인 사람이 내향적인 사람보다 강한 것일까.

나 내향적인 사람은 어떤 특성을 보일까. 일반적으로 생각하는 것처럼 조용하고 부끄러움이 많고 혼자 있기를 좋아한다는 점이 내향성의 본질은 아니다. 내향적이라는 것은 말을 내뱉기 전 심사숙고(深思熟考)하고 행동하기 전 충분히 생각하고 실천으로 옮긴다는 것을 의미한다.

다 그러나 외향적인 사람은 다른 사람과 대화를 나누는 과정에서 자기 생각을 정리하고 사고를 형성해 나간다. 머릿속으로 깊이 사고하는 시간이 짧기 때문에 결론에 도달하는 시간이 짧고 그만큼 충동적인 경향을 보이기도 한다.

라 성향의 차이는 생리학적인 차이와도 연관이 있다. 자주 사용하는 뇌 영역의 부위가 서로 다르다. 내향적인 사람은 외향적인 사람보다 대뇌의 전두엽으로 많은 혈액이 흐른다. 이 부위는 기억력, 문제 해결 능력, 계획 세우기 등과 연관이 있다. 반면 외향적인 사람은 운전, 듣기, 보기 등과 연관이 있는 뇌 영역으로 더욱 많은 혈액이 흐른다.

마 따라서 외향적인 사람이 내향적인 사람보다 강하다는 표현은 적절하지 않다. 각기 다른 강점이 있을 뿐이다. 정신과 의사이자 심리학자인 카를 구스타프 융(Carl Gustav Jung)은 모든 사람이 두 가지 성향을 함께 가지고 있지만 그중 한쪽으로 좀 더 기울어 있다고 설명했다. 즉, 성향을 기준으로 우열을 가릴 필요가 없다는 의미이다.

– 문세영, 〈외향적인 사람이 강하다?〉에서

정보 이해하기

01 ㉠, ㉡에 대한 이해로 알맞지 <u>않은</u> 것은?

① ㉠: 주관적 세계를 관찰하는 데 에너지를 쓴다.

② ㉠: 충분히 생각한 후에 실천하는 경향이 있다.

③ ㉠: 운전, 듣기와 관련이 있는 뇌 영역을 자주 쓴다.

④ ㉡: 사고하는 시간이 짧아 충동적인 경향이 있다.

⑤ ㉡: 다른 사람과 대화를 나누며 사고를 형성해 간다.

도움말

이 글은 내향적인 사람(㉠)과 외향적인 사람(㉡)의 차이에 대해 다루고 있어요. 이런 글을 읽을 때에는 두 대상의 차이점 위주로 정리하는 것이 좋아요.

글의 구조 파악하기

02 이 글의 구조에 대한 설명으로 알맞지 <u>않은</u> 것은?

① (가)는 중심 화제에 대한 일반적인 생각을 소개하고 있다.

② (나)와 (다)는 서로 반대되는 성향에 대해 설명하고 있다.

③ (나)와 (다)는 모두 성향에 따른 인간의 특성에 대해 다루고 있다.

④ (라)는 (나)와 (다)의 내용이 발생한 원인을 설명하고 있다.

⑤ (마)는 (라)에서 제시된 질문에 답하며, 주제를 제시하고 있다.

도움말

문단의 중심 내용을 파악하여, 이 내용들이 글 전체에서 어떤 관계를 맺고 있는지 파악해 봐요.

주제 파악하기

03 이 글에서 글쓴이가 전하려는 내용으로 알맞은 것은?

① 외향적인 사람이 내향적인 사람보다 강하다.

② 내향적인 사람은 외향적인 사람보다 강점이 많다.

③ 사람의 성향 차이는 생리학적 차이와 연관이 없다.

④ 개인의 성향을 기준으로 우열을 가릴 필요가 없다.

⑤ 외향적인 성향과 내향적인 성향을 고루 갖추어야 한다.

도움말

글쓴이가 글을 통해 전하려는 내용이 곧 주제라고 할 수 있어요. 주제는 글을 정리하는 부분에서 언급이 되는 경우가 많아요.

개념 한번 더 체크

화제 찾기

문장의 화제

문장에서 진술하고 있는 대상. 문장에서 [　　]에 해당하는 부분.
→ 문장을 '무엇이'와 '어떠하다' 부분으로 나누어 화제 찾기.

중심 화제

글에서 가장 중요하게 다루며, 글쓴이가 가장 주목하는 대상.
→ 글에서 가장 많이 [　　]되는 대상 찾기.

문맥 읽기

문맥

글이나 문장에 표현된 의미의 앞뒤 연결.

지시어

'이, 그' 처럼 [　]에서 나온 말이나 내용을 대신하여 사용하는 말.
→ 지시어 앞부분을 살펴, 지시어가 가리키는 내용 파악하기.

접속어

'그리고, 그러나' 처럼 앞뒤 문장의 내용을 이어 주는 말이나 표현.
→ 접속어의 역할을 바탕으로 하여 내용의 [　　] 파악하기.

문단 읽기

중심 내용

문단을 대표하는 내용. ☐☐☐☐에 대한 설명 · 생각이 드러남.
→ 문단을 잘 읽으려면 중심 내용을 파악해야 함.

나를 찾으려면 문맥을 살펴야 해.

우리 중심 문장을 뒷받침하거나 자세히 설명해.

문단의 구성

• 중심 문장: 중심 ☐☐이 잘 드러난 문장.
• 뒷받침 문장: 중심 문장을 뒷받침하는 문장.

중심 문장   뒷받침 문장   뒷받침 문장

글 전체 읽기

글의 구조

글에서 전달하려는 내용이 잘 드러나게 ☐☐을 배치한 것.
→ 내용상 서로 관련 있는 문단을 묶은 뒤, 글 전체에서 문단들이
    어떠한 관계를 맺고 있는지 파악하기.

글

문단
문단
문단

주제

글 전체를 통해 글쓴이가 이야기하고자 하는 내용.
→ 글의 구조를 파악하고, 문단의 ☐☐☐☐을 종합하여
    글 전체를 모두 포함하는 내용으로 정리하기.

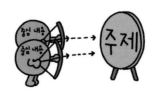

중심 내용
중심 내용
→ 주제

답 무엇, 반복, 앞, 흐름, 중심 화제, 내용, 문단, 중심 내용

이 글은

공업이 발달하면서 변화하게 된 자연에 대한 사람들의 인식을 달력, 시계와 관련지어 설명한 글입니다.

간단 체크

• 주제: (ㅈㅇ)의 순리를 따르며 사는 자세의 필요성
• 문단 요약
(가): 시계가 필요 없던 우리 조상들
(나): (ㄷㄹ)을 중시한 조상들
(다): (ㄱㅇ)이 발달하면서 중요해진 시계
(라): 공업과 흡사해진 농업
(마): 자연의 질서를 지키지 않아 잦아진 자연재해
(바): 현대인에게 필요한 자세

어휘 풀이

• **볍씨** 벼의 씨.
• **낭패** 일이 계획하거나 기대한 대로 되지 않아 곤란한 상황에 빠짐.
• **작물** 논밭에서 심어 가꾸는 곡식이나 채소.
• **인위적** 자연적으로 만들어진 것이 아닌 사람의 힘으로 이루어진 것.
• **밀림** 주로 열대 지방에서, 큰 나무가 빽빽하게 차 있는 숲.

[01~06] 다음 글을 읽고 물음에 답하시오.

가 시계는 조선 시대에 이미 이 땅에 ⓐ들어왔다. 그러나 우리 조상들에게 시계는 비싼 장식품에 지나지 않았다. 왜냐고? 별 필요가 없었기 때문이다. 대부분은 해가 뜰 때 깨어나 농사일을 시작하고 해 떨어지면 일 그치는 식으로 살았다. 날 밝을 때 일하면 되지, 농사일을 꼭 오전 7시에 시작해서 오후 5시에 끝내야 할 이유가 뭐 있었겠는가.

나 사람들에게 정말 중요했던 것은 계절의 변화를 읽을 수 있는 달력이었다. 농사를 잘 지으려면 자연의 흐름을 잘 따라야 하기 때문이다. 추워지는 10월에 볍씨를 뿌렸다가는 낭패를 볼 것이다. 조상들이 달력을 중요하게 생각한 데에는 자연의 흐름을 ⓑ따라가려는 마음이 담겨 있었다.

다 그러나 시계는 점차 달력을 이기기 시작했다. 공업이 발달하면서 시계가 중요해졌다. 농사일은 욕심대로 되지 않는다. 아무리 기후가 좋고 열심히 땅을 가꾸었다 해도, 수확하는 작물의 양은 어느 정도를 넘을 수 없다. 곡식과 열매는 대부분 일 년에 한 번만 거둘 수 있기 때문이다. 하지만 공장을 ⓒ돌리는 데 계절은 큰 문제가 되지 않는다. 여름이건 겨울이건 공장은 언제나 돌아간다. 시간은 정말 돈이 되었다. 공장을 한 시간 더 돌리고 덜 돌리는 데에 따라 생산량이 엄청나게 차이 나기 때문이다. 사람들은 점점 더 시간에 민감해졌다.

라 농사에서도 자연의 질서를 벗어나는 경우가 갈수록 많아졌다. 지금은 과일에 제철이 없다. 대부분 비닐하우스에서 ⓓ길러지기 때문이다. 석유를 때고 전기를 써서 공장을 돌리듯, 농산물도 석유와 전기로 난방을 해서 '만들어 낸다'. 자연의 질서와 관계없이 농사를 지을 수 있으니 달력은 크게 중요하지 않다.

마 자연의 리듬을 잊은 인간에 대한 ㉠자연의 복수는 무섭다. 쇠고기 생산량을 증가시키려고 인위적으로 늘린 소 떼는 사막의 면적을 크게 늘려 놓았다. '철 없는 과일'을 만들기 위해 석유나 석탄은 더 빨리 사라지고 있다. 사탕수수나 커피나무를 기르려고 밀림을 없애 버린 탓에 지구는 점점 더워진다. 지구가 더워지면서 홍수나 가뭄도 ⓔ잦아졌다.

바 지금 인류에게 필요한 것은 '자연을 살피는 마음'이다. '시간은 돈'이라며 째깍거리는 시계는 우리 마음을 조급하게 한다. 그러나 우리는 멈추어 서서 조급한 마음을 가라앉히고, 자연의 리듬을 담고 있는 달력의 의미를 곰곰이 곱씹어 봐야 한다.

– 안광복, 〈시계는 어떻게 달력을 이겼을까?〉에서

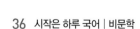

01 이 글의 특징으로 가장 알맞은 것은?

① 농업과 공업의 장단점을 분석하고 있다.

② 달력과 시계의 공통점을 설명하고 있다.

③ 사회적 변화와 환경 문제에 대해 다루고 있다.

④ 시간을 효율적으로 관리할 것을 당부하고 있다.

⑤ 시계에 대한 글쓴이의 경험을 소재로 삼고 있다.

02 이 글의 중심 화제인 달력과 시계의 특징을 정리한 내용으로 알맞지 <u>않은</u> 것은?

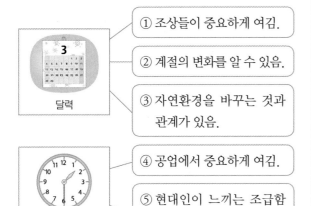

① 조상들이 중요하게 여김.

② 계절의 변화를 알 수 있음.

③ 자연환경을 바꾸는 것과 관계가 있음.

④ 공업에서 중요하게 여김.

⑤ 현대인이 느끼는 조급함과 관계가 있음.

03 ㉠이 가리키는 것으로 알맞지 <u>않은</u> 것은?

① 점점 더워지는 지구

② 잦아진 홍수와 가뭄

③ '철 없는 과일'의 생산

④ 크게 늘어난 사막의 면적

⑤ 석탄이 빨리 사라지는 것

04 이 글의 구조를 다음과 같이 분석할 때, Ⓐ~Ⓓ에 들어갈 문단을 알맞게 나열한 것은?

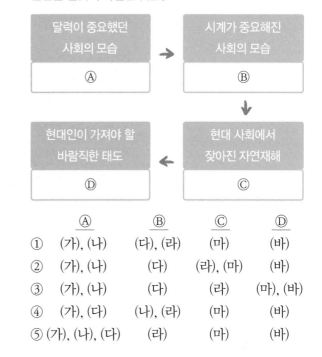

	Ⓐ	Ⓑ	Ⓒ	Ⓓ
①	(가), (나)	(다), (라)	(마)	(바)
②	(가), (나)	(다)	(라), (마)	(바)
③	(가), (나)	(다)	(라)	(마), (바)
④	(가), (다)	(나), (라)	(마)	(바)
⑤	(가), (나), (다)	(라)	(마)	(바)

05 이 글의 주제로 가장 알맞은 것은?

① 농업보다 공업을 중시하는 사회가 되어야 한다.

② 자연의 질서에 따라 살아가는 태도를 지녀야 한다.

③ 마음의 여유를 지니고 다른 사람을 이해해야 한다.

④ 계절의 흐름을 읽어 농업 생산량을 증가시켜야 한다.

⑤ 지구가 더워지는 문제를 해결할 기술을 개발해야 한다.

06 문맥상 ⓐ~ⓔ와 바꿔 쓰기에 알맞지 <u>않은</u> 것은?

① ⓐ: 전파했다　　② ⓑ: 순응하려는

③ ⓒ: 운영하는　　④ ⓓ: 재배하기

⑤ ⓔ: 빈번해졌다

이 글은

첨단 기술이 적용된 스포츠용품이 스포츠 경기에 쓰이면서 생긴 논란에 대해 다루고 있는 글입니다.

간단 체크

· **주제:** 첨단 스포츠용품 사용에 대한 (ㅎㅇ)의 필요성
· **문단 요약**
(가): 첨단 기술의 경연장이기도 한 (ㅇㄹㅍ)
(나): 마라톤 경기에 적용된 첨단 과학 기술
(다): 전신 수영복의 특성
(라): 전신 수영복이 (ㄱㅈ)된 이유
(마): 첨단 기술 운동화에 대한 논란
(바): 첨단 스포츠용품에 대한 합의의 필요성

어휘 풀이 ✏️

· **접목** 나무를 덧붙임. 둘 이상의 다른 현상 따위를 잘 어울리게 함을 비유적으로 이르는 말.
· **생체 모방 공학** 생물체가 가진 유용한 기능을 본떠 인간 생활에 적용하는 것을 연구하는 학문 분야.
· **형상 기억 합금** 망가지거나 모양이 변하여도 끓는 물 등으로 열을 가하면 원래의 모습으로 되돌아가는 합금. 합금은 여러 금속이나 금속과 비금속을 섞은 것을 말함.
· **선풍적** 돌발적으로 일어나 사회에 큰 영향을 미치거나 관심의 대상이 될 만한. 또는 그런 것.
· **부력** 액체나 기체 속에 있는 물체를 위로 떠오르게 하는 힘.
· **향상** 실력, 수준, 기술 등이 더 나아짐. 또는 나아지게 함.

[07~12] 다음 글을 읽고 물음에 답하시오.

가 세계 여러 나라의 선수들이 모여서 기량을 겨루는 올림픽은 첨단 기술의 경연장이기도 하다. 2018년 평창 동계 올림픽에서도 썰매, 스키 등의 각종 스포츠 장비뿐 아니라 선수들의 훈련 및 대회 운영 등에도 갖가지 첨단 과학 기술이 적용되어 큰 도움을 받았다.

나 스포츠 경기에 과학 기술이 접목되어 온 지는 꽤 오래되었는데, 특히 우주 개발 과정에서 사용된 우주 기술이나 자연의 동식물로부터 배우는 생체 모방 공학 등도 돋보인다. 1984년 미국 로스앤젤레스(L.A.) 올림픽에서 형상 기억 합금으로 만든 스포츠 속옷을 처음으로 착용한 조안 베노이트 선수가 여자 마라톤에서 우승하여 큰 화제가 되었다. 형상 기억 합금은 여성 우주 비행사를 위한 특수 속옷 제작에도 활용된 바 있다.

다 한때 수영 선수들에게 선풍적인 인기를 끌었던 전신 수영복은 상어 비늘의 원리를 적용하여, 물의 저항이 감소하고 부력이 증가하는 효과를 극대화한 것이다. 폴리우레탄 소재 등으로 온몸을 감싸는 전신 수영복은 2000년 시드니 하계 올림픽에서부터 본격적으로 등장하여 선수들의 기록 향상에 크게 기여했다.

라 한편으로는 이러한 첨단 스포츠용품의 발달은 경기 결과가 선수 개인의 능력보다는 과학 기술에 더 의존하는 것이 아닌가 하는 논란을 ㉠부르기도 한다. 선수들이 앞다퉈 전신 수영복을 착용한 이후로 올림픽과 세계 선수권 대회마다 세계 신기록이 무더기로 쏟아져 나오자, 결국 국제수영연맹은 2010년 이후 국제 대회에서 전신 수영복 착용을 금지했다.

마 기존의 운동화보다 에너지 소모는 줄이고 내딛는 힘을 높여 주는 첨단 기술 운동화 역시 비슷한 논란이 되고 있다. 선수들이 금지된 약물 등을 복용하여 약물 검사(도핑 테스트)에서 적발되는 것에 비유하여, '기술 도핑'이라는 새말까지 생겨났다.

바 첨단 기술을 적용한 각종 스포츠용품이 선수들이 정정당당하게 실력과 기량을 겨루는 스포츠 정신에 어긋나지 않도록 바람직한 규범과 합의가 이루어져야 할 것이다. '과학 기술과 인간의 조화'는 올림픽에서도 반드시 필요한 듯하다.

　　　　　　　　　　　　　　　　　　　－ 최성우, 〈첨단 기술의 승리? 신종 도핑 반칙?〉에서

07 이 글에 대한 이해로 알맞지 <u>않은</u> 것은?

① 첨단 기술이 쓰인 스포츠용품의 예를 들고 있다.

② 올림픽 규정의 변화 과정을 중점적으로 설명하고 있다.

③ 새말을 활용하여 문제 상황을 효과적으로 전달하고 있다.

④ 사건이 발생한 구체적인 연도를 밝혀 설득력을 높이고 있다.

⑤ 과학 기술의 발전에 따라 스포츠 관련 규범을 새롭게 만들어야 할 필요성을 제시하고 있다.

08 (가)~(마)의 중심 내용을 알맞게 정리한 것은?

① (가): 평창 동계 올림픽의 성공 요인

② (나): 형상 기억 합금의 우수성

③ (다): 시드니 올림픽의 인기 요인

④ (라): 전신 수영복 때문에 생긴 논란

⑤ (마): 스포츠 정신이 사라진 올림픽

09 이 글을 읽은 학생이 다음 상황에 대하여 보일 반응으로 알맞지 <u>않은</u> 것은?

① 전신 수영복은 상어 비늘의 원리를 적용하였대.

② 전신 수영복은 1984년에 처음으로 만들어졌대.

③ 전신 수영복은 부력을 증가하는 효과를 극대화했대.

④ 전신 수영복 때문에 선수들의 기록이 크게 향상되었대.

⑤ 전신 수영복을 입은 것을 보니 2010년 이전에 실시된 대회겠구나.

10 선생님의 설명에 따라 이 글을 알맞게 구분한 것은?

글은 크게 '처음(화제 소개) - 중간 (구체적 설명)-끝(의견 제시)'으로 나눌 수 있어요. 이 글의 중간 부분은 다시 내용에 따라 크게 두 부분으로 나눌 수 있어요.

① 처음: (가) / 중간: (나), (다) ¦ (라), (마) / 끝: (바)

② 처음: (가) / 중간: (나), (다), (라) ¦ (마) / 끝: (바)

③ 처음: (가) / 중간: (나) ¦ (다), (라) / 끝: (마), (바)

④ 처음: (가), (나) / 중간: (다), (라) ¦ (마) / 끝: (바)

⑤ 처음: (가), (나) / 중간: (다) ¦ (라), (마) / 끝: (바)

11 이 글에 나타난 글쓴이의 생각으로 볼 수 <u>없는</u> 것은?

① 과학 기술과 스포츠는 조화를 이룰 수 있다.

② 올림픽에서는 여러 첨단 기술이 적용되고 있다.

③ 첨단 스포츠용품의 사용에 대한 합의가 필요하다.

④ 스포츠 선수들은 정정당당하게 기량을 겨루어야 한다.

⑤ 첨단 스포츠용품을 사용해 선수들의 기록을 향상해야 한다.

12 ㉠과 가장 유사한 의미로 쓰인 것은?

① 친구를 큰 소리로 <u>불렀다</u>.

② 내가 <u>부르는</u> 대로 받아 적어라.

③ 사람들은 그를 천재라고 <u>부른다</u>.

④ 당황하는 마음이 실수를 <u>부른다</u>.

⑤ 미영이가 신이 나서 노래를 <u>불렀다</u>.

01 다음 빈칸에 공통으로 들어갈 알맞은 말을 쓰시오.

▶▶10~13쪽 참고

- ( )는 글에서 이야기하는 대상이나 소재를 의미한다.
- 문장의 ( )는 문장에서 진술하고 있는 대상으로, 문장에서 '무엇'에 해당한다.

02 다음 문장에서 화제를 찾아 바르게 연결하시오.

▶▶10~11쪽 참고

(1) 이지함은 보통의 사대부와 달리 과거를 보지 않았다. · · ㉠ 이지함

(2) 우리나라의 고인돌은 동북아시아 고인돌 문화를 대표한다. · · ㉡ 잊힐 권리

(3) 잊힐 권리란 인터넷상 정보의 수정이나 삭제를 요구할 수 있는 권리를 말한다. · · ㉢ 우리나라의 고인돌

03 다음 글의 중심 화제로 알맞은 것을 고르시오.

▶▶12~13쪽 참고

진달래는 봄에 피는 분홍색 꽃이다. 우리 조상들은 진달래로 전을 부쳐 먹었다. 진달래는 철쭉과 달리 잎보다 꽃이 먼저 핀다.

(1) 진달래 (2) 철쭉

04 ⓐ, ⓑ가 가리키는 대상을 찾아 그 기호를 쓰시오.

▶▶16~17쪽 참고

사람들이 윷놀이를 즐기는 것은 ⓐ그것이 삶의 우여곡절을 재미있게 담아낼 수 있기 때문이다. ⓑ그들은 윷놀이를 통해 긴장과 흥분을 맛보게 된다.

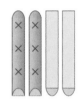

윷놀이 ( )   사람들 ( )

05 다음 표의 빈칸에 들어갈 알맞은 말을 〈보기〉에서 골라 쓰시오.

▶▶18~19쪽 참고

보기

그러나   그리고   그래서   결국

접속어의 역할	접속어의 예
앞 문장과 비슷한 내용을 연결함.	( ), 또한 게다가, 아울러
앞 문장과 반대되는 내용을 연결함.	( ), 하지만, 반면에
원인과 결과로 앞뒤 문장을 연결함.	( ), 따라서, 왜냐하면
앞 문장의 내용을 요약·정리해 연결함.	( ), 즉 다시 말해

▶▶22~25쪽 참고

06 다음 설명이 맞으면 ○, 틀리면 ×표를 하시오.

(1) 문단은 글에서 행갈이로 구분된 부분으로, 문단을 대표하는 내용을 주제라고 한다. (   )

(2) 문단은 중심 문장과 이를 뒷받침하는 뒷받침 문장으로 구성된다. (   )

(3) 중심 문장이 문단의 처음에 있는 것을 미괄식 구성이라 한다. (   )

▶▶22~23쪽 참고

07 ①~③ 중 중심 문장에 해당하는 것을 고르시오.

① 악수할 때의 예절은 나라마다 조금씩 차이가 난다. ② 유럽과 중남미의 몇몇 나라에서는 남성이 여성과 악수한 뒤에 여성의 손등에 입맞춤하는 관습이 있다. ③ 하지만 덴마크, 벨기에, 네덜란드 같은 곳에서는 여성의 손등에 입을 맞추면 무례하다고 느낀다.

▶▶22~25쪽 참고

08 〈보기〉에 대한 설명으로 알맞은 말을 고르시오.

보기

비판은 어떤 행동이나 의견에 대해 이성적으로 판단하며 말하는 것이다. 반면, 비난은 감정을 앞세워 상대방을 헐뜯는 것이다. 비판의 의미를 잘못 이해하면, 상대에게 상처를 줄 수 있다. 따라서 비판의 의미를 제대로 이해해 올바른 비판 문화를 만들어야 한다.

비난과 비판을 구분하여 올바른 (비판 / 비난) 문화를 만들자는 중심 내용을 담고 있으므로, 중심 문장이 문단의 (앞 / 뒤)에 있다.

▶▶28~29쪽 참고

09 (가)~(라)를 빈칸에 구분하여 쓰시오.

(가) 옛날 아이들은 윷놀이, 자치기, 팽이치기와 같은 전래 놀이를 하면서 친구들과 즐겁게 놀았다.
(나) 대부분의 전래 놀이는 바깥에서 한다. 그래서 자연을 가까이에서 느낄 수 있다.
(다) 전래 놀이를 하면 체력을 기를 수 있다. 전래 놀이를 하면 뛰거나 걷는 등 움직임이 많아서 따로 운동을 하지 않아도 된다.
(라) 이와 같이 전래 놀이를 하면 좋은 점이 많다. 우리 모두 전래 놀이에 관심을 가지자.

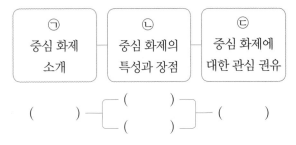

▶▶30~31쪽 참고

10 중심 내용이 다음과 같은 글이 있다고 할 때, 이 글의 주제로 알맞은 것을 고르시오.

• 1문단: 맛과 효능이 모두 뛰어난 사과
• 2문단: 사과에 들어 있는 식이 섬유의 특징
• 3문단: 식이 섬유가 건강에 좋은 이유
• 4문단: 사과의 껍질에 많이 있는 식이 섬유

(1) 사과의 식이 섬유가 맛있는 이유

(2) 사과에 있는 식이 섬유의 효능

① 어휘 챌린지

1주에는 읽기의 기초를 배웠습니다. 배운 글들을 떠올리며 글에 나온 단어들의 뜻을 익혀 봅시다. 각 단계에 따라 풀어 보고, 우리말 달인이 되어 보세요.

1 다음 그림을 참고하여 문장의 흐름에 맞는 단어를 고르세요.

① 크레파스는 끝이 뭉툭 뾰족 해서 세밀한 표현이 어렵다.

② 봄이 되면 공기 중에 고루 분류 분포 한 꽃가루 때문에 고통받는 사람이 많다.

③ 기부와 봉사처럼 남을 돕는 이타적 이기적 인 행위를 꾸준히 해 나가렴.

④ 두 선수는 우연 우열 을 가릴 수 없을 정도로 실력이 비슷하다.

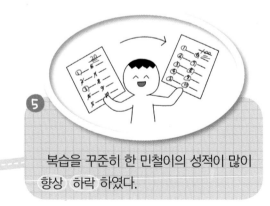

⑤ 복습을 꾸준히 한 민철이의 성적이 많이 향상 하락 하였다.

2 아래 뜻풀이에 해당하는 단어를 찾아 ○ 표시하고, 남은 글자를 골라 책 읽기와 관련된 한자 성어를 만들어 보세요.

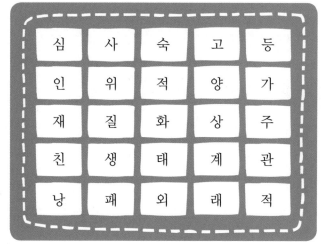

심	사	숙	고	등
인	위	적	양	가
재	질	화	상	주
친	생	태	계	관
낭	패	외	래	적

1 ㅈㅈ
재료가 가지는 성질.

2 ㅇㅅ
사물이나 현상의 모양이나 상태.

3 ㅇㄹ
밖에서 옴. 또는 다른 나라에서 옴.

4 ㅅㅅㅅㄱ
깊이 잘 생각함.

5 ㅈㄱㅈ
자기의 생각이나 관점을 기준으로 하는. 또는 그런 것.

6 ㅅㅌㄱ
어느 환경 안에서 사는 생물과 그 생물들을 조절하는 모든 요인을 포함한 복합 체계.

7 ㄴㅍ
일이 계획하거나 기대한 대로 되지 않아 곤란한 상황에 빠짐.

8 ㅇㅇㅈ
자연적으로 만들어진 것이 아닌 사람의 힘으로 이루어진. 또는 그런 것.

ㄷㅎㄱㅊ : 등불을 가까이할 만하다는 뜻으로, 서늘한 가을밤은 등불을 가까이하여 글 읽기에 좋음을 이름.

❷ Q&A 챌린지

독해의 기본은 어휘력이란 말을 들어본 적 있을 거예요. 어휘력을 기른다면 글을 더 쉽게 이해할 수 있을 겁니다. 그렇다면 어휘력은 어떻게 기를 수 있을까요? 카드 뉴스를 통해 그 방법을 알아봅시다.

**어휘력을 기르려면
어떻게 해야 할까요?**

어휘력이란

어휘-력(語彙力)[어ː휘력]
「명사」 어휘를 마음대로 부리어 쓸 수 있는
능력.
▶ 작가가 되려면 풍부한 **어휘력**을 갖추고 있
    어야 한다.

사전에서는 어휘력을 '어휘를 마음대로 부리어 쓸 수
있는 능력'이라고 풀이하였는데요.

어휘력이란

쉽게 말해, 어휘력은 글에 쓰인 단어의 의미를 알고
적용할 수 있는 능력을 의미해요.

어휘력 기르는 법

어휘력을 기르려면, 사전을 외워 단어의 뜻을 많이 알
아야 할까요? 이건, 효율적인 학습 방법이 아니에요.

어휘력 기르는 법

글을 읽으면서, 문맥을 활용하면 자연스럽게 어휘력을 키울 수 있기 때문이죠. 지금부터 그 방법을 알려 줄게요.

1 대상의 뜻이나 개념을 알려 주는 문맥을 활용해요.

> 다른 나라에서 들어온 식물을 외래 식물이라고 한다.

'외래'의 뜻을 모르더라도 문맥을 통해 '다른 나라에서 들어온'이라는 의미임을 알 수 있어요.

2 흐름이 이어질 때는 모르는 말과 비슷한 의미로 쓰인 말을 찾아봐요.

> 아침밥을 먹으면 작업 능률이 오르고 학습 능력도 향상된다.

'향상된다'의 뜻을 모르더라도 문맥을 통해 '오르다'와 비슷한 의미임을 알 수 있어요.

3 흐름이 반대로 바뀔 때는 상대되는 말로 모르는 말의 의미를 추측해요.

> 말수가 적으면 유약한 사람, 반대로 명랑하면 강인한 사람으로 보인다.

'유약한'의 뜻을 몰라도 문맥을 통해 '강인한'과 반대되는 '약하고 부드러운'의 의미임을 알 수 있어요.

어렸을 때부터 책을 많이 읽고, 한자를 공부했다면 이미 어느 정도의 어휘력을 쌓았을 거예요.

그러나 문맥을 활용하면, 지금이라도 어휘력을 키울 수 있어요. 그러니 앞으로 열심히 어휘력을 길러 봐요.

❸ 갈래 탐구 챌린지

우리는 일상에서 다양한 종류의 비문학 글을 접합니다. 비문학 글도 갈래에 따른 특성이 있어요. 1주에서는 신문 기사, 인터넷 기사와 같은 기사문에 대해 알아봅시다.

기사문은 실제 일어난 사실을 기록한 글이야. 기자는 기사를 쓰기 전에 사건을 취재해.

기사문은 육하원칙에 따라 작성돼. 사실을 정확하게 전달하기 위해서지.

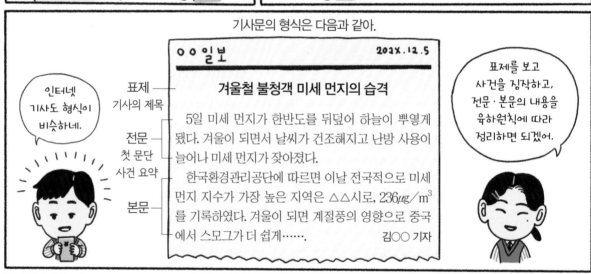

기사문의 형식은 다음과 같아.

그러니 기사문에 드러난 관점이 어느 한쪽으로 치우치지 않았는지, 기사가 사실과 다르지 않은지 살펴봐야 해.

기사문에는 만드는 이의 관점이 반영돼. 수많은 사건 중 자신이 중요하다고 생각하는 사건을 택해 기사화하기 때문이지.

그러니 기사문에 드러난 관점이 어느 한쪽으로 치우치지 않았는지, 기사가 사실과 다르지 않은지 살펴봐야 해.

■ 기사문에 대해 살펴본 내용을 바탕으로 (가)~(마)를 믿을 만한 기사와 아닌 기사로 나누어 보세요.

가

가수 A♥배우 B, 커플 탄생?

개인 SNS에서 비슷한 디자인의 반지를 낀 것으로 화제가 된 가수 A와 배우 B가 열애 중으로 밝혀졌다. 두 사람의 측근에 따르면 …….

[출처] 네이X판

↳ 기사를 만든 이를 정확히 알 수 없는 경우

나

설날, 고속 도로 혼잡해

한국도로교통공단은 올 설은 긴 연휴로 인해 작년과 비교하여 고속 도로 이용객이 3% 증가할 것이라 밝혔다. <중략>

– 매일일보, 이○○ 기자

↳ 믿을 수 있는 기관이나 전문가의 의견이 실린 경우

다

국가 대표 인터뷰 '충격'

지난 6일 경기가 끝난 후 주장 김○○는 "패배는 아쉽지만, 호흡을 맞추는 단계이니 다음 경기를 기대해 달라."라고 말했다. <중략>

– ○○스포츠, 김△△ 기자

↳ 표제 등을 사건과 맞지 않게 자극적으로 쓰는 경우

라

벽화 마을 조성은 갈등 중?

A시, 뛰어난 관광객 유치 효과
시민 단체, 다른 마을과 차별화 없어

구름 마을의 벽화 마을화를 두고 지자체와 시민 단체가 갈등하고 있다. A 시청 관계자는 이 사업으로 연 15만 명이 마을을 찾을 것이라 한 반면, 시민 단체는……

– A신문, 조○○ 기자

↳ 사건에 관한 두 입장을 균형 있게 다룬 경우

마

IQ 높이는 마법의 약 출시

D 제약회사에서 마시기만 해도 IQ 지수를 높일 수 있는 약을 개발했다고 밝혀 화제이다.

D 제약회사에 따르면 이 약은 카페인의 각성 효과를 극대화해 사람들의 집중력 향상에 기여한다고 한다. <중략>

– □□일보, 박○○ 기자

↳ 실제 발생했다고 믿기 어려운 상식에 어긋난 사건을 다룬 경우

믿을 만한 기사
사실을 객관적으로 다루며, 하나의 입장에 치우치지 않음.

믿기 어려운 기사 (가짜 뉴스)
사실이 아닌 거짓을 다루며, 기사문의 형식을 갖추지 못함.

○ 정답과 해설 9쪽

1주 읽기의 기초 47

● 설명하는 글 읽기

● 설명하는 글은 어떻게 읽어야 할까요?

배울 내용

1일	내용 파악하기	**4일**	구조와 의도 파악하기
2일	설명 방법 파악하기 ①	**5일**	설명하는 글 읽기_종합
3일	설명 방법 파악하기 ②	**특강**	창의·융합·코딩

2주에는 무엇을 공부할까? ❷

 우리는 일상생활에서 다양한 정보를 얻을 수 있습니다. 다음 버스 정류장 사진을 보고 물음에 답해 봅시다.

1 이 버스 정류장의 버스 정보 안내판에서 얻을 수 있는 정보를 고르세요.

①
버스를 타는
비용

②
도착지까지
걸리는 시간

③
정류장에 서는
버스 번호

2 이 버스 정류장의 버스 정보 안내판으로 보아 가장 먼저 버스를 탈 수 있는 사람을 고르세요.

버스를 타고 집에
가려고 해. 집에 가는
버스는 6623번이야.

수연

버스를 타고
대형 서점에 가려고 해.
362번을 타면 돼.

성우

다음 재활용품을 분류하여 버리는 쓰레기통 사진을 보고 물음에 답해 봅시다.

3 이 사진에 어울리는 제목을 붙일 때 알맞은 것을 고르세요.

재활용품의 (색깔 / 모양 / 재료 / 크기)에 따른 분류

4 연수가 음료수 캔을 버리려고 할 때 이용할 쓰레기통을 고르세요.

음료수 캔에 분리배출 마크가 있으니 분류해서 버리자.

연수

재활용품 분류			
①	②	③	④
페트류	캔류	종이팩류	병류
페트병	철사, 통조림통	헌책, 신문지	음료수 병

세부 내용 파악하기

프로파일러란 용의자의 성격, 행동 유형 등을 분석해 사건 조사의 방향을 제시하는 전문가예요.

Q. 프로파일러란 무엇인가요?

용의자 범죄를 저지른 범인으로 의심받는 사람.

용의자라는 단어의 뜻을 잘 모르겠어. 사전을 찾아볼까?

프로파일러가 되는 길은 두 가지예요. 심리학과에 가는 길과 경찰대에 가는 길이 있어요.

Q. 어떻게 프로파일러가 될 수 있나요?

길? 앞뒤 내용을 고려할 때 방법을 의미하겠구나. 프로파일러가 되는 두 가지 방법을 설명해 주는군.

개념 노트

- **설명하는 글**: 사물, 현상, 사람 등 어떤 대상에 대한 지식이나 정보를 전달하는 글.
- **세부 내용 파악하기**

단어의 의미 이해	문장의 내용 이해	설명하는 글의 세부 내용 파악
• (ㅅㅈ)에 실린 그대로의 의미(사전적 의미). • 문장의 앞뒤 관계에 따라 해석되는 의미(문맥적 의미).	글의 흐름을 파악하여 문장의 내용이 어떤 성격인지, 그 내용이 무엇인지 정확히 이해.	단어와 문장을 종합하여 글에 나타난 (ㅈㅂ)를 있는 그대로 확인.

(단어의 의미 이해) + (문장의 내용 이해) → (설명하는 글의 세부 내용 파악)

답 사전, 정보

여드름은 왜 생길까?

종류 설명하는 글
중심 화제 여드름
주제 여드름의 뜻과 생기는 원인, 예방 방법

여드름은 주로 사춘기에 얼굴 등에 도톨도톨하게 나는 검붉고 작은 종기로, 모공에 쌓인 피지에 세균이 증식하여 발생한다. 피지는 모공 안쪽의 피지샘에서 만들어져 모공을 통해 분비되는 기름 물질이다. 피지는 피부를 먼지나 때로부터 보호하며 피부를 촉촉하게 유지해 주는 역할을 한다. 피지샘은 얼굴, 두피, 가슴 등의 순서로 많이 분포되어 있고, 하루 평균 1~2그램의 피지를 분비한다.

여드름은 이 피지 분비와 밀접한 관계가 있다. 보통 사춘기가 되면 호르몬의 분비가 활발해 지면서 피지가 과도하게 분비된다. 또 수면 부족과 피로로 인해 피지가 많이 분비되기도 한다. 과도하게 분비된 피지는 피부 밖으로 배출되지 못하고 먼지나 때 등과 함께 굳어 모공 안에 쌓이게 된다. 이렇게 쌓인 피지에는 세균이 쉽게 증식하게 되어 여드름이 생기는 것이다.

따라서 여드름을 예방하고 관리하려면 여드름이 생기는 원인을 잘 알고 이에 대처해야 한다. 피지의 분비는 포도당 섭취와 관련이 있기 때문에 포도당이 많은 탄수화물 식품, 예를 들어 빵, 피자, 라면, 과자, 튀김 등의 섭취는 피하는 것이 좋다. 반면에 피지 분비를 억제하는 비타민이 많이 들어 있는 우유, 잡곡, 신선한 야채와 과일은 여드름 예방에 도움이 된다.

● **모공** 털이 나는 작은 구멍.
● **과도하다** 정도가 지나치다.

● **세부 내용 파악하기**
먼저 글의 내용을 이해하기 위해 단어와 용어의 의미를 알려 주는 부분이 있는지 확인해 봐요.

1-1 이 글의 내용으로 보아 다음 뜻에 알맞은 단어를 고르시오.

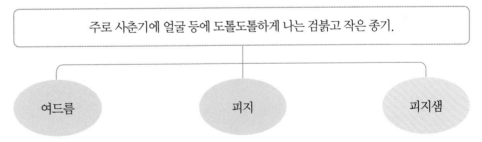

주로 사춘기에 얼굴 등에 도톨도톨하게 나는 검붉고 작은 종기.

여드름   피지   피지샘

● **세부 내용 파악하기**
글에 제시된 정보와 문제의 선택지를 비교하며 세부 내용을 바르게 이해했는지 점검해요.

1-2 이 글에 나타난 정보와 제시된 내용이 일치하면 ○, 일치하지 않으면 ✕에 표시하시오.

(1) 여드름은 모공에 쌓인 피지에 세균이 증식하여 발생함.

(2) 여드름을 예방하려면 포도당이 많은 탄수화물 식품을 섭취해야 함.

> **핵심 내용 파악하기**

핵심 내용 파악하기

중심 화제 찾기	중심 화제와 관련지어 정보 정리	설명하는 글 핵심 내용 파악
글쓴이가 설명하고자 하는 중심 화제 찾기.	• (ㅁㄷ)의 중심 내용 정리. • 중심 내용이 중심 화제와 어떤 관련이 있는지 파악.	글에서 글쓴이가 설명하려는 (ㅎㅅ)적인 정보 파악.

- 설명하는 글은 정보 전달을 목적으로 하는 글이므로, 글에 나타난 정보를 이해하고 핵심 정보를 정확하게 파악하며 읽어야 함.

답 문단, 핵심

기분을 좋게 만드는 건강한 먹을거리, 녹차
(정이안)

종류 설명하는 글
중심 화제 녹차
주제 녹차에 들어 있는 카테킨 성분의 효능

따뜻한 녹차를 한 모금 입에 머금으면 은은한 쓴맛, 약간 떫은맛, 순한 단맛이 조화롭게 입안 가득히 퍼져 독특한 좋은 맛을 느낄 수 있다. 게다가 한 잔 마신 후에는 입안이 개운해져 기분을 좋게 만든다. 이런 까닭에 많은 사람이 녹차를 기호 식품으로 즐기고 있다.

그런데 녹차는 기호 식품일 뿐만 아니라 건강 식품이기도 하다. 녹차는 감기 예방과 피부 건강에 상당한 효과가 있다고 알려져 있다. 이렇게 녹차를 건강의 제왕으로 만든 데에는 카테킨 성분이 중요한 역할을 했다. 카테킨 성분은 감기 바이러스의 활동을 막고 체내 세포가 바이러스에 감염되는 것을 막는 역할을 한다. 그래서 감기 때문에 목이 아프거나 간지러울 때 녹차로 입을 헹구면 그러한 증상이 덜해진다.

또한 녹차의 카테킨 성분은 피부를 촉촉하게 하고 외부의 자극으로 붉어진 피부를 가라앉히는 데에도 효과가 있다. 또 항염증 효능도 있어서 여드름이나 피부 염증에 큰 효과가 있다. 피지 조절과 살균 효과도 있어 이마, 턱, 뺨 등의 피지량을 줄여 뾰루지 없는 깨끗한 피부를 만든다.

● **기호 식품** 독특한 향기나 맛이 있어 즐기고 좋아하는 음식물.
● **항염증** 염증 발생을 억제함. 염증은 생물의 몸이 손상을 입었을 때 붓거나 열이 나고 통증이 일어나는 현상을 뜻함.

● **핵심 내용 파악하기**
핵심 내용을 찾으려면 글에서 중요하게 다루어지는 대상인 글의 중심 화제를 먼저 찾아야 해요.

2-1 다음은 이 글의 내용을 정리한 것이다. 이 글의 중심 화제를 찾아 빈칸에 쓰시오.

□□ — • 쓴맛, 떫은맛, 단맛이 느껴짐.
• 많은 사람이 기호 식품으로 즐김.
• 카테킨이라는 성분이 들어 있는 건강 식품임.

● **핵심 내용 파악하기**
각 문단의 내용을 요약한 것을 바탕으로 글쓴이가 중점적으로 설명하는 핵심 정보를 파악해 봐요.

2-2 이 글의 핵심 내용을 바르게 말한 사람을 고르시오.

녹차의 카테킨 성분은 감기 예방과 피부 건강에 효과가 있어.
지연

녹차를 마시면 독특한 맛이 느껴지고 입안이 개운해져 기분을 좋게 만들어.
현수

이 글은

대표적인 팝 아트 작가와 그들의 작품을 중심으로 팝 아트의 특징을 설명한 글입니다.

간단 체크

· 주제: (ㅊㅅ)한 소재를 활용하여 대중이 쉽게 즐길 수 있는 예술을 선보인 팝 아트
· 문단 요약
1문단: 1960년대 미국의 새로운 미술 사조로 등장한 팝 아트
2문단: 팝 아트의 대표 작가인 앤디 워홀
3문단: (ㅁㅎ)를 작품 소재로 사용한 리히텐슈타인
4문단: 일상용품을 새롭게 보도록 한 (ㅇㄷㅂㄱ)
5문단: 현대 소비문화의 양면을 보여 주는 팝 아트
6~7문단: 쉽고 친숙한 작품으로 대중에게 인기를 얻은 팝 아트

어휘 풀이

● **물결** ① 물이 움직여 그 표면이 올라갔다 내려왔다 하는 운동. ② 파도처럼 움직이는 어떤 모양이나 현상을 비유적으로 이르는 말. 여기서는 ②의 뜻으로 쓰임.
● **사조** 어떤 시대에 나타나는 공통적이고 일반적인 사상의 흐름.
● **열광하다** 너무 기쁘거나 흥분하여 미친 듯이 날뛰다.
● **교황** 가톨릭교의 최고의 성직자.
● **찬미하다** 아름답고 훌륭한 것 등을 높여 말하며 칭찬하다.
● **질감** ① 재질(材質)의 차이에서 받는 느낌. ② 물감, 캔버스 등이 만들어 내는 화면 대상의 느낌.
● **신성하다** 함부로 가까이할 수 없을 만큼 귀하고 위대하다.

[01~03] 다음 글을 읽고 물음에 답하시오.

누구에게나 친숙한 소재를 활용한 작품을 팝 아트라고 해요. 팝 아트의 물결은 1960년대 초반부터 미국 미술계에 강하게 몰아칩니다. 그 전에는 추상 표현주의라는 미술 사조가 유행했는데 작품을 보고 이해하기가 아주 어려웠다고 해요. 추상 표현주의 작품에 고개를 갸웃거리던 사람들은 너무나 친숙한 소재를 활용한 팝 아트 작품을 보고 열광했지요.

상품의 포장지로 작품을 만들었던 앤디 워홀은 팝 아트의 교황으로 불렸어요. 워홀은 작품의 소재를 슈퍼마켓이나 대중 잡지에서 찾아 판화로 찍은 다음 반복해서 나열했습니다. 워홀이 사용했던 이미지 가운데에는 당시 가장 유명한 여배우였던 메릴린 먼로의 사진도 있습니다. 〈중략〉

▲ 〈청록색 메릴린〉, 1962(미국 국립미술관)

또 다른 팝 아트 작가인 리히텐슈타인은 만화의 한 장면을 광고 게시판 크기로 크게 확대하여 표현했어요. 마냥 어렵게만 여기는 미술에 대한 생각에 도전한 것이지요. 너무나 익숙한 만화지만, 크게 확대해서 보면 오히려 완전히 새롭게 보입니다. 마치 아기 공룡 둘리를 크게 그려서 작품으로 만든 것과 마찬가지예요. 그러면 둘리가 갑자기 낯설어 보이지 않겠어요?

만화뿐이 아닙니다. 여러분이 사용하는 수저나 운동화가 백 배 정도로 커진 모습을 상상해 보세요. 더는 익숙한 물건처럼 보이지 않을 거예요. 팝 아트 작가 가운데 올덴버그라는 미술가는 우리가 즐겨 먹는 햄버거나 아이스크림을 크게 조각 작품으로 만들어서 관객들이 주변의 일상용품을 새롭게 볼 수 있도록 했답니다.

이처럼 팝 아트 작가들이 작품에 활용한 콜라, 햄버거, 만화, 엘비스 프레슬리, 메릴린 먼로 등과 같은 친숙한 이미지들은 대량 소비 시대의 산물이에요. '대량 소비'는 공장에서 한꺼번에 대량으로 만들어진 제품을 사용한다는 뜻이에요. 이런 제품은 구하기 쉽고 편리하지만 대신 모두 똑같아서 개성이 사라진다는 단점도 있습니다. 그렇기 때문에 팝 아트 작가들의 작품은 현대의 소비문화를 찬미하는 동시에 비판한 것이라고 볼 수 있지요.

어쨌든 이러한 소재들은 무엇보다도 대중에게 익숙한 것이라는 특징이 있습니다. 빛나고 선명한 색채, 분명한 선, 크게 확대되거나 반복되는 이미지, 기계로 찍어 낸 것 같은 질감 등이 나타나 있어서 어디에서나 알아볼 수 있고, 또 누구나 쉽게 이해할 수 있어요. 팝 아트 작가들이 대중에게 인기를 끈 것은 어렵지 않게 미술을 즐길 수 있는 기회를 통해 색다른 재미를 주었기 때문입니다.

팝 아트 작가들에게 미술은 소수의 사람이 즐기는 신성한 예술 활동이 아니었어요. 이들은 미술을 오락으로 취급하고 마치 상품처럼 제공하여 오히려 미술의 새로운 장을 열었습니다.

– 전성수, 〈만화와 포장지도 예술이 되지〉에서

글의 특성 이해하기

01 이와 같은 글의 특징으로 알맞지 <u>않은</u> 것은?

① 독자를 설득하는 것이 주된 목적이다.

② 정확하고 객관적인 사실을 중심으로 쓴다.

③ 어떤 대상에 대한 정보를 전달하기 위해 쓴다.

④ 독자가 중심 화제를 정확하고 쉽게 이해할 수 있도록 쓴다.

⑤ 내용을 효과적으로 전달하기 위해 체계적인 구성으로 쓴다.

> **도움말**
>
> 설명하는 글의 목적과 글에 나타난 화제의 특성 등을 떠올리며 설명하는 글의 특성을 파악해요.

세부 내용 파악하기

02 이 글을 읽고 알 수 있는 내용으로 알맞지 <u>않은</u> 것은?

① 팝 아트는 누구에게나 친숙한 소재를 활용한 작품을 일컫는다.

② 팝 아트의 대표적인 작가로는 앤디 워홀, 리히텐슈타인 등이 있다.

③ 팝 아트 작가들은 배우의 사진, 만화 등을 작품의 소재로 활용했다.

④ 팝 아트는 1960년대 초기에 미국 미술계를 지배한 미술의 한 경향이다.

⑤ 팝 아트는 작품을 이해하기가 아주 어려워 대중의 인기를 끌지 못했다.

> **도움말**
>
> 글의 중심 화제를 먼저 찾고, 문단별로 중심 화제와 관련하여 어떤 내용을 다루는지 파악한 뒤, 제시된 선택지와 비교하여 내용의 옳고 그름을 따져 봐요.

핵심 내용 파악하기

03 이 글의 핵심 내용으로 알맞은 것은?

① 팝 아트가 나오게 된 배경

② 팝 아트의 교황으로 불렸던 앤디 워홀

③ 현대 소비문화에 대한 팝 아트 작가들의 태도

④ 팝 아트 작가들의 작품으로 본 팝 아트의 특징

⑤ 팝 아트와 추상 표현주의가 미술 사조에 미친 영향

> **도움말**
>
> 화제와 관련하여 각 문단에서 중요하게 다루고 있는 핵심 내용을 파악한 뒤 이를 종합하면 글 전체의 핵심 내용을 알 수 있어요.

> 정의, 예시

● **설명 방법**: 어떤 사실이나 사물, 현상, 사건에 대해 그 내용, 이유 등을 알기 쉽게 밝히는 방법으로, 정의, 예시, 비교와 대조, 분류와 구분, 분석, 인과, 과정 등이 있음.

● **설명 방법**

• 정의: 대상의 (ㄸ)을 밝혀 풀이하는 방법. 주로 '무엇은 무엇이다.'의 형식으로 쓰임.

예 <u>발효 식품</u>은 <u>효모나 젖산 등 미생물의 발효 작용을 이용하여 만든 식품</u>이다.
　　　설명 대상　　　　　　　　　　　　　　　발효 식품의 뜻

• 예시: 대상과 관련된 구체적인 (○)를 보여 주는 방법. 주로 '예를 들어' 등의 표현을 사용함.

예 <u>발효 식품</u>의 예로는 <u>김치, 젓갈, 청국장</u> 등이 있다.
　　　설명 대상　　　　　발효 식품의 예

답 뜻, 예

즐거운 착각, 착시

종류 설명하는 글
중심 화제 착시
주제 착시의 다양한 원인

㉠착시란 시각적인 착각 현상, 곧 대상이 실제와 매우 다르게 보이는 것을 뜻한다. 즉, 눈에 보이는 대상의 크기, 형태, 빛깔 등이 실제와 차이가 나는 것을 말한다.

그렇다면 착시는 무엇 때문에 생기는 것일까? 여러 매체에서 얻은 정보를 종합해 보니, 착시를 일으키는 원인은 매우 다양했다. 이 글에서는 착시의 주요 원인 세 가지만 살펴보기로 하겠다.

첫째, 착시는 도형의 방향, 각도, 크기, 길이 등의 혼동 때문에 생긴다. 이를 '기하학적 착시'라고도 부르는데, 제시된 그림처럼 두 평행선에 방향이 다른 사선을 그으면 평행선으로 보이지 않는 것이 대표적인 예이다.

둘째, 그림이나 사진을 잇달아 늘어놓았을 뿐인데도, 마치 연속적으로 움직이는 것처럼 보이는 '연속적 움직임의 착시'가 있다. ㉡영화는 이러한 현상을 이용한 대표적인 예이다.

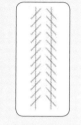

▲ 기하학적 착시

마지막은 욕구나 태도 때문에 생기는 착시이다. 이런 현상은 심리적 요인이 작용하여 생기는데, 배가 너무 고프면 음식물 그림이 아닌데도 음식물 그림으로 보이는 경우 등이 이에 해당한다.

● **기하학** 도형이나 공간의 성질에 대하여 연구하는 학문.
● **사선** 비스듬하게 비껴 그은 줄. 한 평면 또는 직선에 수직이 아닌 선.

● **설명 방법 파악하기**
정의는 'ㅇ은/는 ㅇ(이)다.', '~을/를 뜻한다.'로 표현되고, 예시는 '예를 들어', '예컨대', '이를 테면' 등과 함께 쓰여요.

1-1 ㉠, ㉡에 사용된 설명 방법과 그 뜻을 바르게 연결하시오.

㉠ ·   · 정의 ·   · ① 대상의 뜻을 밝혀 풀이하는 방법.

㉡ ·   · 예시 ·   · ② 대상과 관련한 구체적인 예를 보여 주는 방법.

● **설명 방법 파악하기**
설명 방법은 문장뿐만 아니라 문단이나 글 전체에서도 쓰일 수 있어요.

1-2 이 글에서 내용을 설명하는 방식으로 알맞은 것을 고르시오.

설명 방법 ─┬─ ① 착시의 문제점을 알아보고 해결 방안을 제시함.

└─ ② 착시의 뜻을 밝히고 착시의 원인을 정리하여 각각의 예를 들어 설명함.

> 비교와 대조

● **설명 방법**

• 비교: 둘 이상의 대상을 견주어 서로 간의 (ㄱㅌㅈ)인 특성에 중점을 두어 설명하는 방법.

　예 고래는 바다에 살고 고릴라는 육지에 살지만, 둘은 모두 포유류라는 공통점이 있다.

• 대조: 둘 이상의 대상을 견주어 서로 (ㅂㄷ)되거나 대립되는 특성에 주목하여 설명하는 방법.

　예 불과 물의 성질은 대립된다. 불은 나무를 태우지만, 물은 나무를 살리고 불을 끄기도 한다.

답 공통적, 반대

우리의 대표적인 콩 발효 식품, 청국장

종류 설명하는 글
중심 화제 청국장
주제 청국장을 만드는 방법과 효능

우리나라 음식에 관한 세계적인 관심이 높아지고 있는 가운데 청국장의 수출량도 늘고 있다고 한다. 청국장은 대표적인 참살이˙식품으로, 최근에는 냄새가 나지 않는 청국장, 청국장잼 등 다양한 제품이 개발되고 있다. 이토록 주목받고 있는 청국장은 어떤 음식일까?

청국장은 삶은 콩을 발효시켜서 만든 장의 한 가지이다. ㉠콩으로 만든다는 점에서 우리가 흔히 아는 된장과 비슷하지만, 만드는 데 이용하는 균주˙가 다르다. 된장은 황국균에 의해 발효되는 반면, 청국장은 고초균에 의해 발효된다.

청국장은 어떻게 만드는 음식일까? 일단 메주콩을 깨끗이 씻어서 12시간 정도 물에 불려 푹 삶는다. 콩을 삶으면 질그릇에 담고 짚으로 싸서 따뜻한 방에 둔다. 2~3일이 지나면 고초균이 번식하여 끈적끈적한 진이 생기게 된다. 이때 볏짚이 지닌 균의 활성이 좋고 나쁨에 따라 맛이 달라진다. 콩이 잘 뜨면 절구에 찧으면서 마늘, 생강, 굵은 고춧가루, 소금 등을 넣어 간을 맞춘다. 이렇게 만든 청국장은 주로 고기, 두부, 고추 등을 넣고 끓여서 찌개를 만들어 먹는다.

청국장은 우리 몸에 매우 좋다. 청국장에 포함되어 있는 사포닌은 암 예방에 매우 큰 역할을 한다. 또한 청국장은 섬유질이 풍부하여 당이 천천히 흡수되도록 돕는다.

● **참살이** 몸과 마음의 건강을 통해 행복을 추구하며 살아가는 일. 웰빙.
● **균주** 순수하게 분리하여 배양한 세균이나 균류.

● **설명 방법 파악하기**
두 대상의 공통점과 차이점을 가지고 설명하는 방법이 무엇인지 생각해 봐요.

2-1 ㉠에서 설명하고 있는 대상과 설명 방법을 나타낼 때 알맞은 말을 고르시오.

설명 대상		설명 방법
청국장	→	청국장이 된장과 비슷한 점과 다른 점을 (정의와 예시 / 비교와 대조)의 방법으로 설명함.

● **설명 방법 파악하기**
비교와 대조가 쓰일 때는 공통점과 차이점을 기준으로 두 대상을 정리해 봐요.

2-2 ㉠을 다음과 같이 정리할 때 빈칸에 들어갈 알맞은 말을 이 글에서 각각 찾아 쓰시오.

	☐☐	☐☐☐
공통점	모두 콩으로 만듦.	
차이점	황국균에 의해 발효됨.	고초균에 의해 발효됨.

2일 기초 집중 연습

지문의 개념, 특성, 역할 등에 대한 정보를 다양한 설명 방법을 사용하여 설명한 글입니다.

간단 체크

· 주제: 지문의 특성과 (ㅇㅎ)
· 문단 요약
1문단: 사람마다 고유하게 나타나는 (ㅈㅁ)
2문단: 지문의 뜻
3문단: 지문의 형성 요인
4문단: 지문의 특성
5~6문단: 지문의 역할
7문단: 계속하여 (ㅇㄱ) 중인 지문

어휘 풀이

● **유일하다** 오직 하나밖에 없다.
● **서명** 자기의 이름을 써넣음. 또는 그런 것.
● **태아** 어머니 배 속에서 자라고 있는 아이.
● **유전자** 생물체의 세포를 구성하고 유지하는 데 필요한 정보가 담겨 있으며 생식을 통해 자손에게 전해지는 요소.
● **영장류** 인간이나 원숭이처럼 가장 진화한 동물에 속하는 무리.
● **유대류** 포유동물 중 태반이 없거나 매우 불완전하여, 출산한 새끼를 어미 배에 있는 주머니 속에 넣어 기르는 무리. 코알라, 캥거루 등이 있음.
● **마찰력** 접촉하고 있는 두 물체가 상대 운동을 하려고 할 때 그 운동을 방해하는 힘.
● **증폭기** 진공관 등을 이용하여 사물의 범위를 크게 작용하게 하는 장치.
● **감지하다** 느끼어 알다.

[01~03] 다음 글을 읽고 물음에 답하시오.

"유일하게 지워지지 않는 서명은 사람의 지문이다."

미국의 소설가 마크 트웨인이 한 말이다. 나이가 들면서 얼굴은 변해도 지문은 한번 생겨나면 바뀌지 않는다는 의미다. 이 글에서는 이렇게 사람마다 고유하게 나타나는 지문의 특성은 무엇이고, 지문은 어떤 역할을 하는지에 대해 알아보자.

사람의 손가락과 손바닥, 발바닥 등에는 작은 산과 계곡 모양의 선들로 이루어진 무늬가 있다. 이러한 피부의 무늬는 무늬가 있는 위치에 따라 손가락에 있는 지문(指紋), 손바닥에 있는 장문(掌紋), 발바닥에 있는 족문(足紋) 등으로 나뉜다. 이 중 ㉠지문은 손가락 안쪽 끝에 있는 피부의 무늬나 그것이 남긴 흔적을 말한다.

지문은 태아가 4~6개월째에 접어들면서 만들어지는데, 그 형태는 대개 유전자에 의해 결정된다. 하지만 엄마 배 속에서의 태아의 위치나 태아가 받는 압력 등도 지문의 모양이 만들어지는 데 영향을 준다. 그래서 유전자가 같은 일란성 쌍둥이조차 지문이 서로 다르다.

두 사람의 손가락에 있는 지문이 일치할 수 있는 확률은 억지로 계산해도 640억분의 1 정도라고 하니, 전 세계에서 지문이 같은 사람은 없다고 해도 과언이 아니다. 심지어 한 사람의 왼손과 오른손의 지문도 다르다. 지문의 이러한 특성 때문에 최근에는 범죄 수사나 신분 확인을 위한 보안 기술에 지문이 적극적으로 활용되고 있다.

그러면 지문은 어떤 역할을 할까? 지문이 있는 동물들의 특성을 생각해 보면 이에 대한 단서를 얻을 수 있다. 대부분의 동물은 지문이 없지만 영장류는 지문을 가지고 있다. 대표적인 영장류인 침팬지, 오랑우탄, 고릴라 등은 지문이 있다. 영장류 외에 유대류에 속하는 코알라도 지문이 있다. ㉡영장류와 코알라의 공통점은 사람처럼 손을 이용해 나무 등을 잡는다는 것이다. 그렇다면 지문이 손가락과 물체 표면의 마찰력을 높여 미끄럼을 방지함으로써 무언가를 더 단단히 붙잡도록 하는 역할을 하고 있다는 말이 된다. ㉢예를 들어, 컵과 같은 표면이 미끄러운 물체를 잡을 때 지문이 물체를 놓치지 않도록 도와주는 것이다.

최근 과학자들은 지문의 또 다른 역할을 밝혀냈다. 그것은 손가락의 지문이 손의 촉각을 예민하게 한다는 것이다. 손끝으로 물체를 만질 때 지문이 신호 증폭기 역할을 해서 피부에 있는 신경이 물체의 진동을 더 섬세하게 감지할 수 있게 해 주기 때문이다. 〈중략〉

지금까지 지문에 대해 알아보았다. 인류가 다른 동물보다 뛰어난 이유 중의 하나는 손을 섬세하게 사용할 수 있는 능력이 있기 때문이다. 그리고 사람의 손이 가진 특별한 기능을 이해하려면 지문의 역할도 빼놓을 수 없다. 지문에 대한 연구를 통해 손이 가진 섬세한 기능을 온전히 이해하기 위한 노력은 지금도 진행 중이다.

– 김형자, 〈지문이 촉각을 위해 존재한다고?〉에서

정보 이해하기

01 이 글의 내용과 일치하지 <u>않는</u> 것은?

① 한 사람의 왼손과 오른손의 지문은 같다.

② 전 세계에 지문이 같은 사람은 거의 없다.

③ 지문은 손의 촉각을 예민하게 하는 역할을 한다.

④ 대부분의 동물은 지문이 없지만 영장류는 지문이 있다.

⑤ 피부의 무늬는 무늬가 있는 위치에 따라 지문, 장문, 족문으로 나뉜다.

도움말
글 속에 나타난 정보와 선택지를 하나하나 비교해 보며 내용의 옳고 그름을 따져 봐요.

세부 내용 파악하기

02 '지문'이 있는 동물들의 공통점으로 가장 알맞은 것은?

① 모두 영장류에 속한다.

② 사람처럼 두 발로 걷는다.

③ 새끼를 주머니에서 기른다.

④ 손을 이용해 나무 등을 잡는다.

⑤ 표면이 미끄러운 물체를 잡을 수 없다.

도움말
5문단에서 지문이 있는 여러 동물을 제시하고 이들의 특성에 대해 설명하면서 지문의 역할에 대해 밝히고 있어요.

설명 방법 파악하기

03 ㉠~㉢에 사용된 설명 방법을 〈보기〉에서 골라 차례대로 나열한 것은?

보기
ㄱ. 구체적인 예를 들고 있다.

ㄴ. 대상의 뜻을 풀이하고 있다.

ㄷ. 둘 이상의 대상의 공통점을 밝히고 있다.

ㄹ. 어떤 일의 원인과 결과를 제시하고 있다.

ㅁ. 하나의 대상을 여러 구성 요소로 나누고 있다.

① ㄱ-ㄴ-ㄷ   ② ㄱ-ㄷ-ㅁ   ③ ㄴ-ㄱ-ㄷ

④ ㄴ-ㄷ-ㄱ   ⑤ ㄷ-ㄹ-ㅁ

도움말
㉠~㉢에서 어떤 설명 방법이 쓰여 내용의 이해를 돕고 있는지 파악해 봐요.

> **분류와 구분, 분석**

개념 노트

● **설명 방법**

• **분류와 구분**: 대상을 일정한 (ㄱㅈ)에 따라 종류별로 묶거나 나누어서 설명하는 방법.

　　예 자동차는 <u>크기에 따라</u> <u>경차, 소형차, 중형차, 대형차</u>로 나누어진다.
　　　　　　　기준　　　　　　　　　　　　　자동차의 종류

• **분석**: 대상을 구성하는 요소나 (ㅂㅂ)으로 나누어 설명하는 방법.

　　예 자동차는 <u>핸들, 바퀴, 엔진</u> 등으로 구성되어 있다.
　　　　　　자동차의 구성 요소

• **분류와 구분, 분석**은 둘 다 '무엇을 나누다.'라는 의미의 설명 방법이지만, 분류와 구분은 공통된 특성을 지닌 대상들을 기준에 따라, 분석은 한 대상을 잘게 쪼개어 나누는 방식임.

답 기준, 부분

2주

3일

> **우리의 얼굴, 하회탈**
>
> 종류 설명하는 글
> 중심 화제 하회탈
> 주제 하회 별신굿 탈놀이의
> 특징과 가치

하회탈은 하회 별신굿 탈놀이에 쓰이는 탈이다. 하회 별신굿 탈놀이는 안동 하회의 별신 굿 속에 들어 있는 탈놀이로 한국의 전통적인 서낭제 탈놀이의 하나이다.

㉠한국의 탈놀이는 전승된 지역에 따라 크게 도시에서 공연된 산대놀이와 농어촌에서 굿 과 함께 공연된 서낭제 탈놀이로 나눌 수 있다. 산대놀이로는 봉산 탈춤, 양주 별산대 놀이, 고성 오광대 등이 있고, 서낭제 탈놀이로는 강릉 관노 가면극과 하회 별신굿 탈놀이가 있다.

하회 별신굿은 그 준비를 음력 12월 그믐날부터 하며, 정월 초이틀 아침부터 정월 대보름 날 자정까지 지낸다. 별신굿을 주관하는 사람들과 탈놀이를 하는 사람들이 정월 초이틀 아 침에 서낭당에 모여 제례를 올리고, 서낭신이 내린 서낭대를 받들고 놀이마당으로 와서 서 낭대를 세우고 난 뒤부터 본격적인 탈놀이가 시작된다.

㉡하회 별신굿 탈놀이는 각시의 무동 마당, 주지 마당, 백정 마당, 할미 마당, 파계승 마당, 양 반과 선비 마당, 환자 마당, 혼례 마당, 신방 마당 등의 아홉 마당으로 구성되어 있다. 〈중략〉

이상의 아홉 마당을 보면 하회 별신굿 탈놀이에는 인간의 욕망과 갈등을 다루면서 허위와 잘못된 권위를 조롱하고 비판하는 내용이 많음을 알 수 있다.

───────

● **서낭제** 토지와 마을을 지켜 준다는 서낭신에게 지내는 제사.
● **조롱** 비웃거나 깔봄.

● **설명 방법 파악하기**
설명 대상을 찾고, 대상을 설명 하기 위해 기준에 따라 나누거 나 묶고 있는지, 구성 요소나 부 분으로 나누고 있는지 파악해 봐요.

1-1 이 글에 사용된 설명 방법을 바르게 연결하시오.

(1) 한국의 탈놀이를 산대놀 이와 서낭제 탈놀이로 지역 에 따라 나누어 설명함. •

• ① 분석

(2) 하회 별신굿 탈놀이를 구 성하는 요소를 아홉 마당으 로 나누어 설명함. •

• ② 분류와 구분

● **설명 방법 파악하기**
㉠, ㉡에 사용된 설명 방법을 파 악하고 이를 적용하여 이해하기 쉽게 설명할 수 있는 설명 대상 을 찾아봐요.

1-2 ㉠과 ㉡에 사용된 설명 방법으로 대상을 알맞게 설명할 수 있는 것을 고르시오.

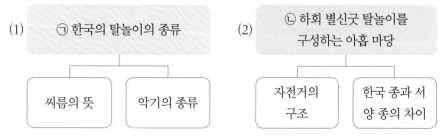

(1) ㉠ 한국의 탈놀이의 종류

씨름의 뜻 | 악기의 종류

(2) ㉡ 하회 별신굿 탈놀이를 구성하는 아홉 마당

자전거의 구조 | 한국 종과 서 양 종의 차이

> 과정, 인과

과정

와플 만드는 순서

먼저, 예열해 둔 와플 기계에 기름을 바른다.

만들어 놓은 밀가루 반죽 1컵을 붓는다.

뚜껑을 덮고 2~3분 정도 굽는다.

생크림, 잼 등 원하는 토핑을 얹는다.

와플을 만드는 순서에 따라 직접 만들어 볼까?

따끈따끈 와플 완성! 직접 만들어서 먹으니 맛있구나. 더 만들어 먹어야지.

이런, 배가 살살 아파 오네.

인과

원인

결과

칫, 혼자만 많이 먹더니 배탈이 났군.

● **설명 방법**

• 과정: 어떤 일의 절차와 (ㅅㅅ)를 밝혀 설명하는 방법.
  예 샌드위치를 만들어 먹으려면 먼저, 구운 식빵에 버터를 바르고 치즈나 햄을 얹는다. 그다음
  <u>양상추를 올려 준다</u>. <u>구운 식빵에 마요네즈를 바르고</u> <u>덮어 준다</u>.
        과정③   과정①   과정②   과정④

• 인과: 어떤 대상을 (ㅇㅇ)과 결과 중심으로 설명하는 방법. 대체로 원인이 되는 상황이 먼저 오
  고, '따라서, 그래서, 그러므로' 등의 말 뒤에 결과가 이어짐.
  예 <u>온실 효과로 인해 지구의 기온이 상승</u>하면서 <u>남극과 북극의 빙하가 녹고 있다</u>.
        원인   결과

답 순서, 원인

건강, 똥에게 물어봐!
(과학향기 편집부)

종류 설명하는 글
중심 화제 똥
주제 똥으로 몸의 건강 상태를 확인할 수 있음.

똥을 보면 건강 상태를 알 수 있다고 한다. "황금색 똥을 누면 건강하다."라는 표현은 이와 관련된 대표적인 말이다. 그런데 정말 똥으로 건강 상태를 아는 것이 가능할까? 결론부터 말하면 "그렇다."이다. 똥으로 몸의 건강을 파악하는 것은 생각보다 간단하다.

먼저 똥이 만들어지는 과정을 살펴보자. 똥은 입으로 들어간 음식물이 위와 샘창자˙, 작은창자, 큰창자를 거치면서 영양분을 빼앗기고 남은 찌꺼기이다. 위에서는 음식물을 잘게 부수고, 샘창자에서는 소화액을 이용해 음식물을 분해한다. 작은창자에서는 이렇게 분해된 음식물에 들어 있는 영양소의 대부분을 흡수하고 남은 찌꺼기를 큰창자로 보낸다. 큰창자에서는 남은 찌꺼기에서 수분을 흡수한 뒤 곧창자˙로 보낸다. 이것이 항문을 통해 배출된 것이 똥이다.

이처럼 ⓛ음식물이 똥이 되기까지 몸 내부의 주요 기관을 지나기 때문에 어느 기관에 이상이 있으면 평상시와 다른 똥이 만들어진다. 똥의 모양과 굵기, 단단한 정도, 색, 냄새 등에서 차이가 생기는 것이다. 〈중략〉

똥을 통해 우리 몸의 건강 상태를 어느 정도 파악할 수는 있다. 그러니 똥을 더럽다고만 여기지 말고 모양이나 색을 잘 살펴 자신의 건강 상태를 점검해 보자.

● **샘창자** 십이지장. 작은창자의 첫 부분.
● **곧창자** 직장. 큰창자의 끝부분부터 항문까지의 부위.

● 설명 방법 파악하기
똥이 만들어지는 절차를 설명하기 위해 사용한 방법을 생각해 봐요.

2-1 ⓛ을 다음과 같이 정리할 때, 빈칸에 들어갈 알맞은 말을 이 글에서 찾아 쓰시오.

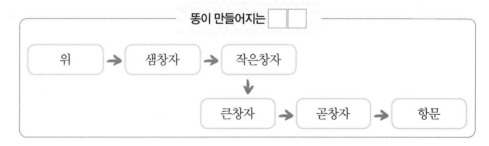

● 설명 방법 파악하기
원인과 결과의 관계를 밝혀 설명하는 방법이 무엇인지 생각해 봐요.

2-2 ⓛ에 쓰인 설명 방법으로 알맞은 것을 고르시오.

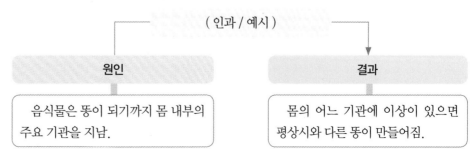

이 글은

머리카락의 뜻, 종류, 구조, 기능에 대해 다양한 설명 방법을 사용하여 설명한 글입니다.

간단 체크

- 주제: 머리카락의 (ㅌㅅ)과 기능
- 문단 요약
  1문단: 늘 함께 있지만 정작 잘 모르는 머리카락
  2문단: 머리카락의 (ㄸ)과 종류
  3문단: 머리카락의 (ㄱㅈ)
  4문단: 머리카락의 기능
  5문단: 우리 몸에서 없어서는 안 될 머리카락

어휘 풀이

- **통증** 아픈 증세.
- **세포** 생물체를 이루는 기본 단위.
- **모낭** 털집. 내피 안에서 털뿌리를 싸고 털의 영양을 맡아보는 주머니.
- **일직선** 한 방향으로 쭉 곧은 선.
- **멜라닌** 동물의 조직에 있는 검은색이나 흑갈색의 색소.
- **손상** ① 병이 들거나 다침. ② 품질이 나빠짐. 여기서는 ①의 뜻으로 쓰임.
- **노폐물** 생물의 몸에 들어온 여러 물질 중 필요한 것을 흡수하여 쓰고 남은 찌꺼기.
- **두개골** 사람이나 동물의 머리를 둘러싸고 있는 뼈.

[01~03] 다음 글을 읽고 물음에 답하시오.

머리카락을 자를 때 통증이 느껴지면 어떻게 될까? 아마도 많은 사람이 머리를 길게 늘어뜨리고 다닐 것이다. 그리고 아침마다 긴 머리를 정리하느라 몹시 바쁠 것이다. ㉠다행히 머리카락은 잘라도 통증이 느껴지지 않는다. 머리카락은 죽은 세포로 이루어졌기 때문이다. 그런데 이런 사실을 아는 사람은 많지 않다. 늘 함께 있지만 정작 잘 모르는 머리카락. 그래서 나는 머리카락에 관해 알아보았다.

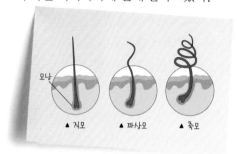

▲ 머리카락의 종류

㉡머리카락이란 머리에 난 털의 낱개를 말한다. ㉢머리카락은 모양에 따라 직모, 파상모, 축모로 나눌 수 있다. 직모는 곧은 모양의 머리카락이다. 머리카락이 나는 곳인 모낭이 일직선으로 되어 있어 머리카락이 곧게 나는 것이다. 파상모는 물결 모양의 머리카락이다. 모낭이 비스듬히 누워 있어 머리카락이 휘면서 자라는 것이다. 축모는 고불고불하게 말려 있는 모양의 머리카락으로, 흔히 곱슬머리라고 부른다. ⓐ모낭이 안쪽으로 오목하게 휘어 있어서 털이 고불고불한 모양으로 자라는 것이다. 이처럼 모낭의 모양에 따라 머리카락의 모양이 달라진다.

㉣머리카락은 크게 모수질, 모피질, 모표피 세 개의 층으로 구성되어 있다. 모수질은 머리카락의 중심에 있는 빈 공기층을 말한다. 모피질은 머리카락의 중간층으로 모수질을 감싸고 있다. 모피질에는 멜라닌 색소가 들어 있는데, 그 양에 따라서 머리카락의 색깔이 결정된다. 모표피는 머리카락의 바깥층으

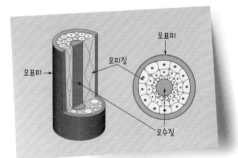

▲ 머리카락의 구조

로 외부 자극으로부터 머리카락 내부를 보호해 준다. 흔히 머리카락이 상했다고 하는 것은 이 층이 손상되었음을 의미한다.

머리카락은 우리 몸에서 다양한 기능을 수행한다. ㉤먼저 머리카락은 각종 노폐물을 배출한다. 수은이나 비소와 같은 중금속이 우리 몸에 쌓이면 대단히 위험한데, 머리카락은 이러한 성분을 끊임없이 두피 밖으로 배출한다. 또한 머리카락은 우리의 뇌를 보호한다. 한 사람의 머리에는 약 십만 가닥 정도의 머리카락이 있다. 이 많은 머리카락이 두개골을 감싸 뇌가 받는 충격을 줄여 준다. 그리고 두피의 온도가 급격하게 올라가거나 내려가지 않도록 하여 뇌를 안전하게 지켜 준다.

지금까지 머리카락의 종류와 구조, 기능에 관해 알아보았다. 잘라도 아프지 않고 살아 움직이지도 않는 머리카락이지만, 머리카락은 지금 이 순간에도 쑥쑥 자라며 우리 몸을 보호하고 있다. 이처럼 머리카락은 우리 몸에 없어서는 안 될 소중한 존재이다.

– 〈머리카락, 얼마나 알고 있니?〉에서

정보 이해하기

01 이 글을 통해 알 수 있는 사실로 알맞지 <u>않은</u> 것은?

① 머리카락의 바깥층을 모표피라고 한다.

② 머리카락의 색은 모낭의 모양에 따라 달라진다.

③ 머리카락은 크게 세 개의 층으로 구성되어 있다.

④ 머리카락의 종류에는 직모, 파상모, 축모가 있다.

⑤ 머리카락은 우리의 뇌를 보호하고 안전하게 지켜 주는 기능을 한다.

> **도움말**
>
> 이 글은 머리카락의 뜻, 머리카락의 종류, 머리카락의 구조, 머리카락의 기능에 대해 설명하고 있어요.
> 글에 나타난 정보와 선택지가 맞는지 비교해 봐요.

설명 방법 파악하기

02 ㉠~㉤에 사용된 설명 방법을 바르게 설명하지 <u>않은</u> 것은?

① ㉠: 머리카락을 잘라도 통증이 느껴지지 않는 까닭을 인과로 설명함.

② ㉡: 머리카락이 무엇인지 그 의미를 밝혀 설명함.

③ ㉢: 머리카락의 종류를 분류·구분하여 설명함.

④ ㉣: 머리카락의 구조를 구성 요소로 분석하여 설명함.

⑤ ㉤: 머리카락에 쌓인 노폐물이 배출되는 순서를 밝혀 설명함.

> **도움말**
>
> 설명은 어떤 사실이나 내용을 알기 쉽게 밝히는 것으로 글쓴이는 이와 같은 설명의 목적을 이루기 위해
> 다양한 설명 방법을 활용해요. 글에 나타난 설명 대상과 그 방법이 바르게 연결되었는지 살펴봐요.

설명 방법 파악하기

03 ⓐ와 〈보기〉에 공통으로 사용된 설명 방법으로 알맞은 것은?

> **보기**
>
> 북극곰의 서식지가 줄어들고 있다. 왜냐하면 북극 얼음이 녹고 있기 때문이다.

① 정의   ② 예시   ③ 비교와 대조

④ 인과   ⑤ 분류와 구분

> **도움말**
>
> ⓐ에 사용된 설명 방법을 파악하고, 〈보기〉에 사용된 설명 방법을 파악한 뒤 ⓐ와 〈보기〉에 공통으로 사
> 용된 설명 밥을 찾아봐요.

4일 구조와 의도 파악하기

▶ '처음-중간-끝' 파악하기

개념 노트

● **설명하는 글의 구조**: '처음-중간-끝' 또는 '머리말-본문-맺음말'의 구조로 이루어짐.

처음(머리말)	중간(본문)	끝(맺음말)
설명 대상 (ㅅㄱ).	설명 대상 구체적 설명.	설명한 내용 (○○)·강조.

● **설명하는 글의 구조 파악하기**

화제와 관련하여 문단의 중심 내용 정리.	중심 내용을 바탕으로 각 문단이 하는 역할 파악.	구조도를 사용해 글의 전체적인 구조 정리·이해.

답 소개, 요약

효과적인 듣기의 방법
(전영우)

종류 설명하는 글
중심 화제 효과적인 듣기 방법
주제 이상적인 대화를 위한
효과적인 듣기 방법

㉮ 상대방의 이야기를 진정 열심히 듣겠다는 성의를 갖고 대화에 임하면, 언젠가는 이상적인 대화를 할 수 있을 것이다. 여기서는 이상적인 대화를 하는 데 도움이 되는 효과적인 듣기 방법에 무엇이 있는지 살펴보기로 한다.

㉯ 인간이 하나의 대상에 정신을 집중할 수 있는 시간은 불과 4초에서 24초라 한다. 우리의 의식을 가만히 내버려 두면 늘 예측할 수 없는 방향으로 흐른다는 것이다. 이 생각 저 생각 하면서 남의 이야기를 듣는 사람이 상대방의 이야기를 제대로 이해할 수 있을까? 잘 듣기 위해서는 상대방의 이야기에 귀를 기울이는 자세를 지녀야 한다.

㉰ 대화를 통해 상대방과 공유한 내용을 확인하는 것도 효과적으로 듣는 방법 가운데 하나이다. 대화는 서로 일방적으로 의사를 교환하고 끝나는 것이 아니다. 그러므로 상대방과 어떤 문제에 관해 완벽하게 의사가 일치되었든 그렇지 않든 공유한 내용을 확인해야 한다. 이를 통해 상대방과의 공감대를 넓혀 나갈 수 있는데, 폭넓고 깊이 있는 공감대를 형성하려면 인내와 끈기를 갖고 상대방을 이해하려고 노력해야 한다.

㉱ 지금까지 효과적인 듣기의 방법 몇 가지를 살펴보았다. 잘 말하기 위해서는 잘 들어야 한다. 잘 듣는 사람이 잘 말하는 사람이다. 서로에게 마음을 여는 진정한 대화를 바란다면, 우리는 효과적인 듣기의 방법을 잘 알고, 이를 생활에서 즉각 실천해야 할 것이다.

● **성의** 정성스러운 뜻.
● **공감대** 서로 같은 생각이나 느낌을 가지는 부분.

● **글의 구조 파악하기**
문단 간의 관계를 고려하여 이 글을 '처음, 중간, 끝'으로 나누어 봐요.

1-1 이 글의 구조를 바르게 정리한 것을 고르시오.

① (가) — (나) / (다) — (라)

② (가) — (나) — (다) / (라)

● **글의 구조 파악하기**
각 문단을 내용상 연결되는 문단들끼리 묶고 문단의 역할에 맞게 구분해 봐요.

1-2 (가)~(라)를 '처음-중간-끝'으로 나눌 때 해당하는 문단을 각각 쓰시오.

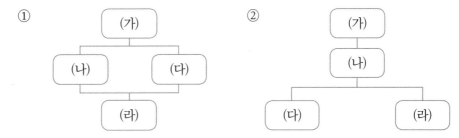

단계	역할	해당 문단
처음	설명할 대상 소개	
중간	대상 구체적으로 설명	
끝	설명한 내용 정리	

2주 4일 구조와 의도 파악하기

> ## 글의 의도 파악하기

긴급 재난 문자가 도착했네. 무슨 내용인지 열어 보자.

태풍·홍수·지진·대설·폭염·황사 등 각종 재난 시 국민이 대비·대응할 수 있도록 행정안전부나 기상청, 각 지자체 등이 긴급하게 보내는 문자 메시지.

긴급 재난 문자

🔊 안전 안내 문자
[환경부] 수도권 내일 미세 먼지 비상 저감 조치 시행(차량 단속 미실시), 외출 자제, 마스크 착용 등 건강에 유의 바랍니다.

오후 4:20

오늘 미세 먼지가 심하구나. 마스크를 끼고 나가거나 외출을 하지 말아야겠다.

의도를 정확히 파악했네. 근데 오늘 산책은 안 나가는 거야?

● **글쓴이의 의도**: 글쓴이의 생각이나 계획으로 글을 통해 글쓴이가 이루고자 하는 (ㅁㅈ)임. 화제에 대한 글쓴이의 태도와 표현을 통해 의도를 파악할 수 있음.

● **의도 파악하기**

글쓴이의 태도	중심 내용 파악	글쓴이의 의도 파악
제목을 통해 화제에 대한 글쓴이의 태도 파악.	문단의 중심 내용과 글의 전체적인 내용을 정리하여 (ㅎㅅ) 정보 파악.	글쓴이가 글을 쓴 까닭이나 목적 파악.

답 목적, 핵심

천으로 만든 디자인, 조각보 (최준식)

종류 설명하는 글
중심 화제 조각보
주제 조각보에 담긴 한국의 예술성

조각보는 말 그대로 천 조각으로 만든 보자기를 말합니다. 모든 게 귀하던 옛날에 옷 같은 것을 만들고 남은 자투리 천으로 만든 보자기입니다. 〈중략〉

사실 예술 작품에 대한 평가는 주관적일 수 있습니다만, 우리가 봐도 우리 조각보는 그 구도나 색채 감각이 탁월하기 짝이 없습니다. 조각보를 보면 그 구도가 반듯한 것도 적지 않게 있지만, 사다리꼴 같은 다양한 도형을 쓴 것도 많습니다. 그리고 선이 어느 정도 비뚤어진 것도 많습니다. 이것을 두고 파격미라고도 하고 자유분방미라고도 합니다. 그런데 이것은 의도된 아름다움이 아닐 것입니다. 천이 잘린 모양을 그대로 살려 만들다 보니 그렇게 되었을 것입니다. 그렇게 대충 하는 것 같은데 전체적으로는 아주 아름다운 공간 분할이 생깁니다. 저는 이것이 바로 한국미의 정수라고 생각합니다.

조각보는 색채 감각도 뛰어나기 그지없습니다. 국수적인 견해인지 모르겠지만, 색채 감각 역시 조각보가 네덜란드의 화가인 몬드리안의 그림보다 낮지 않나 하고 생각합니다. 조각보는 섬세하면서 따뜻하고 유려합니다. 반면 몬드리안의 그림은 합리적으로 보여 차게 느껴집니다. 무엇이 낫다고 할 수는 없지만, 우리 한국인의 눈에는 조각보가 더 다정합니다. 저는 이 조각보 하나만 두고도 우리나라의 예술성이 얼마나 높은지 절감합니다.

● **탁월하다** 남보다 두드러지게 뛰어나다.
● **국수적** 자기 나라 문화가 가장 뛰어나다고 여겨서 다른 나라 문화를 업신여기거나 멀리하는 것.

● **글의 의도 파악하기**
화제에 대한 글쓴이의 태도와 글에 나타난 표현을 통해 글쓴이의 의도를 파악해 봐요.

2-1 이 글을 쓴 글쓴이의 의도를 바르게 파악한 사람을 고르시오.

글쓴이는 섬세하고 유려한 조각보의 예술성에 대해 설명하고자 하는군.

태서

글쓴이는 예술 작품을 평가하는 바람직한 자세에 대해 전하려 하는군.

규헌

● **글의 의도 파악하기**
중심 내용을 정리하고 글쓴이가 글을 통해 이루고자 하는 목적을 파악해 봐요.

2-2 다음은 이 글을 쓴 글쓴이의 의도를 파악하기 위한 과정이다. 빈칸에 공통으로 들어갈 알맞은 말을 이 글에서 찾아 쓰시오.

| 제목에서 □□□에 대한 글쓴이의 긍정적 태도가 드러남. | → | □□□의 뜻과 조각보에 담긴 한국의 아름다움 등의 내용을 다룸. | → | □□□에 담긴 섬세하고 유려하며 높은 한국의 예술성을 전달함. |

이 글은

블랙홀의 뜻과 생성 원인, 관측 방법 등을 설명한 글로, 블랙홀의 과학적 실상을 알려 주며 블랙홀 연구의 필요성을 제시하고 있습니다.

간단 체크

· 주제: 블랙홀 (ㅇㄱ)의 필요성

· 문단 요약
1문단: 두려움과 호기심의 대상인 블랙홀
2문단: 블랙홀의 뜻
3문단: 블랙홀의 생성 원인 ①
－(ㅅㅊ)설
4문단: 블랙홀의 생성 원인 ②
－우주 (ㄷㅍㅂ)설
5문단: 블랙홀의 관측 방법
6문단: 블랙홀 연구의 필요성

어휘 풀이

● **공상가** 현실적이지 못하거나 실현될 가망이 없는 것을 늘 생각하는 사람.
● **암흑** 어둡고 캄캄함.
● **무한대** 한없이 큼.
● **빅뱅** 우주의 탄생을 가져온 거대한 폭발. 빅뱅설에 따르면 약 150억 년 전 초기 우주가 매우 높은 온도와 밀도에서 대폭발을 일으켜 현재의 팽창하는 우주가 탄생하였다고 봄.
● **육안** 안경이나 망원경, 현미경 등을 이용하지 아니하고 직접 보는 눈.
● **기초 과학** 공학이나 응용과학 따위의 밑바탕이 되는 순수 과학인 자연 과학을 이르는 말. 수학, 물리학, 화학, 생물학이 있음.
● **정립하다** 방법, 내용, 이론, 법칙 등을 정하여 세우다.

[01~03] 다음 글을 읽고 물음에 답하시오.

과연 지구는 블랙홀로부터 안전할까? 한때 블랙홀이 태양계, 혹은 지구를 삼켜 버리지 않을까 하는 불안감이 떠돈 적이 있다. 물론 천문학자들 사이에서가 아니라 블랙홀에 심취한 공상가들 사이의 이야기였다. 블랙홀은 이렇게 언제부터인가 사람들에게 두려움과 호기심의 대상이 되어 왔다. 하지만 블랙홀이 무엇인지 분명하게 알고 있는 사람은 많지 않다. 그러면 지금부터 블랙홀에 대해 자세히 살펴보도록 하자.

블랙홀은 밀도와 중력이 한없이 커져서 빛과 에너지를 포함한 어떤 물질도 빠져나가지 못하는 천체이다. 블랙홀은 20세기 초 아인슈타인이 이론적으로 증명하면서 주목받기 시작했다. 이어서 존 휠러라는 천문학자가 아인슈타인이 예언한 새로운 천체를 '블랙홀'이라고 이름 붙였다. 이 이름에는 '일단 그 내부로 떨어지면 빛조차 탈출할 수 없는 암흑의 구멍'이라는 의미가 담겨 있다. 그러면 블랙홀은 어떻게 생기는 것일까? 천문학자들은 블랙홀이 생기는 원인을 두 가지로 설명하고 있다.

첫째는 태양보다 훨씬 무거운 별이 일생의 마지막 단계에서 폭발하면서 강력한 수축을 일으켜 블랙홀이 생긴다는 것이다. 태양의 수십 배가 넘는 큰 별이 폭발하면 중심부의 강력한 중력이 주변의 물질을 끌어들인다. 그 결과, 짧은 시간 안에 별의 부피가 거의 0에 가깝게 줄어드는 반면 밀도와 중력은 무한대로 커진다. 이 엄청난 크기의 중력을 지닌 천체가 블랙홀이라는 것이다.

둘째는 우주 대폭발, 즉 빅뱅의 순간에 우주의 물질들이 크고 작은 덩어리로 뭉치면서 블랙홀이 무수히 생겨났다는 것이다. 이렇게 우주 대폭발의 힘으로 태어난 블랙홀을 원시 블랙홀이라고 한다.

그러면 이렇게 생성된 블랙홀을 어떻게 찾을 수 있을까? 실제로 블랙홀이 사람들에게 육안으로 관측된 적은 없다. 말 그대로 빛을 내지 않는 암흑의 천체이기 때문에 직접 관측하는 것이 불가능해서 블랙홀은 오랫동안 이론적으로만 존재해 왔다. 그러나 지금은 블랙홀의 위치를 확인하는 방법이 몇 가지 있다. 그중 하나는 블랙홀이 방출하는 엑스선을 찾는 것이다. 블랙홀은 주변의 천체들을 빨아들이는 과정에서 미세한 엑스선을 방출하는데, 이를 탐지하면 블랙홀의 위치를 확인할 수 있다. 〈중략〉

지금까지 우리는 블랙홀에 대해 알아보았다. 오랫동안 블랙홀은 상상 속의 존재일 뿐, 과학적으로 연구할 만한 대상이 아니라는 의견이 많았다. 하지만 블랙홀은 공상 과학 영화에서나 볼 수 있는, 다른 세계로 통하는 검은 구멍이 아니라 우주를 빛내던 별의 다른 모습이다. 많은 과학자가 블랙홀을 연구하는 데 관심을 기울이고 있다. 블랙홀에 대한 연구는 21세기의 새로운 기초 과학을 정립하는 열쇠이기 때문이다.

▲ 블랙홀

－ 케이비에스(KBS) 〈우주 대기행〉 제작진, 〈미지의 세계, 블랙홀〉에서

정보 이해하기

01 이 글을 이해한 내용으로 알맞지 않은 것은?

① 블랙홀은 20세기 초 아인슈타인 때문에 주목받기 시작했다.

② 존 휠러는 아인슈타인이 증명한 천체를 '블랙홀'이라 불렀다.

③ 블랙홀은 암흑의 천체이기 때문에 육안으로 직접 관찰할 수 있다.

④ 블랙홀이 방출하는 엑스선을 찾으면 블랙홀의 위치를 확인할 수 있다.

⑤ 블랙홀에는 내부로 떨어지면 빛도 탈출할 수 없는 암흑의 구멍이라는 뜻이 담겨 있다.

도움말

각 문단의 세부적인 내용들과 선택지를 비교해 보며 글의 내용을 이해해 봐요.

글의 구조 파악하기

02 이 글의 구조에 맞게 내용을 정리할 때 바르지 않은 것은?

처음	• 두려움과 호기심의 대상인 블랙홀 ……………………………①
중간	• 블랙홀의 정의와 그 명칭의 유래 …………………………②
	• 블랙홀의 생성 원인 두 가지 ………………………………③
	• 블랙홀을 찾는 방법 …………………………………………④
끝	• 상상 속의 존재일 뿐인 블랙홀 ……………………………⑤

도움말

각 문단의 중심 내용을 정리해 보고, 중심 내용을 바탕으로 각각의 문단이 하는 역할을 파악해 봐요.

글의 의도 파악하기

03 이 글을 쓴 글쓴이의 의도를 바르게 파악한 것은?

① 블랙홀은 과학적으로 연구할 만한 대상이 아님을 전하는군.

② 블랙홀이 무엇인지 정확히 알려 주어 위험에 대비하기를 바라는군.

③ 블랙홀에 관해 과학자들이 더 이상 연구하지 않는 현실을 비판하는군.

④ 블랙홀에 관한 지식을 전달하여 블랙홀에 관심을 기울이기를 바라는군.

⑤ 블랙홀보다 새로운 기초 과학을 정립하는 데 관심을 기울이기를 바라는군.

도움말

각 문단의 중심 내용을 정리하면서 글쓴이가 글에서 말하고자 하는 바를 파악해 봐요.

개념 한번 더 체크 🎯

내용 파악하기

세부 내용 파악하기

단어와 문장을 정확히 [　　]하면서 글에 제시된 정보를 있는 그대로 확인.

핵심 내용 파악하기

글에 제시된 정보 중에서 중심 화제와 관련 있는 핵심 정보를 간추려 핵심 내용 파악.

설명 방법 파악하기 ①

정의 대상의 [　]을 밝혀 설명.

예시 대상과 관련된 구체적인 예를 들어 설명.

비교와 대조 둘 이상의 대상을 견주어 서로 간의 공통점과 [　　]을 밝혀 설명.

육식 동물

갈기 유무

설명 방법 파악하기 ②

분류와 구분 　대상을 □□에 따라 종류 별로 묶거나 나누어서 설명.

분석 　하나의 대상을 구성 요소나 부분으로 나누어 설명.

과정 　어떤 일의 절차와 순서를 밝혀 설명.

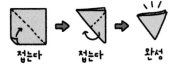

접는다 → 접는다 → 완성

인과 　어떤 대상을 □□과 결과 중심으로 설명.

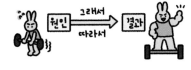

원인 그래서 따라서 결과

구조와 의도 파악하기

설명하는 글의 구조: 처음-중간-끝

• □□: 설명할 대상 소개.
• 중간: 설명할 대상을 구체적으로 설명.
• 끝: 앞에서 설명한 내용 요약·강조.

소개	⇒	처음
설명	⇒	중간
마무리	⇒	끝

글의 의도 파악하기

글쓴이는 제목과 표현을 통해 □□를 전달함. → 독자는 제목과 표현을 분석해 글쓴이의 의도를 파악함.

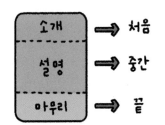

글쓴이가 글을 쓴 까닭은…

📗 답 이해, 뜻, 차이점, 기준, 원인, 처음, 의도

이 글은

간지럼을 가려움과 대조하여 그 특성을 설명한 글로, 간지럼을 타게 된 까닭을 인간의 진화와 연관 지어 설명하고 있습니다.

간단 체크

· 주제: 간지럼의 (ㅌㅅ)과 간지럼 연구
· 문단 요약
  1문단: 오래된 수수께끼인 간지럼
  2문단: (ㄱㄹㅇ)과 간지럼
  3~4문단: 가려움의 특성
  5~6문단: 간지럼의 특성
  7문단: (ㅎㅂ)해지고 있는 간지럼 연구

어휘 풀이

● **통각** 고통스러운 감정이 따르는 감각. 피부의 자극이나 신체 내부의 자극에 의해 일어남.
● **척수** 척추의 뼈 속에 있는, 신경 세포가 모인 부분.
● **압각** 피부나 그 밖의 신체 일부가 눌렸을 때 생기는 감각.
● **진동각** 흔들려 움직이는 자극을 받아들이는 감각.
● **지각** 감각 기관을 통해 대상을 인식함. 또는 그런 작용.

[01~06] 다음 글을 읽고 물음에 답하시오.

사실 사람을 웃게 하는 간지럼은 아주 오래된 수수께끼입니다. 그럼 지금부터 이 수수께끼를 살펴볼까요?

어떤 물체가 살에 닿아 가볍게 스치면 간지러운 느낌 때문에 가만히 있기 어렵지요. 이처럼 견디기 어렵게 간지러운 느낌은 두 가지로 나누어 볼 수 있습니다. 하나는 '외부 ⓐ자극에 의한 가려움[Knismesis]'이고, 또 다른 하나는 이 글에서 주의 깊게 살펴볼 '웃음이 나는 간지럼[Gargalesis]'입니다. 이 둘은 어떻게 다를까요?

먼저 외부 자극에 의한 가려움을 살펴보겠습니다. 벌레가 팔 위를 누비는 상황을 생각하시면 됩니다. 굉장히 성가신 가려움이지요. 몸 전체의 피부에서 나타나는데 특징은 아주 약한 움직임으로 발생한다는 것입니다. 이것이 느껴지면 '벅벅' 긁거나 문지르고 싶어지지요.

가려움은 연구가 많이 진행됐습니다. ㉠아토피 피부염, 두드러기 등 가려움과 관련된 피부 질환이 많고, 하나같이 견디기 어렵기 때문이지요. 과거에는 가려움을 ⓑ통각(痛覺)의 일종으로 여겼습니다. 통각의 세기가 약하면 가려움이 발생한다고 생각해 왔지요. 하지만 최근 통각이 약하다고 해서 가려움을 느끼는 것이 아니라 가려움을 느끼는 신경이 따로 있다는 사실이 드러났습니다.

이번에는 이 글에서 본격적으로 주목할 '웃음이 나는 간지럼'을 살펴보겠습니다. 이것은 신체의 특정 부위에서 잘 일어나며, 가려움보다는 더 강한 촉감 때문에 생긴다는 특징이 있습니다. 간지럼도 가려움과 마찬가지로 이전에는 통각으로 여겼습니다. 1939년에 솜털로 고양이를 살살 간질이는 실험을 한 결과, 고양이의 통각과 관련된 신경들이 반응했고 이를 본 실험자가 간지럼이 통각과 관련이 있다고 주장했습니다. 그 뒤의 연구들도 간지럼은 통각과 관련이 있다는 사실을 뒷받침했지요.

그런데 1990년, 이와 반대되는 연구 결과가 나왔습니다. 척수˙ 손상으로 통증을 못 느끼는 환자들도 간지럼을 탄다는 것입니다. 간지럼의 원인이 통각만이 아니었던 것입니다. 간지럼의 원인은 다시 ⓒ혼란에 빠지게 되었습니다. 현재는 ⓓ촉각과 통각의 혼합이 유력한 후보로 꼽히고 있으며, 압각(壓覺)˙과 진동각(振動覺)˙ 등 여러 감각과의 연관성이 제시되고 있습니다. 〈중략〉

간지럼은 단순한 촉감도, 귀찮은 행동 중의 하나도 아닙니다. 이를 연구하는 것 또한 한낱 궁금증을 해결하는 데 그치는 것은 아니지요. 최근 들어 심리학과 신경 과학 분야에서 간지럼을 비롯해 사람의 행동과 관련된 연구가 점점 더 활발해지고 있습니다. 간지럼이 운동과 ⓔ지각(知覺)˙의 통합 과정을 밝혀낼 수 있는 좋은 사례이기 때문입니다.

– 서동준, 〈우리는 왜 간지럼을 느낄까〉에서

01 이 글의 특징으로 알맞지 <u>않은</u> 것은?

① 간지럼의 위험성에 대해 경고하고 있다.

② 질문을 통해 독자의 흥미를 일으키고 있다.

③ 간지럼의 특성에 대한 정보를 제공하고 있다.

④ '처음–중간–끝'의 구조로 글을 전개하고 있다.

⑤ 실험 결과와 연구 결과를 바탕으로 사실에 근거하여 설명하고 있다.

02 가려움과 간지럼의 특성을 정리한 내용으로 알맞지 <u>않은</u> 것은?

외부 자극에 의한 가려움	웃음이 나는 간지럼
• 몸 전체의 피부에서 아주 약한 움직임으로 발생함. ────①	• 신체의 특정 부위에서 가려움보다는 강한 촉감 때문에 생김. ────④
• 긁거나 문지르고 싶어짐. ────②	• 과거에는 여러 감각과의 연관성이 제시되었으나 최근에 통각과 관련이 있다고 밝혀짐. ────⑤
• 과거에 통각의 일종으로 여겼으나 최근에 가려움을 느끼는 신경이 따로 있다고 드러남. ────③	

03 이 글에 쓰인 설명 방법에 대한 반응으로 알맞은 것은?

김서윤 : ① 간지럼과 가려움의 뜻을 설명하여 각각의 개념을 정확히 알겠군.

최하윤 : ② 간지럼과 가려움을 예방하는 구체적 예를 들어 이해하기 쉬웠어.

박서준 : ③ 간지럼과 가려움을 비교·대조하여 설명하여 각각의 특성이 잘 이해되는군.

도하준 : ④ 간지럼과 가려움을 느끼는 과정을 제시하여 간지럼의 중요성을 강조했어.

이지윤 : ⑤ 간지럼과 가려움을 느끼게 되는 부위를 분석하여 둘의 관계를 명확히 알게 됐어.

04 다음 빈칸에 들어갈 원인으로 알맞은 것은?

간지럼이 ( )이기 때문에 간지럼과 관련된 연구가 점점 활발해지고 있어요.

① 심리학과 신경 과학 분야와 관련이 적은 사례

② 운동과 지각의 통합 과정을 밝혀낼 수 있는 사례

③ 단순한 촉감이자 귀찮은 행동임을 보여 주는 사례

④ 가려움에서 발생하는 것임을 증명할 수 있는 사례

⑤ 통각의 세기와 간지럼의 상관관계를 밝혀 주는 사례

05 ㉠에 사용된 설명 방법을 사용하여 말한 것은?

① 비가 와서 운동장에서 체육 수업을 할 수 없었어.

② 꽃은 암술, 수술, 꽃잎, 꽃받침으로 구성되어 있어.

③ 개는 주로 낮에 활동하지만 고양이는 주로 밤에 활동하지.

④ 세계 문화유산에는 이집트의 피라미드, 중국의 만리장성 등이 있어.

⑤ 한복은 한국인들이 널리 입어 온 고유의 옷을 통틀어 이르는 말이야.

06 ⓐ~ⓔ의 사전적 의미가 바르지 <u>않은</u> 것은?

① ⓐ: 어떠한 작용을 주어 감각이나 마음에 반응이 일어나게 함. 또는 그런 작용을 하는 사물.

② ⓑ: 고통스러운 감정이 따르는 감각.

③ ⓒ: 뒤죽박죽이 되어 어지럽고 질서가 없음.

④ ⓓ: 물건이 피부에 닿아서 느껴지는 감각.

⑤ ⓔ: 어떤 사물이나 사실을 실제와 다르게 인식하거나 생각함.

이 글은

정전기의 개념, 정전기가 발생하는 까닭, 정전기를 예방하는 방법 등을 다양한 설명 방법을 사용하여 설명한 글입니다.

간단 체크

· **주제:** 정전기의 (ㅌㅅ)과 예방법
· **문단 요약**
　1문단: (ㄱㅇ)이 되면 기승을 부리는 정전기
　2문단: 정전기의 뜻
　3문단: 정전기가 생기는 까닭
　4~6문단: 정전기를 (ㅇㅂ)하는 방법
　7문단: 정전기를 잘 다스릴 것을 제안

어휘 풀이

● **기승** 기운이나 힘 따위가 성해서 좀처럼 누그러들지 않음. 또는 그 기운이나 힘.
● **전하** 물체가 띠고 있는 정전기의 양. 이것이 이동하는 현상이 전류임.
● **마찰** 두 물체가 서로 닿아 문질러지거나 비벼짐. 또는 그렇게 함.
● **한도** 일정한 정도. 또는 한정된 정도.
● **습도** 공기 속에 수증기가 포함되어 있는 정도.
● **합성 섬유** 석유, 석탄, 천연가스 등을 원료로 하여 화학적으로 처리하여 만든 섬유.
● **중화하다** 같은 양의 양전하와 음전하가 하나가 되어 전체로는 전하를 가지지 아니하다.
● **천연 섬유** 실을 뽑아서 천을 짜는 섬유 가운데 솜, 삼 껍질, 명주실, 털 등의 천연물의 세포로 되어 있는 섬유. 이에는 동물성 섬유, 식물성 섬유, 광물성 섬유가 있음.

[07~12] 다음 글을 읽고 물음에 답하시오.

　겨울만 되면 정전기가 기승을 부린다. ㉠자동차 문의 손잡이를 잡을 때 찌릿하기도 하고, 스웨터를 벗을 때 '찌지직' 소리와 함께 머리가 폭탄 맞은 것처럼 변하기도 한다. 심지어 친구의 손을 잡을 때 정전기가 튀어 깜짝 놀라는 경우도 있다. 우리를 깜짝 놀라게 하는 정전기. 도대체 이런 정전기는 왜 생기는 것일까?

　㉡정전기란 전하가 정지 상태로 있어 그 분포가 시간적으로 변화하지 않는 전기 및 그로 인한 전기 현상을 말한다. 쉽게 설명하면 흐르지 않고 그냥 머물러 있는 전기라고 해서 "움직이지 아니하여 조용하다."는 뜻을 가진 한자 '정(靜)'을 써 정전기라고 부르는 것이다. ㉢우리가 실생활에서 쓰는 전기가 흐르는 물이라면, 정전기는 높은 곳에 고여 있는 물이다. 정전기의 전압은 수만 볼트(V)에 달하지만, 우리가 실생활에서 쓰는 전기와는 다르게 전류가 거의 없어 위험하지는 않다. 어마어마하게 높은 곳에 고여 있는 물이지만 떨어지는 것은 한두 방울뿐이라 별 피해가 없다고나 할까.

　정전기가 생기는 것은 마찰 때문이다. ㉣물질의 기본적 구성단위인 원자는 원자핵과 전자로 이루어져 있다. 전자는 작고 가벼워서 마찰을 통해 다른 물체로 쉽게 이동하기도 한다. 생활하면서 주변의 물체와 접촉하면 마찰이 일어나기 마련인데, 그때마다 우리 몸과 물체가 전자를 주고받으며 몸과 물체에 조금씩 전기가 저장된다. 한도 이상의 전기가 쌓였을 때 전기가 잘 통하는 물체에 닿으면 그동안 쌓였던 전기가 순식간에 불꽃을 튀기며 이동하면서 정전기가 발생하는 것이다. 〈중략〉

　이제 정전기의 특성을 알았으니 조금만 주의를 기울이면 정전기 때문에 깜짝 놀랄 일을 줄일 수 있다. 구체적으로 어떻게 하면 좋을까?

　우선 적절한 습도를 유지할 필요가 있다. 가습기나 어항 등으로 집 안 습도를 높이고, 보습 크림을 발라 피부를 촉촉하게 유지하면 도움이 된다. 물을 많이 마시는 것도 피부 상태를 건조하지 않게 하는 데 도움이 된다.

　플라스틱 제품을 사용할 때에는 특히 주의해야 한다. 합성 섬유 소재의 옷은 섬유 유연제를 넣어 헹구면 정전기가 많이 줄어든다. 섬유 유연제는 양전기를 띠어 음전기를 띤 합성 섬유에 붙어 전기를 중화하기 때문이다. 물론 ㉤합성 섬유 소재의 옷보다는 천연 섬유 소재의 옷을 입는 것이 좋다. 최소한 몸에 직접 닿는 부분이라도 천연 섬유 소재의 옷을 입어 정전기로부터 피부를 보호하자. 또한 플라스틱 빗으로 머리를 빗을 때에는 물에 적셨다가 쓰면 정전기를 줄일 수 있다. 〈중략〉

　지금까지 정전기의 특성과 정전기를 예방하는 방법에 관해 살펴보았다. 예고 없이 찾아오는 불청객으로만 여겼던 정전기. 이제부터 정전기를 잘 다스려 포근하고 편안한 겨울을 보내자.

　　　　　　　　　　　– 김정훈, 〈정전기가 겨울로 간 까닭은?〉에서

07 이 글을 쓴 글쓴이의 의도로 알맞은 것은?

① 정전기에 대한 여러 정보를 전달하기 위해

② 정전기에 얽힌 자신의 일화를 소개하기 위해

③ 정전기에 대한 연구의 필요성을 강조하기 위해

④ 정전기 연구가 실생활에 도움이 됨을 밝히기 위해

⑤ 몸에 해로운 정전기를 없애야 함을 주장하기 위해

08 이 글의 구조에 따라 내용을 정리할 때, ⓐ에 들어갈 내용으로 알맞지 <u>않은</u> 것은?

처음	설명 대상 소개	일상생활에서 발생하는 정전기
중간	구체적 설명	ⓐ
끝	정리	정전기를 잘 다스리기를 당부함.

① 정전기의 뜻

② 정전기가 생기는 까닭

③ 정전기를 예방하는 방법

④ 정전기와 전기의 차이점

⑤ 정전기의 원리를 밝힌 과학자

09 이 글의 내용과 관련한 문제와 답이 알맞지 <u>않은</u> 것은?

① 정전기를 쉽게 설명하면 뭘까? → 흐르지 않고 머물러 있는 전기야.

② 정전기가 우리 몸에 치명적이지 않은 까닭은 뭘까? → 정전기는 전류가 거의 없기 때문이야.

③ 정전기는 무엇 때문에 생길까? → 정전기는 습도 때문에 생겨.

④ 정전기를 예방하는 방법은 뭘까? → 적절한 습도를 유지하고 플라스틱 제품을 주의해야 해.

⑤ 글쓴이가 당부한 내용은 뭐지? → 정전기를 잘 예방하여 겨울을 잘 보내라고 당부했어.

10 질문에 대한 댓글의 내용이 알맞지 <u>않은</u> 것은?

인터넷 게시판 ＿ ⊟ ✕

질문 ㉠~㉤에 사용된 설명 방법의 특징을 차례로 설명해 주세요.

└ 🤖 나는로봇: ① ㉠은 일상생활에서 정전기가 생기는 예를 들어 정전기를 쉽게 설명하고 있어요.

└ 🚌 핑크카: ② ㉡은 정전기의 뜻을 분명하게 설명하여 내용에 대한 이해를 돕고 있어요.

└ 🍎 고마운사과: ③ ㉢은 정전기와 전기의 차이점을 제시하여 정전기의 특징을 이해시키고 있어요.

└ 🍰 젊은치즈: ④ ㉣은 원자를 이루는 구성 요소를 분석하여 원자를 설명하고 있어요.

└ ⛺ 세모집: ⑤ ㉤은 합성 섬유 옷이 정전기를 일으키는 원인을 밝혀 내용에 대한 이해를 돕고 있어요.

11 이 글에 사용된 설명 방법을 평가할 때 빈칸에 들어갈 설명 방법으로 알맞은 것은?

이 글을 읽고 정전기가 생기는 원인을 잘 알 수 있었어. (　　　)의 방법을 사용하여 정전기가 발생하는 원리를 밝힌 것은 적절하다고 생각해.

① 정의

② 분류와 구분

③ 인과

④ 비교와 대조

⑤ 예시

12 발라 와 같은 뜻의 '바르다'가 쓰인 것은?

① 나는 기울어져 있는 액자를 <u>바르게</u> 고정했다.

② 배가 고파서 식빵에 딸기 잼을 <u>발라서</u> 먹었다.

③ 영호는 인사성이 <u>발라서</u> 선생님들이 좋아하신다.

④ 아빠는 뼈 해장국의 뼈를 <u>발라</u> 먹느라 정신이 없다.

⑤ 할머니는 생선을 <u>발라</u> 동생의 숟가락 위에 얹어 주셨다.

01 ▶▶52~53쪽 참고

설명하는 글에 대한 설명으로 알맞은 것을 고르시오.

> 글의 목적에는 정보 전달, 설득, 친교 및 정서 표현 등이 있는데, 설명하는 글은 독자에게 (정보 전달 / 설득 / 친교 및 정서 표현)을 목적으로 하는 글이다.

02 ▶▶52~55쪽 참고

설명하는 글의 세부 내용을 파악하는 방법에 대해 바르게 말하지 <u>않은</u> 사람을 고르시오.

서연: 설명하는 글에서 정보를 정확하게 이해하려면 단어와 문장의 의미를 정확하게 이해하는 것이 중요해.

재영: 설명하는 글은 모든 정보가 중요하니 세부 정보와 핵심 정보를 구분하지 않고 내용을 이해하는 것이 중요해.

03 ▶▶58~61쪽 참고

다음 빈칸에 들어갈 알맞은 말을 2어절로 쓰시오.

> 설명하는 글을 쓸 때 글쓴이는 대상이나 상황을 효과적으로 설명하기 위해 여러 가지 (   )을 사용하는데, 이를 통해 독자는 설명 대상이나 상황을 쉽게 이해할 수 있다.

04 ▶▶58~61쪽 참고

다음 뜻에 해당하는 설명 방법을 〈보기〉에서 골라 쓰시오.

> **보기**
>
> 예시   정의   분석   인과   비교와 대조

(1) 대상의 뜻을 풀이하여 밝히는 방법. | ●은/는 ■(이)다.

(   )

(2) 대상과 관련한 구체적인 예를 보여 주는 방법. | 예를 들어, 예컨대, 이를 테면

(   )

(3) 둘 이상의 대상을 견주어 공통점과 차이점을 밝히는 방법. | • 공통점은~, ~와/과 같이 • 차이점은~, 반면에

(   )

05 ▶▶58~61쪽 참고

다음 문장에 쓰인 설명 방법을 바르게 연결하시오.

(1) 널리 알려진 판소리에는 춘향가, 심청가, 흥부가 등이 있다. •

 • ㉠ 정의

(2) 설과 추석은 모두 우리 고유의 명절인데, 설에는 떡국을 먹고 추석에는 송편을 먹는다. •

 • ㉡ 예시

(3) 축구는 주로 발로 공을 차서 상대편의 골에 공을 많이 넣는 것으로 승부를 겨루는 경기이다. •

 • ㉢ 비교와 대조

○ 정답과 해설 15쪽

▶▶64~67쪽 참고

06 다음 뜻에 해당하는 설명 방법을 〈보기〉에서 골라 쓰시오.

> 보기
>
> 분류와 구분 과정 예시 인과 분석

(1) 여러 가지 대상을 기준에 따라 종류별로 묶거나 나누는 방법.

(   )

(2) 대상을 구성 요소나 부분으로 나누는 방법.

(   )

(3) 어떤 대상을 원인과 결과 중심으로 설명하는 방법.

(   )

▶▶64~67쪽 참고

07 사용된 설명 방법이 같은 것끼리 바르게 연결하시오.

(1) 시계는 태엽, 시침, 초침, 분침 등으로 구성되어 있다. •

 •㉠ 사과는 껍질, 과육, 씨 등으로 이루어져 있다.

(2) 열량이 높은 음식을 주로 섭취하면 성인 비만으로 이어진다. •

 •㉡ 문화재는 형태의 유무에 따라 유형 문화재와 무형 문화재로 구분된다.

(3) 채소는 이용 부분을 기준으로 열매채소, 잎줄기채소, 뿌리채소로 나뉜다. •

 •㉢ 무당벌레는 진딧물을 잡아먹어서 농작물 피해를 줄여 수확에 도움이 된다.

▶▶64~67쪽 참고

08 설명하는 글을 쓰기 위한 대화이다. 알맞은 설명 방법을 고르시오.

> 문학의 종류는 표현 방식에 따라 시, 소설, 희곡, 수필로 나뉜대. 이를 설명하려면 (인과 / 분류와 구분)이/가 알맞겠어.

> 샌드위치를 직접 만들어 먹는 방법을 알려 주고 싶어. 이 내용을 설명하려면 (과정 / 분석)이 알맞겠어.

▶▶70~71쪽 참고

09 다음과 같이 글의 개요를 작성했을 때 '처음-중간-끝'의 구조에 맞게 순서를 바르게 배열하시오.

제목	건강을 지키는 취미, 수영
중심 내용	㉠ 수영장을 찾아가 수영할 것을 제안 ㉡ 누구나 쉽게 배울 수 있는 수영 소개 ㉢ 수영의 뜻, 수영하는 방법, 수영의 효과 설명

▶▶70~73쪽 참고

10 다음 설명이 맞으면 ○, 틀리면 ×표를 하시오.

(1) 설명하는 글의 '끝' 부분에서는 설명한 내용을 요약·정리한다. (   )

(2) 글쓴이의 의도는 글쓴이의 생각이나 계획으로 글을 통해 글쓴이가 이루고자 하는 목적이다. (   )

(3) 글의 제목을 살펴보고 중심 내용을 파악하는 것은 글쓴이의 의도를 파악하는 것과 관련이 없다. (   )

❶ 어휘 챌린지

2주에는 설명하는 글을 배웠습니다. 배운 글들을 떠올리며 글에 나온 단어들의 뜻을 익혀 봅시다. 각 단계에 따라 풀어 보고, 우리말 달인이 되어 보세요.

1 다음 그림을 참고하여 문장의 흐름에 맞는 단어를 고르세요.

❶ 아름답고 위대한 자연을 찬미 비판 하는 노래를 불렀다.

❷ 자율 주행 자동차에는 보행자나 물체를 감수 감지 하는 기능이 있다.

❸ 니트를 세탁기에 돌렸더니 손상 손해 되어 입을 수 없게 되었다.

❹ 사회의 변화에 맞춰 새로운 목표를 중립 정립 해야 한다.

❺ 목 뒤가 옷 안쪽의 상표에 마찰 마모 되어 따끔거렸다.

2 아래 뜻풀이에 해당하는 단어를 찾아 ○ 표시하고, 남은 글자를 골라 책 읽기와 관련된 한자 성어를 만들어 보세요.

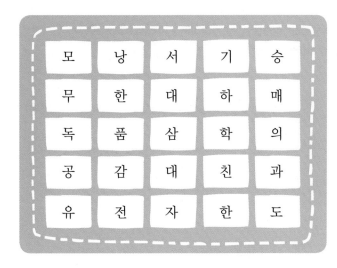

모	낭	서	기	승
무	한	대	하	매
독	품	삼	학	의
공	감	대	친	과
유	전	자	한	도

① ㅁㄴ
내피 안에서 털의 영양을 맡아보는 주머니.

② ㅁㅎㄷ
한없이 큼.

③ ㄱㅅ
기운이나 힘 따위가 성해서 좀처럼 누그러들지 않음. 또는 그 기운이나 힘.

④ ㄱㅎㅎ
도형이나 공간의 성질에 대하여 연구하는 학문.

⑤ ㄱㄷ
정도에 지나침.

⑥ ㅎㄷ
일정한 정도. 또는 한정된 정도.

⑦ ㄱㄱㄷ
서로 공감하는 부분.

⑧ ㅇㅈㅈ
생물체의 세포를 구성하고 유지하는 데 필요한 정보가 담겨 있는 요소.

ㄷㅅㅅㅁ   : 다른 생각은 전혀 아니 하고 오직 책 읽기에만 골몰하는 경지.

❷ Q&A 챌린지

설명하는 글에서는 찾은 정보들을 잘 기억하는 것이 중요해요. 글에서 제시한 정보들의 관계를 그림으로 정리해 보면 어떨까요? 그러한 정리 방법을 카드 뉴스를 통해 알아봅시다.

설명하는 글의 내용을 효과적으로 정리하는 방법이 있나요?

처음	중심 화제(설명 대상) 제시
중간	중심 화제(설명 대상)에 대한 구체적 설명
끝	전체 내용을 요약

앞서 설명하는 글의 기본적인 구조를 배운 것 기억하나요?

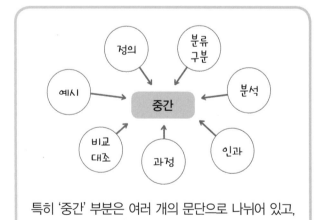

특히 '중간' 부분은 여러 개의 문단으로 나뉘어 있고, 다양한 설명 방법을 활용하여 화제를 설명합니다.

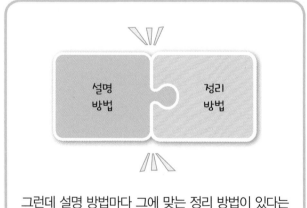

그런데 설명 방법마다 그에 맞는 정리 방법이 있다는 사실! 지금부터 그 정리 방법에 대해 알려 줄게요.

정의가 반복될 때

○○은/는 ~(이)다.
○○은/는 ~하다.
또 ○○(이)란 ~ 말한다.

글에서 정의가 반복적으로 쓰이면서 중심 화제에 대한 다양한 정보를 제시하는 경우가 있는데요.

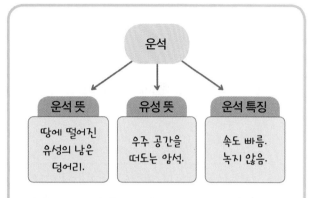

이때는 중심 화제를 중심에 둔 생각 그물을 그려 정보를 정리하면 돼요.

분류·분석이 쓰일 때

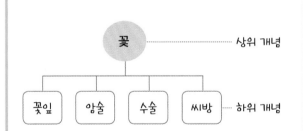

분류(구분)나 분석은 상위 개념과 하위 개념이 분명하게 나뉘므로 이를 구분해서 정리해야 해요.

비교·대조가 쓰일 때

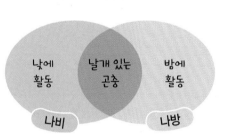

비교·대조가 쓰일 때는 두 대상의 공통점과 차이점을 구분해야 하므로 벤다이어그램을 활용해 봐요.

과정·인과가 쓰일 때

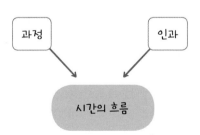

과정과 인과는 정보가 시간적 순서나 흐름에 따라 전개된다는 공통점이 있어요.

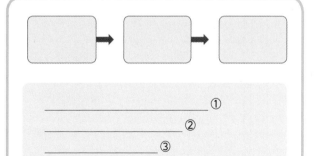

따라서 순서도를 그리거나 화살표나 숫자(①, ②, ③)를 이용하여 흐름을 정리하면 돼요.

❸ 갈래 탐구 챌린지

실험 조사 보고서, 체험 보고서 같이 보고서를 작성해 본 경험이 있지요? 2주에서는 보고문의 뜻과 특성, 보고문을 읽는 방법 등에 대해 자세히 알아봅시다.

보고문은 관찰, 조사, 실험 등의 절차와 결과를 정리하여 보고할 목적으로 쓴 글이야.

설명문처럼 어떤 대상에 대한 객관적인 사실을 알려 주는 글이지.

보고문은 내용이 정확해야 하고, 있는 그대로의 사실을 기록해야 하고, 일정한 짜임에 맞게 써야 해.

학생들이 음료수로 당류를 섭취하는 실태 조사 보고서

▨ : 구성 요소

1. 조사 목적 및 주제

우리 학교 학생들의 건강을 위해 음료수로 당류를 지나치게 섭취하는 문제를 조사하고자 한다.

2. 조사 기간, 대상 및 방법

(1) 조사 기간: 10월 5일부터 10일까지
(2) 조사 대상: 우리 학교 학생 100명
(3) 조사 방법: 설문 조사

3. 조사 결과

40% ■ 탄산음료
24% ■ 초코우유
16% ■ 에너지 음료
14% ■ 과일주스
6% ■ 기타

8% 아니요
92% 예

▲ 즐겨 마시는 음료수 종류   ▲ 영양 성분표 확인 여부

4. 결론

우리 학교 학생들은 음료수를 많이 마시고 있다. 당류를 지나치게 섭취하면 건강에 나쁜 영향을 주므로 당류 섭취를 줄여야 한다.

사진이나 그림, 도표를 활용하여 내용 이해를 도왔는지, 쓰기 윤리를 지켰는지도 살펴봐야 해.

보고문을 읽을 때에는 구성 요소가 빠짐없이 실렸는지 살펴봐야 해.

이 보고서는 체제와 절차가 잘 갖추어져 있네. 학생들의 음료수를 통한 당류 섭취 실태를 잘 이해할 수 있을 것 같아.

좋았어!

■ 보고문에 대해 살펴본 내용을 바탕으로 단계에 따라 답을 해 가면서 해당하는 글을 고르세요.

1단계 ● ●	보고문은 어떤 목적을 갖고 조사한 결과를 정리하여 보고하는 글입니까? (예 / 아니요)
2단계 ● ●	보고문은 객관성, 정확성, 체계성이 중요한 글입니까?　　　　　　　 (예 / 아니요)
3단계 ● ●	보고문의 내용을 시각 자료를 활용하여 정리하면 내용 이해에 도움이 됩니까? 　　　　　　　　　　　　　　　　　　　　　　　　　　　　 (예 / 아니요)
4단계 ● ●	보고문을 읽을 때 조사 목적, 조사 방법, 조사 결과 등의 절차에 맞게 구성하였는지를 살펴봐야 합니까?　　　　　　　　　　　　　　　　　　　　　 (예 / 아니요)
5단계 ● ●	지금까지의 방법으로 살펴봐야 하는 글은 어느 것입니까? (**㉠ / ㉡ / ㉢ / ㉣**)

↓

㉠

제10회 교내 작품 전시회 개최

하루중학교는 제10회 교내 작품 전시회를 개최합니다. 이 전시회는 학생들의 학교 활동 성과물을 소개하고, 학생들이 창의력을 키울 수 있도록 격려하기 위한 행사입니다. 참석하여 자리를 빛내 주셨으면 합니다.

1. 일시: 10월 21일부터 23일까지
2. 장소: 본교 강당
3. 전시 내용: 각 교과 시간의 성과물 200여 점 전시

㉡

'짜장면', 표준어 됐다

국립국어원, '먹거리' 등 서른아홉 개 단어 표준어 인정

방송인 정도만 '자장면'이라고 발음하는 '짜장면'이 마침내 표준어가 됐다. 국립국어원은 국민 실생활에서 많이 사용하지만 표준어 대접을 받지 못한 '짜장면'과 '먹거리'를 비롯한 서른아홉 개 단어를 표준어로 인정하고 이를 인터넷 '표준어국어대사전'에 반영했다고 31일 밝혔다.

㉢

학교 도서실 이용 실태 보고서

1. 조사 목적: 학교 도서실 이용 실태를 파악하여 도서실 이용을 활성화할 수 있는 방안을 찾고자 한다.
2. 조사 과정
   (1) 조사 기간: 5월 10일~5월 20일
   (2) 조사 대상: 재학생 200명
   (3) 조사 방법: 설문 조사
3. 조사 결과: 한 달에 한 번 정도 도서실을 이용하는 학생들이 가장 많았다.
4. 결론: 도서실을 이용했을 때의 장점을 알고 도서실을 자주 이용하려는 노력을 해야 한다.

㉣

○○구청 교통행정과 담당자님께

안녕하세요, 저는 하루중학교 재학생 정○○입니다. 저희 학교 앞에는 횡단보도만 있고, 신호등은 없습니다. 신호등이 없으니 학생들은 자신이 판단해서 길을 건너야 합니다. 지난달에 저희 반 친구가 횡단보도를 건너다가 교통사고를 당했습니다. 이런 사고를 예방하려면 학교 앞 횡단보도에 신호등을 설치해야 합니다.

교통사고의 위험 없이 안전하게 길을 건널 수 있도록 신호등을 꼭 설치해 주세요.

3주에는 무엇을 공부할까? ❶

이 책을 반이나 공부했구나! 너무 잘했어. 3주에서는 주장하는 글을 배울 거야!

그 전에 질문! 설명하는 글과 주장하는 글의 차이점이 뭘까?

글쎄?

설명하는 글

주장하는 글

설명하는 글과 달리 주장하는 글은 글쓴이의 주관적인 생각을 전달하려는 목적이 있어.

설명 상황

주장 상황

앱스토어에 접속해서…

스마트폰에서 어플을 내려받으려면 어떻게 해야 되니?

스마트폰은 우리 삶을 편리하게 해!

VS

사람들이 스마트폰을 너무 많이 써서 문제야!

주장하는 글을 읽을 때에는 글쓴이의 생각이 어떠한지 살펴봐야 되겠네!

제법인데. 맞아, 글쓴이의 생각이 곧 주장이거든!

생각 = 주장

그렇구나!

주장하는 글 읽기

주장하는 글은 어떻게 읽어야 할까요?

배울 내용

1일 | 주장 파악하기	**4일** | 타당성 판단하기
2일 | 글의 구조 파악하기	**5일** | 주장하는 글 읽기_종합
3일 | 논증 방법 파악하기	**특강** | 창의·융합·코딩

표어는 주장을 간결하게 나타낸 짧은 문구를 말합니다. 다음 표어 사진을 보고 물음에 답해 봅시다.

1 이 표어가 전달하려는 내용으로 알맞은 것을 고르세요.

친구에게 (욕설 / 칭찬 / 거짓말 / 반말)을 해서는 안 된다.

2 이 표어의 내용을 알맞게 이해한 사람을 고르세요.

친구에게 욕을 하면
친구의 마음이 상하므로
욕을 해서는 안 돼요.

주희

욕을 하면 내 마음이
사나워지기 때문에
욕을 해서는 안 돼요.

민규

다음은 주변에서 볼 수 있는 표지판입니다. 잘 보고 물음에 답해 봅시다.

3 (가)~(다)와 같은 표지판을 세운 이유로 알맞은 것을 고르세요.

① 사람들에게 어떤 행동을 하지 못하게 하려고

② 사람들에게 도구의 사용법을 알려 주려고

③ 사람들에게 교통 정보를 전달하려고

4 (가)~(다) 중 다음 상황에 알맞은 표지판을 고르세요.

(1) 소화전이 있는 자리에 차가 세워져 있어 사람을 구하지 못할 뻔했습니다. 그러므로 이곳에 (가 / 나 / 다) 표지판을 세워야 합니다.

(2) (가 / 나 / 다) 표지판을 봐 주세요. 카메라 소리나 불빛은 작품을 감상하는 데 방해가 되오니 주의해 주시기 바랍니다.

> **문제 상황 파악하기**

플라스틱 쓰레기로 병들어 가는 지구! → **문제 상황**

헉, 환경 오염이 심각하잖아!

주장

플라스틱으로 된 일회용품을 덜 써야겠어.

● **주장하는 글:** 어떤 문제에 대하여 자신의 생각이나 주장을 논리적으로 펼치는 글.

● **문제 상황:** 사회 구성원들이 생각해 보거나 해결해야 한다고 글쓴이가 제시하는 상황.

● **문제 상황 파악하며 읽기**

(ㅁㅈ) 상황 파악하기	글쓴이의 (ㅈㅈ) 파악하기
'문제(점), 단점, 과제' 등의 표현이 나오면 이에 주목하여, 글쓴이가 무엇을 문제라고 생각하는지 살피기.	문제 상황에 대한 글쓴이의 생각을 정리하기. 문제 상황에 대한 구체적인 해결 방안이 나오는 경우가 많음.

답 문제, 주장

신조어를 무분별하게 사용하지 말자

종류 주장하는 글
중심 화제 신조어
주제 청소년들이 신조어 사용을 줄여야 함.

요즘 청소년들은 '노잼'처럼 외국어와 우리말을 결합해서 완전히 새로운 말을 만들어 내기도 한다. 그리고 'ㅇㅈ', 'ㅅㄱ'처럼 초성만 써서 자기 생각을 전달하기도 한다. 하지만 이러한 말을 지나치게 사용하면 여러 가지 문제가 생기게 된다.

가장 큰 문제는 청소년들의 무분별한 신조어 사용 때문에 세대 간 의사소통이 어려워진다는 것이다. 한 단체가 청소년들이 많이 쓰는 신조어의 인지도를 알아보려고 설문 조사를 하였는데, '노잼'의 경우에는 응답자 가운데 60대 이상은 3.7퍼센트, 50대는 16.7퍼센트만이 그 뜻을 알고 있었다. 이러한 조사 결과는 신조어를 무분별하게 사용하면 세대 간 의사소통에 어려움이 생길 수도 있음을 보여 준다.

또한 청소년들의 무분별한 신조어 사용은 청소년 사이에서도 문제가 된다. 모든 청소년이 요즘 유행하는 신조어를 사용하는 것은 아니기 때문에 같은 또래 집단 안에서도 의사소통에 문제가 생길 수 있다. 그뿐만 아니라 또래 집단이 쓰는 말을 알아듣지 못하는 사람은 소외감을 느낄 수도 있다. 〈중략〉

우리는 이에 대해 문제의식을 가지고 신조어를 무분별하게 사용하지 않도록 해야 한다.

● **노잼** 'no'와 '재미'를 결합한 말로 '재미가 전혀 없음'을 뜻함.
● **무분별하다** 분별이 없다. 바르게 판단하고 구별하는 능력이 없다.
● **소외감** 남에게 따돌림을 당하여 멀어지는 느낌.

● **문제 상황 파악하기**
글쓴이가 무엇을 문제라고 생각하는지 찾아보세요.

1-1 빈칸에 공통으로 들어갈 말을 이 글에서 찾아 쓰시오.

> 저는 청소년들이 [ ][ ][ ]를 지나치게 사용하여 의사소통에 어려움이 생기는 상황에 대해 문제의식을 가지고, [ ][ ][ ]를 무분별하게 사용하지 말 것을 주장하기 위해 이 글을 썼습니다.

글쓴이

● **문제 상황 파악하기**
글쓴이는 자기주장의 설득력을 높이기 위해 여러 문제 상황을 제시하기도 해요.

1-2 다음과 같이 이 글의 내용을 정리할 때 각각 알맞은 말을 고르시오.

(㉠ 문제 상황 / 주장)

신조어를 지나치게 사용하여 생긴 의사소통의 어려움.

(㉡ 세대 / 청소년) 간 의사소통의 어려움

어른들이 청소년이 많이 쓰는 신조어를 알지 못해 발생함. 가장 큰 문제이기도 함.

(㉢ 세대 / 청소년) 간 의사소통의 어려움

모든 청소년이 신조어를 쓰는 건 아니어서 발생함. 또래 집단에서 소외감을 느낄 수 있음.

3주 1일 주장 파악하기

> 주장과 근거 구분하기

- **주장과 근거**

주장	어떤 문제에 대해 내세우는 글쓴이의 (ㅅㄱ).	←	근거	글쓴이의 (ㅈㅈ)을 뒷받침하는 내용.

- **주장과 근거 구분하기**

글쓴이의 생각이나 글쓴이가 제안하는 내용을 찾은 뒤, 글쓴이가 그렇게 생각한 이유나 상황을 찾기.
　　　　　　　　　　　　　　주장　　　　　　　　　　　　　　　　　　　　　　　　　　근거

답 생각, 주장

깨끗한 거리, 아름다운 양심

종류 주장하는 글
중심 화제 길거리 쓰레기통
주제 길거리에 쓰레기통의 수를 늘려야 함.

길거리에서 쓰레기통을 찾지 못해 불편을 겪어 본 경험이 있는가? 현재 우리 지역은 길거리에 쓰레기통이 부족하여 쓰레기를 버리려면 수백 미터를 걸어야 하는 상황이다. 이는 일부 사람들이 길거리 쓰레기통에 가정에서 발생한 쓰레기를 함부로 버리고, 쓰레기통 주변이 지저분해서 거리의 미관을 해친다는 등의 이유로 쓰레기통의 수를 줄였기 때문이다. 그러나 길거리에 쓰레기통의 수를 늘리면 다음과 같은 좋은 점이 있다.

첫째, 길거리에 쓰레기통의 수를 늘리면 거리 환경을 개선할 수 있다. 쓰레기통의 수를 줄인 뒤로 많은 시민이 쓰레기를 버릴 곳을 찾지 못해 불편해하고, 화단이나 가로수 주변, 정류장 등에 쓰레기를 아무렇게나 버리기도 한다. 쓰레기통을 없애 길거리는 예전보다 지저분해졌다. 따라서 쓰레기통을 충분히 설치한 뒤 사람들이 쓰레기통을 잘 이용하도록 유도한다면 함부로 버려지는 쓰레기가 줄어들어 우리 지역의 거리는 지금보다 훨씬 깨끗해질 것이다.

둘째, 길거리에 쓰레기통의 수를 늘리면 재활용 쓰레기의 수거율을 높일 수 있다. 한 조사에 따르면 길거리에서 발생하는 쓰레기의 약 70퍼센트는 재활용이 가능한 플라스틱 컵이나 종이컵 등이었다고 한다. 따라서 길거리에 쓰레기통의 수를 늘려서 이러한 재활용 쓰레기를 더 많이 수거하면 폐기되는 쓰레기는 줄이고 자원 재활용률은 높일 수 있다.

● **미관** 아름답고 훌륭한 풍경.
● **유도하다** 사람이나 물건을 목적한 장소나 방향으로 이끌다.
● **수거율** 거두어 가는 비율.

● **주장과 근거 구분하기**
중심 화제에 대한 글쓴이의 생각과 그렇게 생각한 이유를 구분해 봐요.

2-1 이 글을 읽은 사람의 반응으로 알맞은 것을 고르시오.

글쓴이는 길거리에 쓰레기통의 수가 늘어나면 생기는 (문제점 / 좋은 점)들을 근거로 들어, 길거리의 쓰레기통을 (줄이자 / 늘리자)고 주장하고 있구나.

● **주장과 근거 구분하기**
주장하는 글을 읽을 때에는 주장과 근거를 구분하여 정리해야 해요.

2-2 주장과 근거 중 다음 빈칸에 들어갈 말을 알맞게 쓰시오.

| □□ | 길거리에 쓰레기통의 수를 늘리자. |

| □□ | • 길거리에 쓰레기통의 수를 늘리면 거리 환경을 개선할 수 있다.
• 길거리에 쓰레기통의 수를 늘리면 재활용 쓰레기의 수거율을 높일 수 있다. |

이 글은

관광 산업이 지닌 문제점들을 제시한 뒤, 이러한 문제점을 해결하기 위해 제안된 공정 여행을 할 것을 주장한 글입니다.

간단 체크

· 주제: (ㄱㅈ ㅇㅎ)의 실천 권유

· 문단 요약
1문단: 관광 산업이 주는 피해
2문단: 여행 수단인 (ㅂㅎㄱ)가 일으키는 환경 오염
3문단: 여행의 부정적인 면을 최소화하려는 공정 여행이 제안됨.
4문단: 공정 여행의 구체적인 실천 방법
5문단: '(ㄱㄱ) 맺음'을 지속할 수 있는 공정 여행의 의의

어휘 풀이

· **외화** 외국의 돈.

· **경관** 산, 들, 강, 바다 따위의 자연이나 지역의 풍경.

· **현지인** 그 지역에 터전을 두고 사는 사람.

· **터전** 생활의 근거지가 되는 곳.

· **배출하다** 안에서 밖으로 밀어 내보내다.

· **월등히** 수준이 정도 이상으로 뛰어나게.

· **부정적** 바람직하지 못한 것.

· **긍정적** 바람직한 것.

[01~03] 다음 글을 읽고 물음에 답하시오.

관광 산업은 공장을 짓지 않고도 외화를 벌어들일 수 있으므로 다른 산업보다 환경 오염의 피해가 작고, 자연 자원을 그대로 이용할 수 있으므로 경제력과 상관없이 어느 나라나 투자할 만한 산업이다. 오죽하면 관광 산업을 '굴뚝 없는 공장'이라고 부를까? 하지만 현실은 다르다. 여행자가 늘어나면 여행지는 무분별하게 개발된다. 경관이 아름다운 곳에는 어김없이 호텔, 상점가, 골프장 등이 빼곡 들어선다. 이 때문에 아름다운 자연이 파괴되고, 현지인들이 삶의 터전을 빼앗기고 밀려나기도 한다.

기후 변화 문제가 심각해지면서 여행자를 태우는 비행기도 문제가 되고 있다. 비행기는 '이산화 탄소를 생산하는 공룡'이라는 별명으로 불린다. 그도 그럴 것이 승객 한 명이 움직일 때 1킬로미터당 배출하는 이산화 탄소량이 철도는 21.7그램, 지하철은 38.1그램인데, 도로는 130.8그램, 항공은 150그램으로 다른 교통수단보다 월등히 높다. 그러므로 우리가 장거리 여행을 떠나려고 비행기에 오르는 순간 환경에 심각한 영향을 미치게 되는 것이다.

그렇다면 우리 모두 여행을 포기해야 할까? 여행의 부정적인 면만 보자면 당연히 그래야겠지만, 여행의 긍정적인 면도 무시할 수는 없다. 그래서 환경을 지키면서 여행을 즐기고 싶은 사람들이 모여서 여행지를 터전으로 살아가는 사람들과 그곳의 환경을 생각하는 여행 방법을 찾기 시작했다. 그들은 여행자들이 일으킬 수 있는 환경 파괴를 최소한으로 줄이고, 여행지에서 쓴 돈이 현지인들에게 돌아가도록 하는 '공정 여행'을 제안했다.

공정 여행은 엄청난 양의 이산화 탄소를 배출하는 비행기 이용을 자제한다. 그 대신 버스를 타거나 걸으며 여행지의 아름다운 풍경을 최대한 느낀다. 느긋하게 천천히 걸으면서 하는 여행인 만큼 보고 느끼는 것도 많다. 또 현지인들의 삶을 무너뜨리고 그들의 노동력으로 운영되는 호텔 대신 현지인들이 제공하는 숙소를 이용하고, 현지인들이 직접 해 주는 음식을 먹는다. 여행은 다른 문화를 이해하고 배려하며 새로운 경험을 할 수 있는 소중한 체험의 기회이기 때문이다.

공정 여행은 여행자들의 행복한 여행을 위해 자연 자원을 제공해 주고 수고하는 현지인들에게 그에 맞는 대가를 지급해 준다. 여행은 단순한 재미나 놀이가 아니라 낯선 문화와 사람들, 환경과의 '관계 맺음'이다. 이러한 관계를 지속할 수 있는 여행이 바람직한 여행이다.

– 장미정, 〈모두가 즐거운 착한 여행〉에서

글의 특성 이해하기

01 이 글에 대한 설명으로 알맞지 <u>않은</u> 것은?

① 공정 여행을 할 것을 주장하고 있다.
② 관광 산업의 긍정적인 면을 강조하고 있다.
③ 공정 여행의 장점을 근거로 제시하고 있다.
④ 여행에 대한 글쓴이의 생각이 드러나 있다.
⑤ 문제점과 그에 대한 해결 방안이 나타나 있다.

> 도움말
>
> 이 글에 따르면, 관광 산업이 생각보다 많은 피해를 일으키자 환경을 지키며 여행을 즐기고 싶은 사람들이 공정 여행을 제안했어요.

문제 상황 파악하기

02 이 글에 나타난 여행의 문제점이 <u>아닌</u> 것은?

① 여행으로 낯선 문화나 사람들을 이해할 수 있다.
② 호텔, 상점가, 골프장 등의 개발로 자연이 파괴된다.
③ 여행지에서 쓰는 돈이 현지인에게 돌아가지 않는다.
④ 여행에 쓰이는 비행기가 이산화 탄소를 많이 배출한다.
⑤ 여행지가 개발되면서 현지인이 삶의 터전을 잃기도 한다.

> 도움말
>
> 이 글은 앞부분에서 문제 상황을 제시하고 끝부분에서 그 해결 방안을 제안하고 있어요. 즉, 1~2문단을 꼼꼼히 읽으면 답을 찾을 수 있을 거예요.

주장 파악하기

03 이 글에 나타난 글쓴이의 생각으로 가장 알맞은 것은?

① 여행은 아름다운 자연을 파괴하므로 여행을 금지해야 한다.
② 여행은 사람들에게 재미를 준다는 점에서 놀이와 비슷하다.
③ 비행기의 이용을 자제하고, 걷거나 버스를 타며 여행해야 한다.
④ 관광지의 호텔을 이용하여 현지인에게 이익을 돌려주어야 한다.
⑤ 현지인을 배려하기 위해 현지인이 사는 공간을 피하며 여행해야 한다.

> 도움말
>
> 이 글의 글쓴이가 공정 여행을 어떻게 바라보는지, 공정 여행은 어떤 방식의 여행인지를 잘 생각해 봐요.

'서론–본론–결론' 파악하기

전교 회장 후보 연설회

서론
안녕하세요, 여러분. 저는 전교 회장에 출마하기 위해 이 자리에 섰습니다.

본론
기호 2번, 김하영! 저를 전교 회장으로 뽑아 주세요! 제가 회장이 되면 첫째, 시험 보는 날 체육복 등교를 건의하겠습니다. 둘째, 급식을 개선하기 위한 설문 조사를 실시하겠습니다. …

결론
추진력이 넘치는 기호 2번, 김하영! 꼭 기억해 주세요.

하영이는 빈틈이 없다!

내가 3단 구성으로 짜라고 충고해 주었지!

개념 노트

● **주장하는 글의 구조**: 주장하는 글은 글쓴이의 주장을 펼쳐 다른 사람을 설득하려는 목적이 있으므로, 그 구조가 체계적이어야 함. 주장하는 글은 3단계 구성인 '서론–본론–결론'으로 이루어짐.

서론	(ㅂㄹ)	결론
문제가 무엇인지 밝히고, 글을 쓴 동기나 목적을 드러내는 부분.	근거를 들면서 주장을 펼치는 글의 중심 부분.	본론을 요약·정리하는 부분. (ㅈㅈ)을 강조하고 글쓴이의 당부를 전함.

답 본론, 주장

> **휴대 전화는 사람 사이를 멀어지게 한다**
>
> 종류 주장하는 글
> 중심 화제 휴대 전화
> 주제 휴대 전화의 문제점을 인식하고 깊은 인간관계 형성을 위해 노력해야 함.

⑦ 휴대 전화는 현대인에게 필수품이 되었다. 그 이유 가운데 하나는 아마도 휴대 전화가 자신이 원하는 사람과 신속하게 대화할 수 있도록 해 주기 때문일 것이다. 휴대 전화로 자신이 만나고 싶은 사람과 약속을 정할 수도 있고, 연락하고 싶은 사람과 문자를 주고받을 수도 있다. 그런데 과연 휴대 전화가 사람 사이를 가까워지게 할까?

⑭ 나는 휴대 전화가 사람 사이의 관계를 멀어지게 한다고 생각한다. 휴대 전화 때문에 우리는 함께 있는 사람과의 대화에 집중하기 어렵고 깊이 있는 대화를 나누기도 어렵다. 그 때문에 진지하고 깊이 있는 대화보다는 가벼운 내용의 대화로 흐르는 경우가 많다.

⑮ 그리고 휴대 전화로 문자를 주고받거나 통화하는 것은 직접 만나서 이야기하는 것보다 교류의 질이 떨어질 수밖에 없다. 휴대 전화로 통화할 때에는 직접 만날 때보다 상대방의 미묘한 감정을 알아채거나 자신의 뜻을 분명하게 전달하기가 어렵기 때문이다.

⑯ 이처럼 휴대 전화는 다른 곳에 있는 사람과 편리하게 연락을 주고받는 데 도움이 되지만 사람들 사이는 오히려 멀어지게 한다. 휴대 전화의 이러한 문제점을 인식하고, 좀 더 깊은 인간관계를 맺기 위해 노력해야 할 것이다.

3
주

2일

● 글의 구조 파악하기
주장하는 글도 각 문단의 중심 내용을 요약하고, 관련 있는 문단끼리 묶으며 읽어야 해요.

1-1 (가)~(라)를 '서론-본론-결론'으로 나눌 때, 해당 문단을 알맞게 쓰시오.

단계	해당 내용	해당 문단
서론	휴대 전화가 사람 사이를 가까워지게 한다는 점에 대한 의문을 제기함.	
본론	휴대 전화는 함께 있는 사람과의 대화를 방해하고, 휴대 전화로 하는 소통은 직접 만나서 이야기하는 것보다 질이 떨어짐.	·
결론	휴대 전화의 문제점을 인식하고 이를 해결해야 함.	

● 글의 구조 파악하기
주장하는 글은 '서론-본론-결론'으로 나눌 수 있어요. 앞서 문단의 내용을 정리한 것을 참고하면 각 부분의 역할을 쉽게 알 수 있을 거예요.

1-2 이 글을 세 부분으로 나눌 때, 그 역할로 알맞은 것을 바르게 연결하시오.

서론 ·　　　　　· ① 앞 내용을 요약하고 주장을 강조함.

본론 ·　　　　　· ② 문제 상황을 제기함.

결론 ·　　　　　· ③ 근거를 들어 주장을 밝힘.

논지 전개 방식

문제
요즘 우리 반에서 지각하는 아이들이 부쩍 많아졌어.

원인
지각생들에게 벌을 주지 않아서 그런 것 같아.

해결
그러니 지각비를 거두는 게 어때?

제시된 의견 반대

주장

반장이 지각비를 걷자고 했는데 난 반대야. 작년에 해 보니 지각하는 애들은 돈 내고 그냥 늦게 오더라고.

차라리 청소를 시키는 게 낫겠어.

지각비는 학급 축제 준비할 때 쓸 수 있을 것 같고, 청소도 누군가 꼭 해야 할 일인데….

그럼 지각비와 청소 중에 선택하라고 하자.

택1

여러 의견 제시

주장(종합)

개념 노트

● **논지 전개 방식**: 글쓴이가 자신의 생각이나 주장을 효과적으로 전달하기 위해 글 전체를 어떻게 구성하고, 중심 화제를 어떤 방식으로 전개할지를 정한 것. 글의 구조와 같은 의미로 쓰임.

● **시험에 자주 나오는 논지 전개 방식**
- 문제 상황을 제시하고, 문제가 발생하게 된 (ㅇㅇ)을 분석하여 해결 방법을 제시하는 방식.
- 글쓴이의 생각과 (ㅂㄷ)되는 의견이나 일반적으로 널리 퍼진 의견을 비판하는 방식.
- 여러 의견을 제시한 뒤, 그중 한 의견을 선택하거나 여러 의견을 종합하는 방식.

답 원인, 반대

청소년의 팬클럽 활동, 과연 문제인가?

종류 주장하는 글
중심 화제 청소년의 팬클럽 활동
주제 청소년의 팬클럽 활동은 긍정적인 면이 많음.

    문제는 대부분의 어른들이 청소년의 팬클럽 활동을 부정적으로 생각한다는 점이다. 이들은 청소년이 해야 할 공부는 하지 않고 시간을 낭비하며, 자신들이 좋아하는 연예인을 위해 경쟁 연예인에게 악성 댓글로 피해를 준다고 생각한다. 하지만 이러한 생각은 선입견에 불과하다. 청소년의 팬클럽 활동은 긍정적인 면이 더 많다.

    ㉠우선 청소년들은 팬클럽 활동으로 건강한 여가 생활을 한다. 청소년은 학업, 진로, 교우 관계 등 다양한 이유로 고민이 많다. 이럴 때 청소년은 팬클럽 안에서 자신과 같은 고민을 하는 또래 집단을 만나 공감대를 형성함으로써 스트레스를 해소할 수 있다. 더불어 또래 문화를 공유하여 자신들의 문화를 발전시키기도 한다.

    ㉡또한, 팬클럽 활동은 사회에 긍정적인 영향을 미친다. 예를 들어, 팬클럽 회원들은 사람들에게 널리 알려지지 않은 좋은 음악이나 영화, 드라마를 소개해 다양한 대중문화를 접할 수 있게 해 주기도 한다. 또, 연예인과 함께 봉사 활동을 하거나 팬클럽의 이름으로 기부를 하여 기부 문화를 확산시키기도 한다.

───
● **선입견** 어떤 대상에 대하여 이미 마음속에 가지고 있는 고정적인 관념이나 관점.

● **논지 전개 방식 파악하기**
글에 여러 가지 주장이 나타날 때는 그 주장들이 어떤 관계를 맺고 있는지 확인해야 해요.

2-1 이 글의 논지 전개 방식을 알맞게 설명한 사람을 고르시오.

청소년의 팬클럽 활동에 대한 부정적인 생각을 반박하고 팬클럽 활동에 긍정적인 면이 많다고 주장하였어.

미연

청소년의 팬클럽 활동에 대한 부정적인 의견과 긍정적 의견을 종합해 균형을 갖추자고 하였어.

지성

● **논지 전개 방식 파악하기**
청소년의 팬클럽 활동에 대한 어른들의 생각과 글쓴이의 생각을 비교해 봐요.

2-2 어른들의 생각에 대한 글쓴이의 반대 의견으로 알맞은 것을 고르시오.

어른들의 생각		글쓴이의 생각
청소년은 팬클럽 활동으로 시간을 낭비한다.	반대	(㉠ / ㉡)
경쟁 연예인에게 악성 댓글로 피해를 준다.		(㉠ / ㉡)

이 글은

냉장고를 사용하게 되면서 생긴 여러 문제점을 제시한 뒤, 냉장고 사용 습관을 되돌아보자고 주장한 글입니다.

간단 체크

• 주제: 냉장고 사용 (ㅅㄱ)을 성찰해야 함.

• 문단 요약

1문단: 냉장고 사용에 대한 문제 제기

2문단: 냉장고로 인한 (ㅈㄱ) 낭비

3문단: 냉장고로 인해 생태계의 균형이 무너짐.

4문단: 냉장고를 쓰면서 음식을 나누지 않고 버리게 되었음.

5문단: 냉장고가 (ㅇㄷ) 건강에 악영향을 끼침.

6문단: 냉장고 사용 습관을 되돌아볼 필요성

어휘 풀이

● **이기** 실생활에 편리한 기계나 기구.

● **애꿎다** 아무런 잘못 없이 억울하다.

● **일쑤** 흔히 그러는 일.

● **각박하다** 인정이 없고 삭막하다.

● **열량** 음식이나 연료 등으로 얻을 수 있는 에너지의 양.

● **기하급수적** 증가하는 수나 양이 아주 많은. 또는 그런 것.

● **폐해** 어떤 일이나 행동에서 나타나는 나쁜 경향이나 현상 때문에 생기는 해로움.

● **이중성** 하나의 사물에 겹쳐 있는 서로 다른 두 가지의 성질.

[01~03] 다음 글을 읽고 물음에 답하시오.

냉장고는 현대 가정의 필수품이다. 요즘 사람들은 냉장고 없이 사는 것을 상상할 수도 없을 것이다. 그런데 냉장고가 과연 문명의 이기(利器)이기만 한 것일까? 혹 우리의 삶을 위협하고 있지는 않을까? 여기서는 우리가 미처 생각하지 못했던 냉장고의 부정적인 측면에 대해 생각해 보도록 하자.

먼저 냉장고를 사용하면 전기를 낭비하게 된다. 언제 먹을지 모를 음식을 보관하는 데 필요 이상으로 전기를 쓰게 되는 것이다. 전기를 낭비한다는 것은 전기를 만드는 데 쓰이는 귀중한 자원을 낭비하는 것과 같다. 〈중략〉

또한 냉장고는 당장 소비할 필요가 없는 것들을 사게 한다. 그리하여 애꿎은 생명을 필요 이상으로 죽게 만들어서 생태계의 균형을 무너뜨린다. 짐승이나 물고기 등을 마구 잡고, 당장 죽이지 않아도 될 수많은 가축을 죽여 냉장고 안에 보관하게 한다. 대부분의 가정집 냉장고에는 양의 차이는 있지만 닭고기, 쇠고기, 생선, 멸치, 포 등이 쌓여 있다. 이것을 전국적으로, 아니 전 세계적으로 따져 보면 엄청난 양이 될 것이다.

냉장고를 사용하면서 우리는 많은 음식을 버리게 되었다. 냉장고가 커질수록 먹지 않는 음식도 늘어나기 때문이다. 아까운 전기를 써서 냉동실에 오랫동안 보관한 음식들은 쓰레기통으로 들어가기 일쑤다. 이런 현상은 잘사는 나라뿐 아니라 남태평양이나 아프리카의 가난한 나라에서도 일어나고 있다. 물고기를 시장에 내다 팔며 소박하게 살던 사람들이, 동물들을 필요 이상으로 죽이고, 저마다 자기 것을 챙겨 냉장고에 넣어 두고 혼자만 잘 먹고 잘 살려는 각박한 사람들로 변하고 있는 것이다.

냉장고의 사용은 아동 건강에도 좋지 않은 영향을 미친다. 어느 때고 먹을 수 있는 음식들이 냉장고에 쌓이면서 아이들은 필요 이상의 열량을 섭취하게 되었다. 옛날 아이들은 밥때가 될 때까지 참아야 했지만, 요즘 아이들은 냉장고에서 언제든지 음식을 꺼내어 먹을 수 있으니 참을 이유가 없다. 그래서인지 비만 아동도 기하급수적으로 늘어나고 있다. 아동의 비만은 운동 능력을 떨어뜨리며, 건강을 해친다. 〈중략〉

이렇듯 냉장고는 우리의 삶과 환경을 위협하고 있다. 냉장고를 많이 사용할수록 자원이 낭비되고, 삶은 각박해진다. 또 냉장고는 우리에게 당장 필요하지 않은 것들을 사게 해서 생태계의 균형을 무너뜨리게 하고, 많은 음식을 버리게 한다. 그리고 우리 몸을 병들게 한다. 그렇다고 냉장고를 당장에 버리고 사용하지 말자는 것은 아니다. 다만 우리의 삶과 환경을 위협하는 냉장고의 폐해를 인식하고, 우리의 냉장고 사용 습관을 한 번쯤 되돌아보자는 것이다.

– 박정훈, 〈냉장고의 이중성〉에서

주장 파악하기

01 이 글의 글쓴이가 말하고자 하는 바로 가장 알맞은 것은?

① 냉장고 사용을 중단해야 한다.

② 냉장고 사용 습관을 되돌아봐야 한다.

③ 냉장고에 있는 음식을 제때 버려야 한다.

④ 냉장고가 주는 이점에 대해 알고 있어야 한다.

⑤ 전기를 적게 쓰는 냉장고를 새로 개발해야 한다.

도움말

글쓴이가 말하고자 하는 바가 주장이에요. 주장하는 글의 결론 부분에서 글쓴이의 주장이 강조된다는 사실을 참고해 봐요.

문제 상황 파악하기

02 이 글의 글쓴이가 지적한 냉장고 사용의 문제점으로 볼 수 <u>없는</u> 것은?

① 전기와 자원을 낭비하게 한다.

② 생태계의 균형을 무너뜨리게 한다.

③ 자기 것만을 챙기는 각박함을 유발한다.

④ 아이들이 음식을 충분히 먹지 못하게 한다.

⑤ 당장 소비할 필요가 없는 음식을 사게 한다.

도움말

이 글은 냉장고가 일으키는 여러 가지 문제를 제시하고 있어요. 이 문제를 환경 문제, 사회·문화적 문제, 개인의 건강 문제로 구분하여 정리해 봐요.

논지 전개 방식 파악하기

03 이 글의 논지 전개 방식으로 알맞지 <u>않은</u> 것은?

① 일상생활에서 일어나는 일을 근거로 들고 있다.

② 인과의 방식을 통해 문제 상황을 드러내고 있다.

③ 일반적인 생각에 대해 반대 의견을 제시하고 있다.

④ 서로 대비되는 견해를 종합한 결론을 제시하고 있다.

⑤ 여러 문제 상황을 제시한 뒤 주장하는 바를 드러내고 있다.

도움말

논지 전개 방식은 글의 구조나 글의 서술 방식과 같은 의미라고 생각하면 돼요. 2주에서 배운 설명 방법도 주장하는 글에서 쓰일 수 있어요.

> **귀납**

구체적 사실

부엉이도 날개가 있고 앵무새도 날개가 있고 독수리도 날개가 있어!

귀납 ⇒

일반 원리

새는 날개가 있나 보다!

개념 노트

● **논증**: 주장과 근거 사이의 관계. (ㄱㄱ)를 들어서 주장이 옳다는 것을 증명하는 방법.

● **귀납**: 구체적이고 개별적인 사실로부터 일반적인 (ㅇㄹ)나 법칙을 이끌어 내는 논증 방법. 관찰
<u>근거</u> 이나 경험 등을 통해 알게 된 사실들에서 두루 적용할 수 있는 원리나 법칙을 이끌어 내는 것.
<u>주장</u>

● **귀납의 한계**: 관찰과 경험으로 모든 사실을 확인할 수 없기 때문에 귀납으로 이끌어 낸 일반적인
원리나 법칙이 항상 옳다고 할 수는 없음.

답 근거, 원리

○ 정답과 해설 19쪽

남자답게, 여자답게?

종류 주장하는 글
중심 화제 성 역할
주제 남녀 개인의 특성과 능력을 존중해야 함.

미국의 문화 인류학자인 마거릿 미드는 1925년부터 14년 동안 뉴기니에 들어가 세 부족을 현지 조사하였다. 그녀의 조사에 따르면, 뉴기니의 챔블리 족은 여자가 경제권을 쥐고 있으며 지배적이고 공격적인 데다가 몸단장도 좋아하지 않고 삭발까지 하는데, 남자는 수동적이고 예술적이며 치장에 신경을 쓰고, 섬세하며 나약한 성격이라고 한다.

이에 비해 아라페시 족은 남녀 모두 순하고 부드러우며 태생부터 남녀가 다르다는 인식이라고는 전혀 없었다. 반면 문두구머 족은 남녀가 공격적이며 양성은 본래부터 서로 경쟁 관계에 있다고 한다. 이러한 연구 결과는 남녀의 특성이 선천적으로 정해진 것이 아니며, 소속된 사회의 문화에 의해 정해지는 결과일 따름이라는 것을 보여 준다. 〈중략〉

따라서 우리는 성 역할을 고정하지 말아야 하며, 남녀 개인이 지닌 특성과 능력을 존중해야 한다.

● **문화 인류학자** 문화 인류학을 전공하는 사람. 문화 인류학은 인류의 문화를 비교 연구하여 인류의 본질과 역사를 종합적으로 밝히는 것을 목표로 하는 학문임.
● **양성** 남성과 여성을 아울러 이르는 말.
● **선천적** 태어날 때부터 지니고 있는. 또는 그런 것.

● **논증 방법 파악하기**

귀납은 사례를 바탕으로 새로운 지식을 이끌어 낼 수 있기 때문에 각종 연구에 쓰이고 있어요.

1-1 다음과 같이 마거릿 미드의 연구 결과를 정리할 때, 알맞은 말을 고르시오.

(사례 / 결론)
• 챔블리 족: 여자가 지배적이고 공격적인 성향을 띤 반면, 남자는 수동적이고 예술적인 성향을 띰.
• 아라페시 족: 남녀 모두 순하고 부드러우며, '남녀가 다르다.'라는 인식이 없음.
• 문두구머 족: 남녀가 모두 공격적이며 서로 경쟁 관계에 있음.

↓

(사례 / 결론) ──── 남녀의 특성은 소속된 사회의 문화에 의해 정해짐.

● **논증 방법 파악하기**

글쓴이가 주장을 이끌어 내기 위해 어떤 논증 방법을 사용하고 있는지 생각해 봐요.

1-2 이 글에 나타난 논증 방법을 알맞게 설명한 사람을 고르시오.

일반적인 원리를 활용해 자신의 생각이 옳음을 증명하고 있어.
은주

개별적인 사례들을 바탕으로 글쓴이의 주장을 이끌어 내고 있어.
현민

> 연역

일반 원리

새들은 날개가 있다.

새의 특성 🔍

새는 날개가 있다.

연역 ⇒

펭귄
펭귄과의 바다새이다.

펭귄도 새에 속한다.

구체적 사실

펭귄도 날개가 있다!

개념 노트

● **연역:** 일반적인 (ㅇㄹ)나 법칙에서 개별적이고 구체적인 사실을 이끌어 내는 논증 방법. 어떤 사
실이 모두가 참이라고 인정하는 원리나 법칙에 들어맞는다면, 그 사실 또한 참이라 주장하는 것.

● **연역의 형식**

대전제		소전제		결론
누구나 인정하는 원리나 법칙.	⇒	전제와 (ㄱㄹ)을 이어 주는 진술.	⇒	참이라 주장하고 싶은 사실.

답 원리, 결론

> **텔레비전, 미남 미녀만 사는 세상**
>
> 종류 주장하는 글
> 중심 화제 텔레비전
> 주제 텔레비전은 외모가 아닌 개성 중심의 다양한 삶의 형태를 보여 주어야 함.

　텔레비전 출연자의 역할을 분석한 조사 결과에 따르면, 프로그램 내에서 출연자의 역할과 중요도가 결정되는 데에 외모가 미치는 영향력이 크다. 대표적인 예로 텔레비전 드라마는 사람들의 일상적인 삶의 모습을 그려 내는 내용이 대부분임에도 외모가 빼어난 주인공들이 등장하는 경우가 많다. 〈중략〉

　텔레비전에서 일상적으로 미남 미녀들을 접한 시청자들은 무의식적으로 그들의 외모가 표준이라고 생각한다. 이와 같은 외모에 대한 그릇된 인식은 감수성이 예민하고 판단력이 부족한 청소년에게 더욱 심각한 문제를 일으킨다.

[A] ┌ 　그러나 현실 세계는 다양한 개성을 지닌 수많은 사람의 삶이 어우러진 세상이다. 사회화 매체는 이러한 모습을 전달함으로써 자라나는 세대가 현실을 올바르게 인식하도록 해야 한다. 따라서 가장 영향력 있는 사회화 매체 중 하나인 텔레비전은 외모가 아닌 개성을 중심으로 다양한 삶의 형태를 보여 주어야 한다. 이를 통해 텔레비전은 바람직한 가치관을 └ 형성하는 매체로 인정받을 수 있을 것이다.

● **감수성** 외부 세계의 자극을 받아들이고 느끼는 성질.
● **사회화** 인간이 사회의 규범이나 가치를 등을 배워 사회의 한 구성원으로 생활할 수 있게 됨.

● **논증 방법 파악하기**
전제는 모두가 인정하는 일반적인 원리, 결론은 글쓴이가 옳다고 증명하려는 주장을 의미해요.

2-1 다음과 같이 [A]를 정리할 때, 알맞은 말을 고르시오.

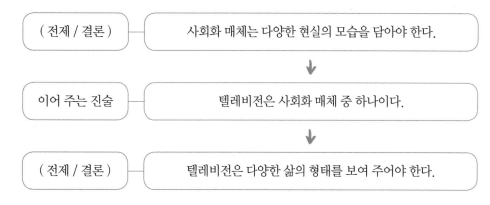

(전제 / 결론) ── 사회화 매체는 다양한 현실의 모습을 담아야 한다.

↓

이어 주는 진술 ── 텔레비전은 사회화 매체 중 하나이다.

↓

(전제 / 결론) ── 텔레비전은 다양한 삶의 형태를 보여 주어야 한다.

● **논증 방법 파악하기**
일반적인 내용에서 구체적인 내용을 이끌어 내는지 반대로 사례를 종합해 일반적인 내용을 이끌어 내는지 확인해 봐요.

2-2 [A]와 같은 논증 방법이 쓰인 것을 고르시오.

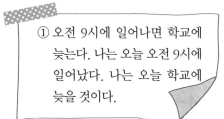

① 오전 9시에 일어나면 학교에 늦는다. 나는 오늘 오전 9시에 일어났다. 나는 오늘 학교에 늦을 것이다.

② 나는 지난주 내내 학교에 늦게 갔다. 나는 오늘도 학교에 늦게 갔다. 그러므로 나는 지각을 많이 한다.

이 글은

인공조명이 사람과 동식물에게 미치는 악영향에 대해 문제를 제기하고 불필요한 불을 끌 것을 주장한 글입니다.

간단 체크

· 주제: (ㄱㄱ)한 삶을 살기 위한 불 끄기의 필요성
· 문단 요약
  1문단: (ㅇㄱㅈㅁ)의 발달로 대낮처럼 환한 밤
  2문단: 멜라토닌의 역할
  3문단: 과도한 인공 빛이 사람에게 미치는 악영향
  4문단: 과도한 인공 빛이 (ㄷ ㅁ)에게 미치는 악영향
  5문단: 과도한 인공 빛이 식물에 미치는 악영향
  6문단: 건강을 위해 불을 끌 것을 권유함.

어휘 풀이

● **호르몬** 몸의 한 부분에서 나와 몸 안을 돌면서 다른 조직이나 기관의 활동을 조절하는 물질.
● **생체 리듬** 사람의 생명 활동을 통하여 신체, 감성, 지성 등에 나타나는 일정한 주기적인 변동.
● **항산화** 산화를 막음. 여기서는 세포가 늙는 것을 막는다는 의미로 쓰임.
● **면역** 사람이나 동물의 몸 안에 들어온 균이나 바이러스에 대하여 항체가 만들어져, 병에 걸리지 않는 현상.
● **빛 공해** 도시의 조명이 필요 이상으로 많아서 사람과 자연 환경에 주는 피해.
● **플랑크톤** 물속에서 물결에 따라 떠다니는 작은 생물을 통틀어 이르는 말.
● **녹조류** 엽록소가 많아 녹색을 띠며 물속에 사는 식물.
● **고유하다** 한 사물이나 집단만이 본래부터 특별히 가지고 있다.
● **럭스** 빛의 양을 나타내는 단위.

[01~03] 다음 글을 읽고 물음에 답하시오.

적어도 건강상의 문제에서는 빛도 중요하지만 그에 못지않게 어둠도 중요하다. 그런데 인공조명의 발달로 밤과 낮의 구분이 없어진 지 오래고, 도심의 밤은 항상 밝은 빛으로 가득하다. 대낮처럼 환한 밤, 이런 모습은 과연 아무런 문제가 없을까?

인간의 몸에서 분비되는 여러 호르몬 가운데 생체 리듬에 관여하는 대표적인 호르몬인 멜라토닌은 밤과 같이 어두운 환경 조건에서 만들어지고, 과도한 빛에 노출되면 합성이 중단된다. 멜라토닌은 수면과 체온을 조절하며, 그 밖에도 항산화 작용, 면역 기능 개선, 학습과 기억력 증진 등에 효과가 있다고 알려져 있다.

그런데 우리는 원하든 원하지 않든 과도한 인공 빛 속에서 살아간다. 그러다 보니 그 속에서 살아가고 있는 수많은 사람은 의식도 하지 못한 채 빛 때문에 생체 리듬이 깨지고, 그것에서 비롯한 각종 증상에 시달리고 있다. 이와 관련한 연구 결과가 흥미롭다. 밤에 인공 빛에 과도하게 노출되면 유방암 발병률이 높아진다는 내용이다. 이는 과도한 빛이 멜라토닌의 합성을 억제하기 때문으로 분석되고 있다.

빛 공해는 사람은 물론 동물에도 영향을 준다. 호숫가에 밤새도록 인공조명을 켜 놓으면 물고기의 먹이가 되는 동물성 플랑크톤이 잘 성장하지 못하고, 녹조류가 증가하여 수질이 나빠진다. 이는 물고기의 생태에 악영향을 주어 물고기를 죽음에 이르게 한다. 많은 곤충학자는 밤의 인공 빛이 별의 비행 능력을 방해한다고 주장하고, 조류학자들은 철새들이 인공 빛을 별빛으로 착각해서 고유한 이동 경로를 이탈해 고층 건물에 부딪혀 죽기도 한다고 말한다.

식물이 24시간 빛을 쬐는 일이 지속되면 씨를 맺지 못하는 현상이 발생하기도 한다. 특히 빛에 민감한 들깨는 밤까지 오랜 시간 인공 빛에 노출되면 꽃망울과 씨를 맺지 못하고 키만 쑥쑥 자란다. 농촌진흥청 국립식량과학원 연구 결과 6~10럭스(lx) 밝기의 빛에 장기간 노출될 경우 수확량이 벼는 16퍼센트, 보리는 20퍼센트, 들깨는 94퍼센트가 감소하는 것으로 나타나기도 했다. 이처럼 지나친 인공 빛은 알게 모르게 인간과 동식물에 악영향을 미치며, 우리 삶에 직간접적으로 관여한다. 〈중략〉

[A]《지구상에서 살아가는 모든 생명체는 자연의 시계대로 살 때, 즉 과도한 인공 빛에서 벗어날 때 건강하게 살 수 있다. 인간은 다른 동물이나 식물과 마찬가지로 지구상에 살아가는 생명체이다. 따라서 우리 인간 역시 인공 빛을 줄여야 건강한 삶을 누릴 수 있을 것이다.》세상이 바뀌기를 기다리기 전에 나부터 바꿔야 하지 않을까? 자연의 시계대로 살아가려면 지금이라도 당장 불필요한 불을 끄자.

– 건강다이제스트 편집부, 〈밤도 대낮처럼 환하게, 인공 빛의 두 얼굴〉에서

문제 상황 파악하기

01 이 글에 나타난 빛 공해의 문제점으로 알맞지 않은 것은?

① 식물들이 인공 빛에 노출되면 수확량이 줄게 된다.

② 철새들이 야간의 인공 빛 때문에 길을 잃기도 한다.

③ 빛 공해는 녹조류를 증가시켜 수질을 나빠지게 한다.

④ 인공 빛으로 인해 사람들의 생체 리듬이 깨지게 된다.

⑤ 인공 빛의 영향으로 멜라토닌 합성이 많이 일어나게 된다.

> **도움말**
>
> 이 글의 3~5문단에서 인공 빛이 일으키는 문제점을 집중적으로 다루고 있어요. 이 부분을 꼼꼼히 살펴 내용과 일치하지 않는 선택지를 찾아봐요.

논지 전개 방식 파악하기

02 이 글에 쓰인 논지 전개 방식으로 알맞지 않은 것은?

① 과학적 연구 결과를 근거로 제시하고 있다.

② 인공조명이 생기게 된 원인을 인과적으로 설명하고 있다.

③ 문제 상황을 제시한 후 그에 대한 해결책을 제안하고 있다.

④ 귀납의 방식을 활용하여 빛 공해의 악영향을 제시하고 있다.

⑤ 스스로 묻고 답하는 방식을 활용해 글쓴이의 주장을 강조하고 있다.

> **도움말**
>
> 글쓴이가 전달하려는 내용을 어떠한 방식으로 풀어내고 있는지 꼼꼼히 확인해야 해요. 글에 쓰인 전달 방식과 그 내용이 알맞게 이어졌는지 살펴봐요.

논증 방법 파악하기

03 [A]에 쓰인 논증 방법에 대한 설명으로 알맞은 것은?

① 구체적인 사실들을 근거로 결론을 이끌어 낸다.

② 일반 법칙을 근거로 구체적인 결론을 이끌어 낸다.

③ 관찰한 내용을 바탕으로 새로운 지식을 이끌어 낸다.

④ 두 대상이 지닌 유사성을 근거로 결론을 이끌어 낸다.

⑤ 일반 법칙을 근거로 좀 더 포괄적인 새 일반 법칙을 이끌어 낸다.

> **도움말**
>
> [A]는 '모든 생명체는 과도한 인공 빛에서 벗어나야 건강하게 살 수 있다. → 인간은 생명체다. → 인간은 인공 빛을 줄여야 건강하게 살 수 있다.'와 같은 흐름을 보여요.

> **주장과 근거 간의 연관성 파악하기**

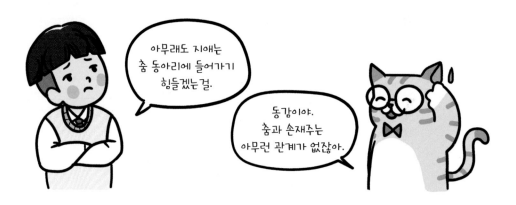

- **타당성**: 타당성의 사전적 의미는 '사물의 이치에 맞는 옳은 성질'임. 즉, 주장과 근거가 이치에 맞는 성질을 뜻함.

- **타당성을 판단하는 방법**: 근거와 주장 사이의 (ㅇㄱㅅ) 파악하기.
  - 근거가 주장과 관련 있는지 살피기.
  - 근거가 주장을 (ㄷㅂㅊ)하는지 살피기.

답 연관성, 뒷받침

동물원을 폐지해야 하는가?

종류 주장하는 글
중심 화제 동물원
주제 동물원 유지의 필요성

[A] 먼저 동물원은 동물을 보호하는 역할을 합니다. 동물원은 야생의 위험으로부터 동물을 보호하고 멸종 위기종을 보존하고 있습니다. 동물원의 동물들은 먹이를 안정적으로 제공받고 건강 상태도 수시로 점검받습니다. 동물원의 동물들은 관람객의 시선과 소음에 시달려 이상 행동을 보입니다. 그러나 최근에는 실제 서식지와 유사하게 환경을 조성하고 야생의 습성을 고려한 사육 시설을 마련해 동물의 스트레스를 줄이려고 노력하는 동물원이 늘고 있습니다.

[B] 다음으로 동물원은 교육적인 기능을 담당하고 있습니다. 동물원을 방문하는 관람객들은 동물을 직접 보면서 동물의 생태나 습성을 자세히 알 수 있습니다. 또한 다양한 동물을 접하면서 생물 다양성을 인식하고 생명 존중 의식을 기를 수 있습니다. 이처럼 동물을 안전하게 보호하고 교육적인 효과가 있는 동물원을 폐지해서는 안 됩니다.

● **멸종 위기종** 아주 사라질 위기에 놓여 있는 생물의 종류.
● **서식지** 생물 따위가 일정한 곳에 자리를 잡고 사는 곳.
● **유사하다** 서로 비슷하다.
● **조성하다** 무엇을 만들어서 이루다.

3주
4일

● **타당성 판단하기**
타당하지 않은 근거는 주장과 관계없거나 주장을 뒷받침하지 못하는 근거를 뜻해요.

1-1 다음과 같이 [A]를 정리할 때, 타당하지 <u>않은</u> 근거를 고르시오.

주장	동물원은 동물을 보호한다.

근거	• 동물원은 야생의 위험으로부터 동물을 보호하고 멸종 위기종을 보존한다. … ①
	• 동물원의 동물들은 먹이를 안정적으로 제공받고, 건강 상태도 수시로 점검받는다. … ②
	• 동물원의 동물들은 관람객의 시선과 소음에 시달려 이상 행동을 보인다. …… ③
	• 동물원은 실제 서식지의 특성과 야생의 습성을 고려해 동물들의 스트레스를 줄이려 노력한다. …… ④

● **타당성 판단하기**
타당성을 판단하며 읽는다는 건 글에 나타난 주장과 근거가 옳은지를 따져 보며 읽는 거예요.

1-2 [B]의 타당성을 비판하며 읽은 학생을 고르시오.

나도 어렸을 때 동물원에 가서 지구상에 많은 생명체가 있다는 것을 깨달았어.

지수

동물원에 갇힌 동물을 보면 동물을 존중하기보다 전시물처럼 여기게 될 것 같아.

현서

▶ 논증 과정의 오류 파악하기

귀납에서의 오류

> 내가 마트나 시장에서 본 사과는 모두 빨갰어.

> 그러니 사과는 모두 빨개.

하준

> 땡! 노란 사과도 있어.

연역에서의 오류

> 날개가 있으면 새지.

> 나비는 날개가 있잖아.

> 그럼 나비는 새인가?

윤아

> '날개가 있으면 새다.' 부터 잘못되었어. 정신 차려.

다른 정보의 개입

> 내가 알기에는 하준이가 윤아보다 국어 성적이 좋던데.

> 그럼 하준이 말이 맞지 않을까?

> 너마저… 타당성은 주장과 근거로만 파악해야지!

개념 노트

● **타당성을 판단하는 방법:** 논증 과정에서 (ㅇㄹ) 파악하기.

• 근거로부터 주장을 이끌어 내는 과정에서 오류가 있는지 살피기.

예 귀납: 주장과 어긋나는 사실이 없는지, 일부의 사실을 가지고 주장을 이끌어 냈는지 살피기.

연역: 근거로 삼은 일반적인 원리가 정말 진실이며, 이치에 맞는지 살피기.

• 근거로부터 주장을 이끌어 내는 과정에 영향을 미치는 다른 (ㅈㅂ)가 있는지 확인하기.

답 오류, 정보

지역 축제의 내실화 방안

종류 주장하는 글
중심 화제 지역 축제
주제 지역 축제 내실화의 필요성

현재 전국적으로 1,000여 개 이상의 지역 축제가 열리고 있다. 그러나 지역 축제들이 주로 대중 공연을 하거나 기념품 및 먹거리를 판매하는 방식으로 비슷하게 진행되고 있다. 이에 따라 지역 축제 내실화가 필요하다는 의견이 나오고 있다.

지역 축제를 내실화할 수 있는 첫째 방안은 그 지방의 전통문화를 활용하는 것이다. 성공적이라고 평가받고 있는 지역 축제들의 사례를 살펴보자. '안동 민속 축제'와 '강릉 단오제'는 각 지역의 전통문화인 안동 탈놀이와 강릉 단오굿을 활용하였다. 부산의 '조선 통신사 축제'도 조선 통신사의 무사 항해를 기원하는 해신제를 재현하는 등 그 지역의 전통문화를 활용하였다. 그러므로 성공적인 지역 축제들은 전통문화를 활용하였음을 알 수 있다.

─────
● **내실화** 안에 담겨 있는 가치나 내용을 잘 갖추어서 다짐.
● **통신사** 조선 시대에, 일본으로 보내던 사신.
● **해신제** 바다를 다스리는 신에게 지내는 제사.
● **재현하다** 다시 나타나다. 또는 다시 나타내다.

● **타당성 판단하기**
이 글에 쓰인 논증 방법이 무엇인지 찾고, 그 과정에서 일어날 수 있는 오류에 대해 생각해 봐요.

2-1 이 글의 타당성을 바르게 판단하며 읽은 사람을 고르시오.

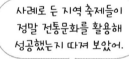

글쓴이가 연역의 논증 방법을 사용할 때 오류를 범하지 않았는지 따져 보았어.

영지

사례로 든 지역 축제들이 정말 전통문화를 활용해 성공했는지 따져 보았어.

일우

● **타당성 판단하기**
귀납은 사례로부터 결론을 이끌어 내므로, 결론과 반대되는 사례가 나오면 설득력을 잃어요.

2-2 다음의 기사를 참고하여 이 글의 타당성을 판단할 때, 빈칸에 공통으로 들어갈 알맞은 말을 이 글에서 찾아 쓰시오.

○○일보   202X. 5. 23

○○시 축제, 세금 낭비 논란에

○○시에서 전수되고 있는 판소리를 활용한 ○○시의 '△△ 축제'에 대한 비판의 목소리가 높다. 축제를 위해 많은 투자를 감행했지만, 축제 방문객이 예상보다 적게 찾아왔기 때문이다.

→ ☐☐☐☐를 활용한 지역 축제가 항상 성공하는 것은 아니므로, 그 지방의 ☐☐☐☐를 활용해야 한다는 주장은 설득력이 떨어져.

간단 체크

- 주제: 자동차 (○○)을 줄일 필요성
- 문단 요약
  1문단: (ㄱㅌㅅㄱ) 문제가 심각함.
  2문단: 자동차가 유독 물질을 많이 배출함.
  3문단: 자동차에 드는 비용이 많음.
  4문단: 자동차 때문에 (ㅇㄷㄹ)이 부족해 성인병이 늘어남.
  5문단: 자동차 이용을 줄여야 함.

어휘 풀이

- **유독 물질** 독성이 있는 물질.
- **연료비** 휘발유·경유 등 연료를 사는 데 드는 비용.
- **부수적** 주된 것이나 기본적인 것에 붙어서 따르는. 또는 그런 것.
- **성인병** 중년 이후에 문제되는 병을 통틀어 이르는 말. 동맥경화증, 고혈압, 당뇨병 등이 있음.
- **기력** 사람의 몸으로 활동할 수 있는 정신과 육체의 힘.

[01~03] 다음 글을 읽고 물음에 답하시오.

11월 셋째 일요일이 무슨 날인지 알고 있는가? 이는 2005년 10월 UN 총회에서 정한 '세계 도로 교통사고 희생자 추모의 날'이다. 이처럼 세계적으로 관심을 갖고 추모의 날을 정할 만큼 교통사고는 매년 인류의 주요 사망 및 부상 원인으로 손꼽히고 있다. 즉 교통사고로 인해 많은 사람이 목숨을 잃거나 다치고 있는 것이다.

또한 자동차에서 배출되는 유독 물질은 전체 대기 오염 물질의 3분의 1 이상을 차지한다. 서울 등 대도시는 그 비율이 훨씬 높다. 더구나 자동차는 사람의 코앞에 바로 가스를 내뿜기 때문에 그 피해가 한층 심각하다고 한다.

자동차에 드는 비용도 만만치 않다. 자동차 구입비와 연료비뿐만 아니라 보험료, 주차비, 통행료, 수리비 등 각종 부수적인 지출이 많다. 도로 정체가 심각해지면서 자동차의 주행 속도는 점점 느려지고, 이에 따라 낭비되는 시간도 늘어만 간다. 자동차 때문에 소비되는 돈과 시간, 그 때문에 받는 스트레스, 교통사고 처리 등을 종합해 보면 결코 만만치 않은 비용이 들어가는 셈이다.

자동차 이용이 늘어나면서 운동량이 부족해지고, 그 결과 성인병이 늘어나는 문제점도 빼놓을 수 없다. 운동을 통해 신체를 단련하지 않으니 다리가 약해지고 걷기가 싫어져 자꾸만 자동차에 의존하게 된다. 그것이 또한 몸의 기력을 더욱 약하게 만들고, 자기 몸으로 만들어 내는 에너지가 줄어들수록 바깥의 에너지에 의존하게 된다. 냉난방 기구가 발달하면서 우리 몸이 추위와 더위에 적응하는 신체적인 조절 능력을 잃어버려, 전기 에너지에 더 의존하게 되는 현상과 마찬가지이다.

이러한 문제를 해결하기 위해서는 자동차 이용을 줄이는 것이 시급하다. 그렇다면 그 방법은 무엇일까? 우선 사회 전체적인 노력이 필요하다. 예를 들어 대중교통을 편리하게 이용할 수 있는 시설과 제도가 마련되어야 할 것이다. 또한 가까운 거리는 걸어 다니거나 자전거를 타고 다니는 등 개인 차원에서의 노력도 필요하다. 이는 건강을 되살리고 사회적 비용을 줄이는 확실한 한 걸음이 될 것이다.

– 김찬호, 〈우리에게 자동차는 무엇인가〉에서

근거 파악하기

01 이 글에서 제시한 근거로 볼 수 <u>없는</u> 것은?

① 자동차에 드는 비용이 만만치 많다.

② 교통사고로 많은 사람이 죽거나 다친다.

③ 자동차를 이용하면 이동 시간을 줄일 수 있다.

④ 자동차에서 배출되는 가스가 대기를 오염시킨다.

⑤ 자동차 이용이 늘어나면서 운동량이 부족해졌다.

도움말

이 글은 자동차 이용이 주는 문제점들을 근거로 들어 자동차 이용을 줄이자고 주장하고 있어요.

타당성 판단하기

02 글쓴이가 이 글의 타당성을 높이기 위해 추가할 수 있는 근거로 알맞은 것은?

① 자동차가 만들어 내는 경제적 가치가 약 172조에 이른다.

② 승용차가 900만 대 늘면서, 평균 통근 시간이 3.2분 증가했다.

③ 성인병이 생기는 주원인이 잘못된 식습관이라는 연구 결과가 나왔다.

④ 오염 물질이 배출되지 않는 전기 자동차를 이용하는 사람이 늘고 있다.

⑤ 자율 주행 자동차의 등장으로 교통사고 발생 건수가 1/3로 준다는 분석이 나왔다.

도움말

타당성 있는 근거는 주장을 뒷받침하는 내용이어야 해요. 이 글의 주장을 파악하여 선택지가 주장을 뒷받침할 수 있는지 반박할 수 있는지 구분해 봐요.

타당성 판단하기

03 이 글의 타당성을 평가하는 활동으로 알맞지 <u>않은</u> 것은?

① 주장과 근거의 개수가 일치하는지 살펴본다.

② 주장을 뒷받침하는 근거가 있는지 확인한다.

③ 근거와 주장이 밀접한 관련이 있는지 파악한다.

④ 주장이 합리적이며 실현 가능성이 있는지 살펴본다.

⑤ 근거에서 주장을 이끌어 내는 절차가 옳은지 확인한다.

도움말

주장하는 글의 타당성을 평가하기 위해서는 주장과 근거가 이치에 맞는지, 그 둘의 논리적인 관계가 합리적인지를 따져 봐야 해요.

개념 한 번 더 체크

주장 파악하기

문제 상황
사회 구성원들이 생각해 보거나 해결해야 한다고 글쓴이가 제시하는 상황.

주장
어떤 ☐☐에 대해 내세우는 글쓴이의 생각.

근거
글쓴이의 주장을 ☐☐☐하는 내용.

글의 구조 파악하기

서론-본론-결론
- 서론: 문제를 제기하는 글의 처음 부분.
- ☐☐: 근거를 들면서 주장을 펼치는 글의 중심 부분.
- 결론: 앞 내용 요약하며 주장을 강조하는 글의 끝부분.

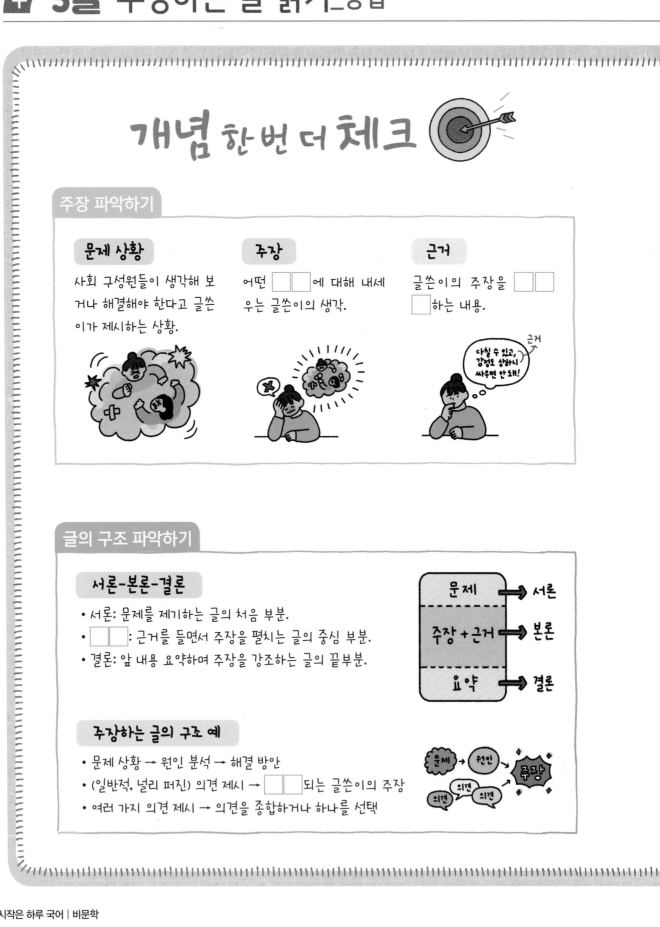

주장하는 글의 구조 예
- 문제 상황 → 원인 분석 → 해결 방안
- (일반적, 널리 퍼진) 의견 제시 → ☐☐되는 글쓴이의 주장
- 여러 가지 의견 제시 → 의견을 종합하거나 하나를 선택

논증 방법 파악하기

논증

주장과 근거 사이의 관계. 근거를 들어 주장이 옳음을 증명하는 방법.

귀납

구체적인 ▢▢ 로부터 일반적인 원리·법칙을 이끌어 내는 논증 방법.

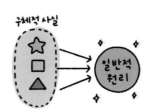

연역

일반적인 ▢▢ 로부터 개별적이고 구체적인 사실을 이끌어 내는 논증 방법.

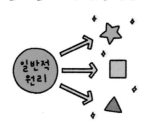

타당성 판단하기

타당성

주장과 근거가 이치에 맞는 성질.

타당성을 판단하는 방법

- ▢▢ 가 주장과 관련이 있고, 주장을 뒷받침하는지 살피기.
- 논증 과정에서 오류가 있는지 살피기.
- 논증 과정에서 영향을 미치는 다른 ▢▢ 가 있는지 살피기.

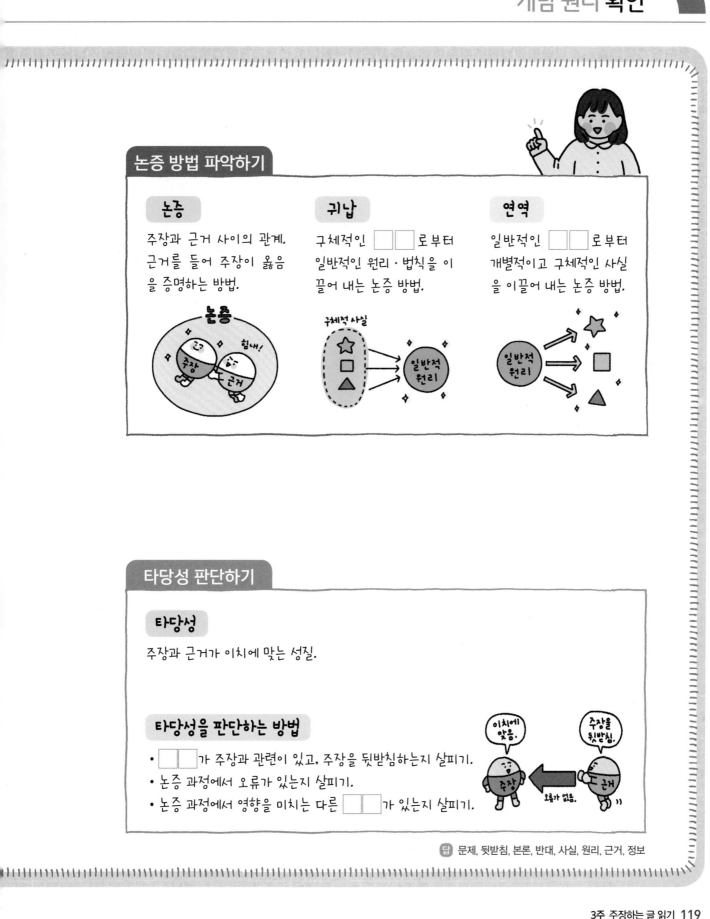

답 문제, 뒷받침, 본론, 반대, 사실, 원리, 근거, 정보

이 글은

주장하는 글로 택배 기사들에게 생긴 문제 상황을 나열하면서, 빠른 배달을 강조하는 사회 분위기를 비판하고 있습니다.

간단 체크

· **주제**: 택배 기사의 (ㄱㄹ) 보호를 위한 소비자의 인식 변화 촉구
· **문단 요약**
  (가): 빠른 배달을 (ㄷㅇ)히 여기는 현재 상황
  (나): 빠른 배달을 강조하면서 생긴 교통사고 문제
  (다): 과도하게 일하는 (ㅌㅂㄱㅅ)들
  (라): 택배 시장의 과열로 택배 기사들의 수입이 정체됨.
  (마): 택배 기사의 권리 보호를 위해 소비자가 취해야 할 자세

어휘 풀이

· **공화국** 공화 정치를 하는 나라. 공화 정치는 국민이 뽑은 대표자나 대표 기관이 주권을 행사하는 것을 의미함.
· **이면** 겉으로 나타나거나 눈에 보이지 않는 부분.
· **과속** 자동차 따위의 주행 속도를 너무 빠르게 함. 또는 그 속도.
· **업종** 직업이나 사업의 종류.
· **산업 재해** 일하면서 발생하는 사고 때문에 근로자에게 생긴 신체적·정신적 피해.
· **한정되다** 수량이나 범위 따위가 제한되어 있다.
· **과열되다** 지나치게 심해지거나 활발해지다.
· **유류비** 석유, 등유, 휘발유 따위의 기름 종류를 사는 데 드는 비용.

[01~06] 다음 글을 읽고 물음에 답하시오.

가 우리나라는 '배달 공화국'이라고 해도 지나치지 않을 만큼 배달 산업이 발달하였다. 음식은 물론이고 꽃, 서류, 쌀 등 별의별 것을 다 배달한다. 배달 산업이 커지면서 속도는 경쟁력이 되었다. 그래서인지 우리는 배달은 무조건 빠른 것이 당연하다고 생각한다. 그러나 이러한 생각이 과연 옳은 것일까?

나 소비자로서는 세상이 편해졌다고 좋아할 수도 있겠지만, 그 이면에는 그림자가 있다. 일부 택배 기사들은 빨리 배달하려고 과속을 하거나 신호를 어겨 교통사고를 내기도 한다. 2012년 안전보건공단의 조사에 따르면 택배 업종에서 발생한 산업 재해 가운데 도로 교통사고가 절반 이상을 차지하였다. 이런 교통사고의 가장 큰 원인은 빠른 속도를 강요하는 배달 구조이다.

다 문제는 또 있다. 아침에 분류한 물건을 그날 안에 배달해야 하는 택배 기사들은 밤늦게까지 일을 멈출 수 없다. 시간은 한정되어 있고, 배달해야 할 물건은 많기 때문이다. 2017년 서울노동권익센터가 서울 지역 택배 기사 500명을 대상으로 하여 실시한 조사에 ㉠따르면 이들의 주당 평균 노동 시간은 74시간이다. 일 년이면 3,848시간으로 이는 우리나라 평균 노동 시간인 2,024시간보다도 1,824시간이나 많다. 쉬는 날도 거의 없어서 한 달 평균 25.3일을 근무했고, 일요일과 공휴일을 제외하면 쉬는 날이 아예 없다는 응답자도 90.6퍼센트나 되었다. 몸이 아픈 날에도 일하는 경우가 많은데, 응답자 가운데 74.1퍼센트가 그런 경험이 있다고 답하였다. 장시간 노동에 시달리느라 택배 기사의 건강도 위협받고 있다.

라 규모가 커지면 해당 업종에 종사하는 사람들의 수입이 느는 게 당연하지만, 택배 기사들은 그렇지 못하다. 택배 시장이 과열되면서, 더 저렴한 가격에 배달하려는 가격 경쟁이 심해졌기 때문에 택배 기사 개인의 수입은 거의 달라지지 않았다. 택배 기사들은 유류비, 차량 유지비, 통신비 등의 각종 비용을 제외하고 택배 한 건당 평균 800원 정도를 벌 수 있다. 월 25.3일을 일하면서 약 350만 원 정도를 벌려면 하루 평균 170개 가까운 물건을 배달해야 한다. 어떻게 생각하는가? 결국 더 싸게 더 많이 배달하고 있다는 것이고, 그 때문에 눈코 뜰 사이 없이 일할 수밖에 없다는 것이다.

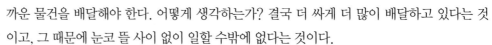

마 이렇듯 택배 기사들은 열악한 노동 환경에 처해 있다. 그러나 모든 노동자는 바람직한 환경에서 일할 권리가 있다. 택배 기사들은 택배 산업에서 핵심이 되는 노동자들이다. 따라서 택배 기사들 역시 바람직한 환경에서 일할 권리를 보장받아야 한다. 우리가 누리는 편리가 누군가의 희생을 바탕으로 하는 것이라면, 그것을 포기할 수도 있어야 한다. 우리 모두 속도를 지나치게 중요시하지는 않았는지 반성하고, 택배 기사들의 권리가 지켜질 수 있도록 작은 불편은 받아들일 줄 아는 소비자가 되자.

– 김용섭, 〈왜 속도를 고민해야 하는가?〉에서

01 이와 같은 글을 읽는 방법으로 알맞지 <u>않은</u> 것은?

① 주장과 근거를 구분하며 읽는다.
② 글의 논지 전개 방식을 파악하며 읽는다.
③ 글에 사용된 논증 방법을 파악하며 읽는다.
④ 글에 나타난 문제 상황을 파악하며 읽는다.
⑤ 글쓴이의 주장을 있는 그대로 받아들이며 읽는다.

02 이 글을 이해한 내용으로 알맞지 <u>않은</u> 것은?

① 빠른 배달 속도를 당연하게 여겨서는 안 된다.
② 우리나라 택배 기사들은 과도하게 일하고 있다.
③ 빠른 배달 속도의 이면에는 택배 기사들의 희생이 있다.
④ 교통 법규를 어기는 택배 기사들을 강하게 처벌해야 한다.
⑤ 택배 기사들의 일할 권리를 보장하기 위해 소비자는 불편을 감수해야 한다.

03 다음의 설명을 참고하여, (가)~(마)를 바르게 나눈 것은?

주장하는 글은 '서론-본론-결론'으로 나뉘어요. 이 글은 서론에서 택배가 발달한 우리나라의 상황을 제시하며 문제를 제기했어요. 본론에서는 택배 기사들이 처한 문제점을 근거로 들었고, 결론에서 독자에게 당부의 말을 전했지요.

① (가) / (나), (다) / (라), (마)
② (가) / (나), (다), (라) / (마)
③ (가), (나) / (다), (라) / (마)
④ (가), (나) / (다) / (라), (마)
⑤ (가), (나), (다) / (라) / (마)

04 다음과 같이 (나)~(마)에 쓰인 논증 방법을 정리할 때, ⓐ에 들어갈 말로 알맞은 것은?

귀납	(나)~(라)
	• 빠른 속도를 강요하는 배달 구조 때문에 교통사고가 많이 발생함. • 정해진 배송 시간을 지키려고 택배 기사들이 과도한 노동을 하고 있음. • 택배 시장의 규모는 커졌지만, 택배 기사들의 수입은 달라지지 않았음.
	↓
	(마) ⓐ

① 택배 기사들은 열악한 노동 환경에 처해 있다.
② 모든 노동자는 바람직한 환경에서 일해야 한다.
③ 택배 기사는 택배 산업의 핵심적인 노동자이다.
④ 택배 기사들은 바람직한 환경에서 일해야 한다.
⑤ 소비자들이 택배 기사들의 권리를 지키기 위해 노력해야 한다.

05 글쓴이의 주장을 뒷받침하는 근거로 알맞지 <u>않은</u> 것은?

① 택배 기사가 물품 분류 일도 함께 하는 상황
② 택배 기사에게 주식을 나누어 주는 회사의 사례
③ 과로로 사망한 택배 기사의 수가 늘었다는 기사
④ 택배 분실 보상 비용을 택배 기사가 부담해야 한다는 내용의 계약서
⑤ 개인 사업자로 구분돼 노동법의 보호를 받지 못하는 택배 기사의 상황

06 밑줄 친 부분이 ㉠과 가장 가깝게 쓰인 것은?

① 컵에 물 좀 <u>따라</u> 줄래?
② 친구를 <u>따라</u> 같은 옷을 샀다.
③ 규칙에 <u>따라</u> 그 일을 처리했다.
④ 내가 하는 행동을 그대로 <u>따라</u> 해라.
⑤ 아버지는 말없이 내 뜻을 <u>따라</u> 주셨다.

3
주

5일

이 글은

유전자 조작 농산물이 지닌 여러 가지 문제를 지적하고 생태계를 지키기 위해 유전자 조작 농산물을 거부할 것을 주장한 글입니다.

간단 체크

· 주제: 유전자 (ㅈㅈ) 농산물의 위험성

· 문단 요약

1문단: 유전자 조작 농산물의 뜻과 논란

2문단: 유전자 조작 농산물의 (ㅇㅎㅅ)

3문단: 유전자 조작 농산물이 (ㅅㅌㄱ)에 일으키는 문제

4문단: 식량 문제를 해결하지 못하는 유전자 조작 농산물

5문단: 다국적 기업에만 이익이 되는 유전자 조작 농산물

6문단: 유전자 조작 농산물을 거부해야 함.

어휘 풀이

· **유해성** 해로운 성질이나 특성.

· **다국적 기업** 여러 나라에 회사를 거느리고 세계적 규모로 상품을 생산·판매하는 대기업.

· **변이** 같은 종에서 성별·나이와 관계없이 모양과 성질이 다른 개체가 존재하는 현상.

· **진화하다** 생물이 생명이 생긴 후부터 조금씩 발전해 가다.

· **내성** 생물체가 약물의 반복에 의해 가지는 저항 현상.

· **형질** 동식물의 모양, 크기, 성질 따위의 고유한 특징.

· **바이오 연료** 살아 있는 생물의 배설물 등에서 얻는 연료.

· **독점** 개인이나 한 단체가 생산과 시장을 지배하여 이익을 모두 차지함. 또는 그런 경제 현상.

· **종자 특허권** 식물에서 나온 씨앗에 관하여 독차지하는 권리.

· **교란하다** 어떤 체계의 질서나 사람의 마음을 뒤흔들어 어지럽게 하다.

[07~12] 다음 글을 읽고 물음에 답하시오.

유전자 조작 농산물(GMO)은 농산물 본래의 유전자를 ⓐ변형시켜 만들어 낸 농산물이다. 이 농산물은 인류가 이전에는 한 번도 먹어 보지 않았던 먹거리라는 점에서 그 안정성 여부를 두고 논란이 끊이지 않았다.

그러나 시간이 갈수록 유전자 조작 농산물의 유해성이 하나둘 드러나고 있다. 2005년 한 국제 환경 단체는 법정 투쟁 끝에 ㉠한 다국적 기업의 실험 보고서 자료를 얻어 냈다. 이 비밀 보고서에는 실험용 쥐에게 유전자 조작 옥수수를 먹인 결과, 콩팥이 작아지고 혈액 성분에서 변이가 일어났다는 내용이 담겨 있어 커다란 충격을 주었다.

[A]《지구의 생태계는 수십억 년 동안 진화하며 환경에 맞게 적응해 왔다. 이러한 질서를 깨면 문제가 발생한다. 유전자 조작 농산물은 수십억 년 동안 이어져 온 자연에 존재하는 본래의 성질을 단시간에 인위적으로 변화시킨 것이다. 따라서 유전자 조작 농산물은 생태계에 수많은 문제를 낳게 된다.》농약에 내성이 있는 농작물의 형질이 잡초나 해충으로 ⓑ전이되면, 보통의 농약으로 없앨 수 없는 초강력 잡초와 해충이 등장할 것이다. 이렇게 되면 갈수록 더욱 강력한 농약을 사용해야 해서 결국 잡초와 해충뿐만 아니라 이로운 곤충까지 없애게 될 것이다.

유전자 조작 농산물을 찬성하는 사람들은 해충과 잡초에도 잘 견디는 품종을 길러 내면 빠른 시간 동안 많은 수확량을 올릴 수 있기 때문에 인류의 식량 문제를 해결할 수 있다고 주장한다. 하지만 식량 문제의 원인을 생산량의 부족으로 여기는 것은 잘못된 판단이다. 대부분의 유전자 조작 농산물은 대규모로 재배되어 동물 사료나 바이오 연료 제조에 쓰이고 있으며 굶주리는 사람들을 ⓒ구제하는 데에는 쓰이지 못하고 있다.

▲ 대규모로 재배되는 농산물

유전자가 조작된 종자와 농산물을 판매하는 다국적 기업들은 종자 분야에서 전 세계적인 독점을 ⓓ추구하고 있다. 농민들은 유전자 조작 농산물을 기르기 위해 다국적 기업으로부터 해마다 종자를 사야 하며, 유전자 조작 농산물에 맞는 화학 비료와 농약까지 함께 들여와야 한다. 유전자 조작 농산물이 늘어날수록 종자 특허권을 지닌 다국적 기업들의 지위만 높아져 농촌과 농민을 위협하는 결과를 가져올 수 있다.

유전자 조작 농산물은 안전하지 않다. 오히려 생태계를 교란할 뿐 아니라 식량 부족과 기아 문제를 해결해 주지도 못한다. 유전자 조작 농산물로 이익을 얻는 것은 다국적 기업밖에 없다. 우리의 밥상과 우리를 둘러싼 생태계를 지키기 위해 이제는 유전자 조작 농산물을 ⓔ거부해야 한다.

－ 가치를 꿈꾸는 과학 교사 모임, 〈유전자 조작과 다국적 기업〉에서

07 이 글의 내용을 주장과 근거로 나누어 정리한 것으로 알맞지 <u>않은</u> 것은?

주장	유전자 조작 농산물을 거부해야 한다. ……①
근거	• 유전자 조작 농산물의 유해성이 드러나고 있다. ……② • 유전자 조작 농산물은 생태계에 문제를 일으킨다. ……③ • 유전자 조작 농산물은 식량 문제를 해결하지 못한다. ……④ • 유전자 조작 농산물은 농민들의 지위를 높여 준다. ……⑤

08 이 글의 전개 방식으로 알맞지 <u>않은</u> 것은?

① 구체적인 근거를 바탕으로 설득력을 높이고 있다.
② 중심 화제의 뜻을 풀이해 독자의 이해를 돕고 있다.
③ 상반된 의견을 제시한 후 이에 대해 비판하고 있다.
④ 화제에 대한 여러 관점을 제시한 뒤 이를 절충하고 있다.
⑤ 결론 부분에서 독자에게 특정 행동을 할 것을 권유하고 있다.

09 [A]에 쓰인 논증 방법에 대한 설명으로 알맞은 것은?

① 이론을 바탕으로 가설이 옳음을 증명한다.
② 사례들을 바탕으로 일반 원리를 이끌어 낸다.
③ 일반적인 원리로부터 특수한 사실을 입증한다.
④ 문제 상황을 분석한 뒤 그 해결 방안을 제시한다.
⑤ 두 대상의 유사함을 근거로 다른 속성도 유사할 것이라 추리한다.

10 이 글의 타당성을 바르게 파악하지 <u>못한</u> 사람은?

초대 화상 찾기

김서윤 : ① 주장과 근거 사이에 연관성이 있는지 점검해 봤어.

이유리 : ② 글에 제시된 보고서의 내용이 사실인지 찾아보았어.

박서진 : ③ 글쓴이의 주장이 독자의 흥미를 유발하는지 생각해 봤어.

도민준 : ④ 근거에서 주장을 이끌어 내는 과정에서 오류는 없는지 점검해 봤어.

정윤지 : ⑤ 다국적 기업의 입장에서 이 글의 주장을 반박할 수 있는지 생각해 봤어.

11 ㉠이 뒷받침하는 내용으로 가장 알맞은 것은?

① 유전자 조작 농산물은 안전하지 않다.
② 시민 단체가 다국적 기업과 싸워야 한다.
③ 유전자 조작 농산물은 여러 실험을 거친다.
④ 유전자 조작 농산물은 동물에게는 유해하지 않다.
⑤ 유전자 조작 농산물이 인체에 해롭다는 것은 편견이다.

12 ⓐ~ⓔ의 사전적 의미로 알맞지 <u>않은</u> 것은?

① ⓐ: 모양이나 형태를 바꾸게 하다.
② ⓑ: 자리나 위치가 다른 곳으로 옮겨지다.
③ ⓒ: 해충 따위를 몰아내어 없애다.
④ ⓓ: 목적을 이룰 때까지 뒤쫓아 구하다.
⑤ ⓔ: 요구나 제안 등을 받아들이지 않다.

▶▶94~97쪽 참고

01 다음 빈칸에 공통으로 들어갈 알맞은 말을 쓰시오.

> • (　　　　)은 어떤 문제에 대해 내세우는 글쓴이
> 의 생각을 의미한다.
> • (　　　　)을 뒷받침하는 내용을 근거라고 한다.

▶▶94~97쪽 참고

02 (가)~(다)를 문제 상황, 주장, 근거로 구분하시오.

> (가) 우리나라 청소년은 세계보건기구(WHO) 나
> 트륨˙ 섭취 권고량의 두 배 이상을 먹는다.
> (나) 그런데 나트륨을 많이 먹으면 혈압이 높아진
> 다. 또한 나트륨이 위벽을 자극해, 위장병을 일으
> 키기도 한다.
> (다) 그러므로 청소년의 나트륨 섭취를 줄여야 한
> 다.
> ● 나트륨 소금에 많이 들어 있는 원소.

문제 상황	주장	근거
(　　)	(　　)	(　　)

▶▶100~101쪽 참고

03 다음 설명이 맞으면 ○, 틀리면 ×표를 하시오.

(1) 주장하는 글은 '서론-본론-결론'으로 구성된다.
　　　　　　　　　　　　　　　　　(　)
(2) 서론에서는 본론의 내용을 요약하고, 주장을 강
　　조한다.　　　　　　　　　　　　(　)
(3) 본론에서는 타당한 근거를 들어 주장을 논리적
　　으로 뒷받침한다.　　　　　　　　(　)

▶▶102~103쪽 참고

04 ①~④ 중 글쓴이가 비판하는 의견에 해당하는 것을 고르시오.

> ① 채식이 자신의 건강을 지키는 최선의 방법이
> 라 여기는 사람이 많다. ② 그러나 채식만으로는
> 섭취할 수 없는 영양소도 분명히 존재한다. ③ 또
> 한 채식을 하는 여성의 경우 식이 장애와 우울증을
> 겪는 경우가 많다고 한다. ④ 따라서 우리는 채식
> 과 육식을 고루 해야 한다.

▶▶102~103쪽 참고

05 다음 글에 나타난 논지 전개 방식으로 알맞은 것을 고르시오.

> '가해자-피해자 모델'에서는 학교 폭력이 가해
> 자와 피해자의 개인적인 특성 때문에 발생한다고
> 본다. 그러므로 이들에게 개인적인 처방을 내리면
> 학교 폭력 문제를 해결할 수 있다고 본다.
> 　그러나 '가해자-피해자-방관자 모델'에서는 방
> 관하는 행동이 학교 폭력 상황을 유지하게 만드는
> 근본적인 원인이라 본다. 따라서 방관 행동을 막아
> 야 학교 폭력 문제를 해결할 수 있다고 본다.
> 　학급에서 일어나는 괴롭힘 상황에서는 가해자
> 와 피해자뿐만 아니라 방관자도 존재한다. 방관만
> 하던 친구들이 적극적으로 나선다면 괴롭힘을 멈
> 출 수 있다. 따라서 '가해자-피해자-방관자 모델'
> 을 택해 학교 폭력 상황을 해결해야 한다.

(1)	학교 폭력에 대한 여러 의견을 종합하는 방식	(2)	학교 폭력에 대한 여러 의견 중 한 의견을 택하는 방식

▶▶106~109쪽 참고

06 논증 방법과 그에 대한 설명을 바르게 연결하시오.

(1) 누구나 인정하는 원리에서 구체적 사실을 이끌어 내는 논증 방법. •

• ㉠ 연역

(2) 여러 사실들로부터 일반적인 원리나 법칙을 이끌어 내는 논증 방법. •

• ㉡ 귀납

(3) 이 논증 방식으로 이끌어 낸 결론이 항상 참이 지는 않음. •

▶▶106~109쪽 참고

07 다음에 나타난 논증 방식을 귀납과 연역으로 구분하시오.

(1) 포유류는 새끼를 낳는다. 고래는 포유류이다. 따라서 고래는 새끼를 낳는다. (   )

(2) 개는 강아지를 낳는다. 소는 송아지를 낳는다. 말은 망아지를 낳는다. 따라서 포유류는 새끼를 낳는다. (   )

(3) 우리 반 학생들은 모두 휴대 전화를 가지고 있다. 민호는 우리 반 학생이다. 그러므로 민호는 휴대 전화를 가지고 있다. (   )

▶▶112~113쪽 참고

08 다음 주장을 뒷받침하는 근거로 알맞은 것을 고르시오.

청소년들은 커피를 마셔서는 안 된다.

(1) 커피를 마시면 수면에 방해가 된다.

(2) 커피를 마시면 집중력이 향상된다.

▶▶112~115쪽 참고

09 〈보기〉에서 글의 타당성을 판단하는 방법으로 알맞은 것을 모두 고르시오.

> 보기
> ㄱ. 주장이 이치에 맞는 내용인지 살펴본다.
> ㄴ. 근거가 주장과 관련이 있는지 판단해 본다.
> ㄷ. 글에 쓰인 내용을 있는 그대로 받아들인다.
> ㄹ. 읽는 이의 흥미를 유발하는 표현이 쓰였는지 살펴본다.

3
주

▶▶114~115쪽 참고

10 다음 학생이 논증 과정에서 범한 오류로 알맞은 것을 〈보기〉에서 모두 고르시오.

주장: 이 태블릿 PC를 쓰면, 성적을 올릴 수 있어.
근거: 현성이가 이 제품을 써서 성적을 올렸어.

> 보기
> ㄱ. 이치에 어긋나는 일반적인 원리를 근거로 삼았다.
> ㄴ. 일부의 사실만으로 주장을 이끌어 내는 오류를 범했다.
> ㄷ. 근거로부터 주장을 이끌어 내는 과정에서 영향을 미치는 다른 정보를 고려하지 않았다.

① 어휘 챌린지

3주에는 주장하는 글을 배웠습니다. 배운 글들을 떠올리며 글에 나온 단어들의 뜻을 익혀 봅시다. 각 단계에 따라 풀어 보고, 우리말 달인이 되어 보세요.

1 다음 그림을 참고하여 문장의 흐름에 맞는 단어를 고르세요.

① 이곳은 산과 바다가 어우러진 아름다운 경관 터전 으로 유명하다.

② 과거와 달리 갈수록 세상이 훈훈 각박 해지고 있어요.

③ 한옥은 우리나라의 고유한 새로운 집입니다.

④ 영상을 찍는 데 삼각대는 필수적 부수적 장비이니 꼭 빌리지 않아도 돼.

⑤ 그의 밝고 씩씩한 모습 표면 이면 에는 슬픔이 가득했다.

2 아래 뜻풀이에 해당하는 단어를 찾아 ○ 표시하고, 남은 글자를 골라 책 읽기와 관련된 한자 성어를 만들어 보세요.

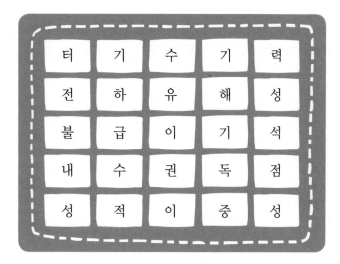

터	기	수	기	력
전	하	유	해	성
불	급	이	기	석
내	수	권	독	점
성	적	이	중	성

1 ㅌㅈ
생활의 근거지가 되는 곳.

2 ㅇㄱ
실생활에 편리한 기계나 기구.

3 ㄱㅎㄱㅅㅈ
증가하는 수나 양이 아주 많은 또는 그런 것.

4 ㅇㅈㅅ
하나의 사물에 겹쳐 있는 서로 다른 두 가지의 성질.

5 ㄱㄹ
사람의 몸으로 활동할 수 있는 정신과 육체의 힘.

6 ㅇㅎㅅ
해로운 성질이나 특성.

7 ㄴㅅ
생물체가 약물의 반복에 의해 가지는 저항 현상.

8 ㄷㅈ
개인이나 한 단체가 생산과 시장을 지배하여 이익을 모두 차지하는 경제 현상.

ㅅㅂㅅㄱ   : 손에서 책을 놓지 않는다는 뜻으로, 늘 글을 읽음을 이르는 말.

❷ Q&A 챌린지

주장하는 글에서는 글쓴이의 주장을 파악해야 한다고 배웠어요. 그런데 주장이 분명하게 드러나지 않은 글을 읽고 당황한 경험이 있을 거예요. 그럴 때 어떻게 하면 좋을지 카드 뉴스를 통해 알아봅시다.

"

글쓴이의 주장을 파악하려면 어떻게 해야 할까요?

"

글쓴이의 입장 되어 보기

글쓴이의 주장은 중심 화제에 대한 글쓴이의 생각이나 의견을 의미해요.

글쓴이의 입장 되어 보기

😞 긍정적

반이나 남았네.

중심 화제

😞 부정적

반밖에 없잖아.

그러므로 중심 화제에 대한 글쓴이의 태도를 찾으면, 글쓴이의 주장을 쉽게 알 수 있어요.

글쓴이의 입장 되어 보기

좋다
가치 있다.
효과   장점

긍정적

나쁘다
문제가 있다.
단점
역효과

부정적

글쓴이의 태도는 제목이나 내용에 쓰인 표현을 통해 드러납니다. 그러니 위와 같은 표현을 집중해서 살펴봐요.

글의 구조 활용하기

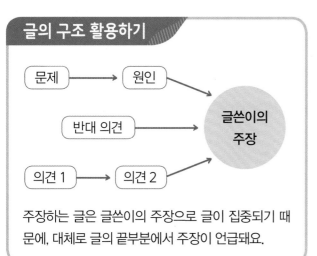

주장하는 글은 글쓴이의 주장으로 글이 집중되기 때문에, 대체로 글의 끝부분에서 주장이 언급돼요.

글의 구조 활용하기

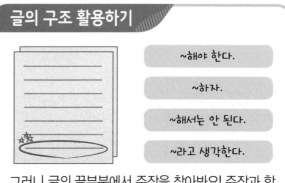

그러니 글의 끝부분에서 주장을 찾아봐요! 주장과 함께 쓰이는 표현을 기억해 두면 주장을 찾는 데 도움이 돼요.

글의 구조 활용하기

만약 글의 끝부분에서 주장을 찾기 어렵다면, 글의 처음 부분을 살펴봐요.

글의 구조 활용하기

처음 부분에서 글쓴이는 질문으로 문제를 제기해요. 따라서 질문에 대한 답을 찾으면 그게 곧 주장이 된다는 말씀!

설명하는 글에서 다룰 수 있는 정보나 내용은 그 가짓수가 엄청 많지요.

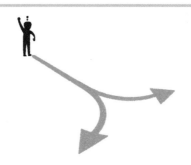

그러나 주장하는 글은 그 내용을 주장과 근거 두 가지로 구분할 수 있어요. 그러니 이 틀을 잘 이용하면 돼요.

❸ 갈래 탐구 챌린지

선거 기간에 후보들이 여러 사람 앞에서 말하는 걸 보거나 들은 경험이 있나요? 3주에서는 여러 사람 앞에서 자신의 주장을 말하기 위해 쓴 연설문에 대해 알아봅시다.

연설은 한 사람이 많은 사람 앞에서 자신의 생각을 말하는 거야.

저를 반장으로 뽑아 주시면, 학급을 위해……. 기호 2번!

교장 선생님의 말씀이나 반장 후보의 공약 발표 등이 연설에 속해.

이때 연설하는 사람들이 참고하는 글이 연설문이야. 연설을 위해 미리 쓴 글이지.

연설문은 다음과 같은 특징이 있어.

연설문 — 공손한 글 → 여러 사람 앞에서 공식적으로 말하기 위한 글이므로 높임말을 써.

명료한 글 → 듣는 이에게 내용을 전달해야 하므로 분명하고 간결하게 표현해야 해.

논리적인 글 → 다른 사람을 설득하는 글이므로 주장과 근거가 분명히 드러나.

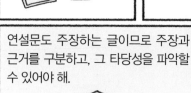

연설문도 주장하는 글이므로 주장과 근거를 구분하고, 그 타당성을 파악할 수 있어야 해.

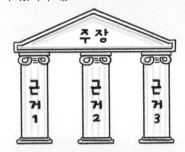

주장 / 근거1 / 근거2 / 근거3

하나 더, 연설문에 쓰인 설득 전략을 구분할 수 있어야 해.

똑똑한 내 말을 들어라!

어머, 감동적이야!

☑ 주장 ☑ 근거 ☑ 타당성

인성적 설득 전략
말하는 이의 됨됨이를 활용하는 것.

감성적 설득 전략
듣는 사람의 감정에 호소하는 것.

이성적 설득 전략
타당한 근거를 활용하여 설득하는 것.

■ 연설문에 대해 살펴본 내용을 바탕으로 연설문에 나타난 설득 전략을 써 보세요.

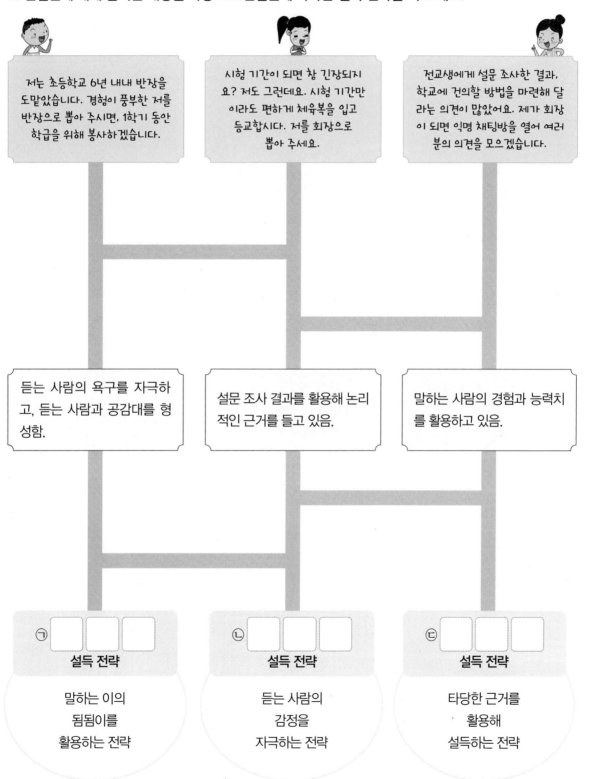

저는 초등학교 6년 내내 반장을 도맡았습니다. 경험이 풍부한 저를 반장으로 뽑아 주시면, 1학기 동안 학급을 위해 봉사하겠습니다.

시험 기간이 되면 참 긴장되지요? 저도 그런데요. 시험 기간만이라도 편하게 체육복을 입고 등교합시다. 저를 회장으로 뽑아 주세요.

전교생에게 설문 조사한 결과, 학교에 건의할 방법을 마련해 달라는 의견이 많았어요. 제가 회장이 되면 익명 채팅방을 열어 여러분의 의견을 모으겠습니다.

듣는 사람의 욕구를 자극하고, 듣는 사람과 공감대를 형성함.

설문 조사 결과를 활용해 논리적인 근거를 들고 있음.

말하는 사람의 경험과 능력치를 활용하고 있음.

ㄱ ☐☐☐ 설득 전략

말하는 이의 됨됨이를 활용하는 전략

ㄴ ☐☐☐ 설득 전략

듣는 사람의 감정을 자극하는 전략

ㄷ ☐☐☐ 설득 전략

타당한 근거를 활용해 설득하는 전략

4주에는 무엇을 공부할까? ❶

이제 마지막 주야! 여기서는 다양한 읽기 방법을 배울 거야.

아니, 마지막 주에 너무 잔인한 것 아니야?

이미 너희가 일상에서 하고 있는 읽기 활동인걸. 이번 주가 제일 쉬울 수도 있어!

시험 기간

너, 뭐해?

시험 대비용 요점 정리 노트 만들고 있어!

이렇게 글을 읽고, 그 내용을 간추리는 것을 요약하며 읽기라고 해.

서점

Ⓐ 문제집, 참고서

나도 시험 준비해야 하지 않을까?

시작은 하루국어 만화로 쉽게 시

올백 100 중간고사 대비 기출 문제집

표지를 보니 이 책은 시에 대해 집중적으로 다루고 있겠어.

앗, 이게 내가 찾던 책이겠는걸!

중등 학습

이렇게 글을 읽기 전 그 내용을 짐작하는 것을 예측하며 읽기라고 해!

◐ 읽기의 다양한 방법을 알아볼까요?

배울 내용		
1일 ǀ 요약하며 읽기	**4일** ǀ 매체 평가하며 읽기	
2일 ǀ 예측하며 읽기	**5일** ǀ 읽기의 방법_종합	
3일 ǀ 비교하며 읽기	**특강** ǀ 창의·융합·코딩	

4주에는 무엇을 공부할까? ❷

다음 텔레비전 뉴스를 보면서 요약하거나 예측하는 활동을 해 봅시다.

기자

최근 도로에 고라니가 등장하여 큰 문제가 되고 있습니다. 고라니들은 먹이를 찾기 위해 도로까지 내려온 것으로 보입니다. 자연과 동물, 사람이 한데 어울려 지내기 위한 대책 마련이 필요합니다.

1 이 뉴스를 요약한 내용으로 알맞은 것을 고르세요.

① 고라니들의 먹이가 도로에 주로 있음.

② 자연과 동물, 사람이 한데 어울려 지냄.

③ 고라니가 도로에 등장하는 문제를 해결할 대책이 필요함.

2 다음 내용과 관련하여 이 뉴스의 상황을 바르게 예측한 사람을 고르세요.

동물 교통사고(로드킬) 동물이 도로에 뛰어들어 자동차에 치여 목숨을 잃는 것.

차가 빠르게 지나갈 수도 있을 텐데 동물이 위험해 보여.

도현

차가 다니지 않는 안전한 곳이니 다른 동물들이 더 지나가겠군.

진아

(가)는 이모티콘이고, (나)는 픽토그램입니다. (가)와 (나)를 비교해 보면서 물음에 답해 봅시다.

가

나

3 (가), (나)를 보고 다음 빈칸에 들어갈 알맞은 말을 쓰세요.

> (가)의 이모티콘과 (나)의 픽토그램은 모두 전할 내용을 단순화하여 나타낸 (ㄱㄹ) 문자라는 공통점이 있다.

4 (가)와 (나) 중 다음 글과 어울리는 매체 자료를 고르세요.

> 이곳의 일곱 좌석은 몸이 불편하신 분, 어린아이를 안고 계신 분, 임신부 등을 위한 자리입니다.
> 양보해 주세요.

1일 요약하며 읽기

> **요약하는 방법(선택, 삭제)**

- **요약하며 읽기**: 글의 (ㅈㅅ) 내용이 드러나게 간략하게 정리하는 것.

- **요약하는 방법**

선택	중심 내용이 분명하게 드러나는 중심 문장 찾기.

삭제	덜 중요하거나 (ㅂㅂ)되는 내용, 예로 든 내용 지우기.

답 중심, 반복

예절의 변화와 문제점

종류 주장하는 글
중심 화제 예절
주제 오늘날에 맞는 예절 마련의 필요성

⑦ 오늘날, 우리가 지키고 있는 예절의 대부분은 조상들이 가꾸어 온 전통 예절에 그 뿌리를 두고 있다. 그런가 하면, 현대에 들어와서 새롭게 생겨난 예절도 적지 않다.

④ 신분이나 나이에 따른 상하의 인간관계를 중시하던 과거와는 달리, 오늘날에는 평등한 인간관계에 적합한 예절이 발달하였다. 또 서구 사회의 합리적이고 실용적인 생활 태도와 사고방식이 우리 사회에 유입되면서 예절의 형식과 절차도 점차 간소화되고 있다.

④ 그러나 오늘날의 예절은 때로 심각한 문제점을 드러내기도 한다. 예절의 근본정신이 약화되고, 지켜야 할 예절의 형식을 자신의 편의에 따라 소홀히 하며, 심지어는 아예 생략해 버리는 것을 대수롭지 않게 생각하는 경향이 있다.

④ 모든 예절의 바탕은 남을 배려하고 존중하는 마음이다. 이것은 오늘날에도 중요한 요소이다. 따라서 예절의 근본정신이 무엇인지 되돌아보고, 오늘날에 맞는 예절을 마련해야 할 것이다.

● **합리적** 논리나 이치에 알맞은 것.
● **근본정신** 어떤 사실의 본바탕이 되는 정신.
● **배려** 도와주거나 보살펴 주려고 마음을 씀.

● **문단 요약하기**
문단을 요약할 때 앞뒤에 중복되는 내용을 지워 가며 요약하는 방법이 무엇인지 생각해 봐요.

1-1 (가)를 다음과 같이 요약할 때 활용한 방법을 바르게 말한 사람을 고르시오.

> 오늘날, 우리가 지키고 있는 예절의 대부분은 조상들이 가꾸어 온 전통 예절에 그 뿌리를 두고 있다. 그런가 하면, 현대에 들어와서 새롭게 생겨난 예절도 적지 않다.
>
> → 예절의 대부분은 전통 예절에 뿌리를 두고 있지만, 현대에 새롭게 생겨난 예절도 적지 않다.

덜 중요하거나 반복되는 내용을 삭제했어.
민서

중심 내용이 분명하게 드러나는 문장을 선택했어.
준수

● **문단 요약하기**
중심 내용이 분명하게 드러나는 문장이 있다면 그 중심 문장을 선택해 요약해요.

1-2 (라)의 내용을 요약할 수 있는 중심 문장을 바르게 찾은 것을 고르시오.

① 모든 예절의 바탕은 남을 배려하고 존중하는 마음이다.

② 예절의 근본정신이 무엇인지 되돌아보고, 오늘날에 맞는 예절을 마련해야 할 것이다.

4주 1일 요약하며 읽기

요약하는 방법(일반화, 재구성)

하준이는 기타도 잘 치고, 만화도 즐겨 그리고 피규어도 모으고 있지? 기타, 만화, 피규어를 '취미'로 묶어서 '하준이는 다양한 취미를 가진 친구이다.'로 요약하자.

→ 취미

구체적 내용을 하나로 묶어서 일반화하여 요약!

민지는 지각을 하지 않고 숙제도 늘 꼬박꼬박 해 오지. 수업 시간에 공부도 열심히 하고 청소도 성실히 하는 친구야. '민지는 바르고 열심히 생활하는 친구이다.'로 요약해야지.

→ 민지는 바르고 열심히 생활한다.

나만의 말로 새롭게 중심 내용을 만들어 요약!

개념 노트

● **요약하는 방법**

일반화	구체적 내용이나 세부 정보가 여러 개 나올 경우, 이들을 포괄하는 (ㅇㅂ)적인 말로 바꾸기.

재구성	중심 문장이 나타나 있지 않으면 제시된 내용을 바탕으로 자신의 말로 중심 문장을 새로 만들기.

● 요약할 때는 글을 읽는 (ㅁㅈ)에 따라, 글의 특성을 고려하면서 요약하는 것이 효과적임.
정보 확인, 내용 평가 등   글의 구조나 전개 방식 등

답 일반, 목적

> **불의 이용** (이정임)
>
> 종류 설명하는 글
> 중심 화제 불
> 주제 불이 인류의 발전에 끼친 영향

가 인류는 오랜 세월 동안 발전해 왔다. 그 과정에서 수많은 발견과 발명, 지혜의 축적을 통해 현재의 문명을 이룩하였다. 그중에서 초기 인류의 발전에 가장 결정적인 역할을 한 것은 불의 이용이다.

나 불을 이용하기 시작하면서 인간은 자연의 속박과 자연에 대한 무조건적인 숭배˙에서 벗어나 자연을 이용하고 다스리기 시작했다. 불을 난방에 이용하면서부터 추운 지방에서도 살 수 있게 되어 거주 지역이 넓어졌다. 그리고 불을 이용하여 음식을 요리하거나 건조해서 저장할 수 있게 됨에 따라 생활 능력도 더욱 확대되었다.

다 그뿐만 아니라 불을 이용하면서 점토(粘土)˙를 구워 토기를 만들어 사용하게 되었다. 또한, 온도가 높은 화로에서 금속을 녹여 칼이나 화살촉 등의 무기나 장신구 등도 만들 수 있었다.

라 이후 중세 사회에서는 불을 무기로 이용한 군사 기술이 발달하였다. 근대 사회에 접어들어서는 증기 기관이 발명됨으로써 불이 가진 열에너지로 여러 종류의 기계를 움직일 수 있었고, 이를 통해 산업 혁명을 이루었다. 오늘날에도 불은 화력 발전 등을 통해 산업 발전에 커다란 역할을 하고 있다.

──────

● **숭배** 우러러 공경함.
● **점토** 작은 알갱이로 이루어진 부드럽고 차진 흙.

● **문단 요약하기**
일반화는 글에 나타난 세부 정보를 일반적인 말로 포괄하는 요약 방법이에요.

2-1 (다)를 다음과 같이 일반화하여 요약할 때 빈칸에 들어갈 알맞은 말을 〈보기〉에서 골라 쓰시오.

> **보기**
> 음식   도구   그릇   기계

> 불을 이용하여 <u>토기</u>를 만듦.
>
> 불을 이용하여 <u>무기나 장신구</u>를 만듦.

불을 이용하여 다양한 ☐☐을/를 만듦.

● **문단 요약하기**
문단에 중심 내용이 직접 드러난 부분이 없을 때의 요약 방법을 생각해 봐요.

2-2 (라)를 재구성하여 한 문장으로 요약할 때 뒷부분에 이어지기에 알맞은 것을 고르시오.

중세에서 오늘날에 이르기까지

① 불은 여전히 인간에게 위협적인 존재로 인식된다.

② 불은 인류의 발전에 중요한 역할을 하고 있다.

이 글은

독도와 관련하여 독도의 가치, 독도의 생태계를 소개한 글로, 독도에 대한 관심과 애정을 당부하고 있습니다.

간단 체크

· 주제: 독도의 (ㄱㅊ)와 생태계
· 문단 요약
(가): 독도와 관련하여 살펴볼 내용 소개
(나): 독도의 (ㄱㅈ)적 가치
(다): 독도의 지질학적 가치
(라): 독도에 서식하는 새들
(마): 독도에서 자라는 (ㅅㅁ)들
(바): 독도를 대하는 태도 당부

어휘 풀이

● **영토** 한 국가의 땅.
● **수산** 바다나 강 따위의 물에서 남. 또는 그런 산물.
● **어장** 고기잡이를 하는 곳.
● **해양** 넓고 큰 바다.
● **해저** 바다의 밑바닥.
● **지질학** 지구를 이루고 있는 물질, 지구의 형성 과정, 과거에 살던 생물 등을 연구하는 학문.
● **분출되다** 액체나 기체 상태의 물질이 솟구쳐서 뿜어져 나오다.
● **지형** 땅의 생긴 모양이나 형세.
● **해식애** 해안 침식과 풍화 작용에 의해 해안에 생긴 낭떠러지. 침식은 비, 빙하, 바람 등의 자연 현상이 땅이나 돌을 깎는 일, 풍화는 지구 표면의 암석이 자연 현상에 의해 조금씩 깨지고 부서지는 일임.
● **파식** 물결이 육지를 침식하는 일.

[01~03] 다음 글을 읽고 물음에 답하시오.

가 우리나라 동쪽 가장 끝에 있는 조그만 바위섬 독도. 독도가 소중한 우리 영토라는 것은 누구나 잘 알고 있는 사실이지만, 독도가 어떤 섬인지 구체적으로 아는 사람은 많지 않습니다. 이 글에서는 독도의 가치는 무엇인지, 독도의 생태계에는 어떤 특성이 있는지 살펴보려고 합니다.

나 독도 주변의 바다는 수산 자원이 풍부한 황금 어장입니다. 난류와 한류가 만나 물고기가 많을 뿐만 아니라 소라, 전복 등의 해양 생물도 풍족하지요. 또한 독도 주변의 바다에는 새로운 에너지 자원으로 기대되는 가스 하이드레이트 등의 해저 자원이 많이 묻혀 있을 것으로 추정됩니다. 이러한 자원들이 개발된다면 현재 에너지 자원 대부분을 수입에 의존하는 문제를 해결할 수 있을 것입니다. 이렇게 보면 독도는 경제적인 가치가 높다고 할 수 있겠지요.

다 독도는 지질학적으로도 매우 중요한 곳입니다. 독도는 해저에서 분출된 용암이 굳어서 만들어진 화산섬으로, 바위들이 바닷물과 바람에 깎이고 부서져서 형성된 독특한 지형을 많이 찾아볼 수 있습니다. 해안가에 생긴 깎아지른 듯이 가파른 낭떠러지인 해식애나 바다 밑의 평탄한 지형인 파식 대지 등은 세계적인 지질 유적이라고 할 수 있습니다.

라 이제 독도의 생태계는 어떠한지 살펴볼까요? 독도에는 바닷새인 괭이갈매기와 쇠가마우지, 바다제비, 슴새 등이 집단으로 번식하고 있습니다. 또 매나 벌매와 같은 멸종 위기종에서부터 육지에서도 흔히 볼 수 있는 참새까지 여러 종류의 새가 서식하고 있습니다. 독도는 봄과 가을에 철새들이 이동하다가 쉬기 위해 머무는 곳이기 때문에 계절에 따라 다양한 철새를 관찰할 수도 있습니다.

마 독도는 땅의 면적이 좁을 뿐만 아니라 흙층이 얇고 경사가 심해서 식물이 자라기 쉽지 않습니다. 하지만 이렇게 좋지 않은 환경에도 독도에는 50~60종의 식물이 자라고 있습니다. 천연기념물로 지정된 독도 사철나무는 현재 독도에서 자라는 대표적인 나무이며, 섬기린초나 섬초롱꽃 같은 희귀 식물도 찾아볼 수 있습니다.

바 지금까지 독도의 가치와 독특한 생태계를 살펴봤습니다. 이 외에도 독도는 우리가 알아야 할 많은 특성이 있습니다. 아는 만큼 보이고 보는 만큼 느낀다는 말이 있지요? 앞으로도 독도를 더 아끼고 사랑할 방법을 생각해 보기 바랍니다.

– 〈독도에는 무엇이 있을까〉에서

읽기 목적에 따라 요약하기

01 다음과 같은 목적으로 이 글을 읽을 때 중점적으로 요약해야 할 문단끼리 묶은 것은?

> 독도 여행 안내서에 독도의 자연환경을 소개하는 글을 쓰려고 해. 독도를 여행하는 사람들이 관심을 가질 만한 정보를 찾아야겠어.

① (가), (나), (다)
② (가), (나), (바)
③ (나), (다), (바)
④ (다), (라), (마)
⑤ (라), (마), (바)

(도움말)

읽는 목적에 따라서 중요한 정보가 달라져요. 제시된 내용에서 글을 읽는 목적을 잘 파악하고 목적에 맞는 문단을 찾아봐요.

요약 방법 파악하기

02 (가)~(마)의 중심 내용을 요약하는 방법을 바르게 말하지 <u>않은</u> 것은?

① (가): 문단에서 전달하고자 하는 핵심적인 내용을 선택하면 돼.
② (나): 중심 내용이 직접 드러난 부분이 있다면 그 부분을 선택하면 돼.
③ (다): 중심 내용이 드러난 부분이 없다면 중심 문장을 새로 만들어야 해.
④ (라): 글에 제시된 세부 내용을 포괄하는 단어를 활용해 요약하면 돼.
⑤ (마): 세부 내용이나 구체적인 예를 삭제하고 중심 내용을 간추리면 돼.

(도움말)

문단의 중심 내용을 요약하는 방법인 '선택, 삭제, 일반화, 재구성'을 떠올리며 각 문단을 요약하기에 적절한 방법을 생각해 봐요.

요약 방법 파악하기

03 (바)를 재구성의 방법으로 중심 내용을 요약할 때 알맞은 것은?

재구성하기

중심 문장이 나타나 있지 않으면 제시된 내용을 바탕으로 자신의 말로 중심 문장을 새로 만듦.

① 독도의 가치와 생태계를 살펴봐야 한다.
② 독도의 독특한 생태계를 보존해야 한다.
③ 독도의 특성을 찾기 위해 꾸준히 연구해야 한다.
④ 독도에는 우리가 알아야 할 다양한 특성이 있다.
⑤ 독도에 애정과 관심을 두고 독도의 다양한 특성을 알아 나가자.

(도움말)

(바)는 전체 글의 '끝' 부분에 해당하며 독도를 대하는 태도를 당부하며 마무리짓고 있어요.

> 예측하며 읽기의 활용 요소

 **개념 노트**

- **예측하며 읽기**: 배경지식과 읽기 맥락을 활용해 글의 내용과 글쓴이의 의도를 추측하면서 읽는 것.
- **예측하며 읽기의 활용 요소**
  - 배경지식이나 (ㄱㅎ).
  - 읽기 맥락: 글의 제목이나 소제목, 차례, 그림, 도표, 사진, 글을 쓰는 데 영향을 미친 사회·문화적 상황.
    글의 정보와 관련된 읽기 맥락.   글의 사회적 맥락.
- **예측할 수 있는 내용**: 뒤에 이어질 내용, 분명하게 드러나지 않는 단어나 문장의 뜻, 글쓴이의 주장이나 의도, 글의 (ㄱㅈ), 글이 독자에게 미칠 영향 등.

답 경험, 구조

고릴라는 핸드폰을 미워해 (박경화)

종류 주장하는 글
중심 화제 콜탄 개발에 따른 부작용
주제 생명 보호를 위해 휴대 전화를 오랫동안 소중하게 사용해야 함.

⑦ 이제는 생활필수품이 되어 버린 핸드폰. 손에 쏙 들어오는 이 작은 전자 제품에는 검은 대륙에서 벌어지고 있는 슬픈 사연이 담겨 있다. 아프리카 중부에서는 콜탄이 많이 생산된다. 콜탄은 주석보다 싼 회색 모래 정도의 취급을 받았다. 그런데 몇 년 전부터는 금이나 다이아몬드만큼 귀한 대접을 받고 있다. 그 이유는 무엇일까?

⑭ 콜탄을 정련하면 나오는 금속 분말 '탄탈룸'은 핸드폰을 만들 때 없어서는 안 되는 중요한 소재이다. 〈중략〉 ㉠이로 인해 여러 가지 부작용이 생겨나고 있다. 우선 콜탄 광산에서 일하는 인부들이 혹사(酷使)당하고 있다.

⑮ 텔레비전과 냉장고, 세탁기 같은 가전제품의 평균 사용 기간은 7년이 넘는다. 하지만 핸드폰의 경우에는 2.5년에 지나지 않는다. 〈중략〉 아직 멀쩡한 핸드폰을 놔두고 사람들이 최신형 핸드폰을 기웃거리는 동안, 아프리카에서는 고릴라가 보금자리를 잃고 있다. 그리고 순박한 원주민들은 혹사당하며 살고 있다.

⑯ 지금 당신이 쓰는 핸드폰은 몇 살이나 되었는가? 우리가 핸드폰을 오랫동안 소중하게 쓰는 일은 단지 통신비를 아끼고 물자를 절약하는 차원에서 그치는 것이 아니다. 지구 반대편의 소중한 생명을 보호하는 거룩한 일이다.

───
• **정련하다** 광석이나 기타의 원료에 들어 있는 금속을 뽑아내어 깨끗하게 하다.
• **혹사** 심하게 일을 시키는 것.

● 글의 내용 예측하기
예측하며 글을 읽을 때 자신의 배경지식과 경험, 읽기 맥락(글을 읽는 과정에서 영향을 미치는 여러 요소) 등을 활용할 수 있어요.

1-1 이 글을 다음과 같이 예측하며 읽을 때 활용한 요소를 고르시오.

(1)
〈고릴라는 핸드폰을 미워해〉를 보니 휴대 전화가 고릴라에 피해를 주나?
→ 글을 읽기 전에 (제목 / 배경지식)을 통해 글의 내용을 예측함.

(2)
다큐멘터리에서 멸종 위기에 처한 고릴라를 본 적이 있는데 관련이 있을까?
→ (소제목 / 경험)을 활용하여 글의 내용을 예측함.

● 글의 내용 예측하기
글을 읽을 때 이어질 내용뿐만 아니라 글의 구조, 글쓴이의 의도, 글이 독자에게 미칠 영향 등도 예측할 수 있어요.

1-2 이 글을 읽으며 예측한 내용과 관련 있는 것을 바르게 연결하시오.

(1)
㉠을 보니 글의 뒷부분은 부작용이 나열되겠군.
• ① 글의 내용이나 구조

(2)
휴대 전화를 자주 바꾸는 현대인의 태도를 돌아보게 하는 글이야.
• ② 글이 독자에게 미칠 영향

> 예측하며 읽는 방법

아이돌의 모든 것

〈아이돌의 모든 것〉
이라는 책이 눈에 띄는군.

책 제목이 〈아이돌의 모든 것〉
이니 아이돌 그룹에 대해
쓴 내용이겠지?

아이돌의 모든 것

차례를 보니 아이돌의
개념, 역사 등
모든 걸 다루고 있네.

차례

1. 아이돌이란? --17
2. 아이돌의 역사 --28
3. 아이돌의 역할 --45

──읽기 전──

책 안의 사진을 보니
내용을 더 잘 알겠군.
뒤에 어떤 내용이
이어질지 짐작도 가고.

읽는 중

아는 내용이 많이 나오고
사진이 많으니 흥미로운데.
뒤에 이어질 내용도 궁금하니
눈에 불을 켜고 읽어 보자.

개념 노트 ● 예측하며 읽는 방법

| 읽기 전 | 배경지식이나 경험, 책의 (ㅈㅁ), 책의 차례, 책의 표지 등을 활용하여 글의 전체적인 내용과 구성을 예측. |
| 읽는 중 | 배경지식이나 경험, 글의 내용이나 사진, 그림 등의 정보, 읽기 상황을 활용하여 이어질 내용, 분명하지 않은 단어나 문장의 의미, 글이 (ㄷㅈ)에게 미칠 영향 등을 예측. |

답 제목, 독자

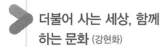

더불어 사는 세상, 함께 하는 문화 (강현화)

종류 주장하는 글
중심 화제 다문화 사회가 된 우리나라의 현실
주제 서로 조화롭게 어울려 사는 다문화 사회를 만들어 가야 함.

가 우리나라에 거주하는 외국인 이주민들의 삶은 어떠할까? 이 글에서는 우리나라에 거주하고 있는 외국인의 현황과 그들이 겪는 어려움이 무엇인지 살펴보고, 그들과 우리가 더불어 살아가는 데 필요한 정책에는 어떤 것들이 있는지 생각해 보고자 한다.

나 한국인과 외국인 사이의 결혼이 늘어나면서 이들 사이에서 태어난 자녀의 수도 늘고 있다. 한국 남성과 재혼하는 엄마를 따라 들어오는 외국인 자녀도 많다.

다 현재 우리나라에 거주하는 외국인 중에는 외국인 근로자와 결혼 이민자, 그들이 이룬 가정에서 태어난 자녀가 많다. 그런데 그들 중 대부분은 문화가 다른 낯선 곳에 와서 살아가는 데 많은 어려움을 겪고 있다. 그들이 한국 생활에서 겪는 어려움 가운데 대표적인 것은 언어 문제 때문에 생기는 것이다.

[A]

라 외국인 이주민 문제는 하루아침에 해결할 수 있는 것이 아니다. 조급해하지 말고, 멀리 내다보면서, 한 걸음 한 걸음 나아가야 할 것이다. 민족, 종족, 문화가 다르다고 하여 그들과 우리를 나누지 말자. 그리고 서로가 조화롭게 어울리는 '다문화 사회'를 만들어 가자.

● **이주민** 다른 지역에서 옮겨 와서 사는 사람. 또는 다른 곳으로 옮겨 가서 사는 사람.
● **종족** 조상이 같고, 같은 계통의 언어·문화 등을 가지고 있는 사회 집단.

● **글의 내용 예측하기**
예측할 수 있는 요소를 활용하여 무엇을 예측할 수 있을지 생각해 봐요.

2-1 책의 제목을 보고 예측할 때 예측이 일어나는 읽기 단계와 예측한 내용을 바르게 연결하시오.

더불어 사는 세상, 함께 하는 문화

· 읽기 전 ·

· ① 책 제목을 보니 같은 민족끼리 문화를 지키자는 내용일 것 같아.

· 읽는 중 ·

· ② 책 제목을 보니 사람들이 더불어 조화롭게 사는 세상을 다룬 책일 것 같아.

● **글의 내용 예측하기**
글의 구조를 통해 어떤 흐름으로 내용이 전개될지 예측할 수 있어요.

2-2 (가)를 읽고 이어질 이 글의 흐름을 예측할 때 [A]에 들어갈 내용으로 알맞은 것을 고르시오.

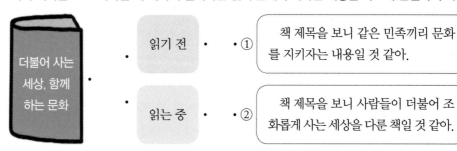

이 글은 어떤 흐름으로 내용이 전개될까?	(나)	(다)	[A]
	국내 거주 외국인의 현황	이주민이 겪는 어려움	(외국인 수 감축 방안 / 앞으로의 다문화 정책 방향)

이 글은

전자 폐기물의 문제와 그 문제를 해결할 수 있는 방법을 구체적으로 설명한 글입니다.

간단 체크

• 주제: 전자 폐기물 (ㅁㅈ)와 그 해결 방법
• 문단 요약
 (가): 전자 폐기물의 문제점
 (나): 개발 도상국으로 흘러들어 가는 선진국의 전자 폐기물
 (다): 전자 폐기물 문제를 해결하는 방법 ①-(ㄷ) 쓰고 (ㄷ) 버리기
 (라): 전자 폐기물 문제를 해결하는 방법 ②-(ㅈ) 버리기
 (마): 전자 폐기물 문제 해결을 위한 글쓴이의 당부

어휘 풀이

● **폐기물** 못 쓰게 되어 버리는 물건.
● **유독** 독(건강이나 생명에 해가 되는 물질.)이 있음.
● **중고** 이미 사용하였거나 오래됨.
● **위장되다** 본래의 정체나 모습이 드러나지 않도록 거짓으로 꾸며지다.
● **악용하다** 알맞지 않게 쓰거나 나쁜 일에 쓴다.
● **행태** 행동하는 양상. 주로 부정적인 의미로 씀.
● **구매** 물건을 삼.
● **회수하다** 도로 거두어들이다.
● **무상** 어떤 일이나 물건에 대한 값을 치르거나 받지 않음.
● **기업** 이윤을 얻기 위해 생산, 판매, 유통 등의 경제 활동을 하는 조직체.

[01~03] 다음 글을 읽고 물음에 답하시오.

가 전자 폐기물이 매년 지구를 한 바퀴나 돈다고?

버려진 전자 폐기물은 그 양이 엄청나게 많아서 문제가 된다. 매년 지구에서 쏟아지는 전자 폐기물의 양은 약 5,000만 톤에 이른다. 이것을 화물차에 실어 연결하면 지구를 한 바퀴 돌고도 남는 양이라고 한다. 또한 전자 폐기물에는 인체에 해로운 유독 성분이 많이 들어 있어서 문제가 된다. 각종 전기·전자 제품에는 약 1천여 종의 화학 물질이 들어 있는데, 그중 절반이 납, 수은, 카드뮴 등과 같은 해로운 화학 물질이다.

나 우리 손을 떠난 전자 폐기물은 어디로 갈까?

ⓛ그렇다면 우리 손을 떠난 전자 폐기물은 어디로 갈까?

약 5,000만 톤에 이르는 전자 폐기물의 절반 이상이 중고 전자 부품 등으로 교묘하게 위장되어 개발 도상국으로 흘러들어 간다. 선진국에서 개발 도상국의 값싼 노동력과 느슨한 환경법을 악용하여 전자 폐기물을 불법으로 수출하고 있는 것이다.

다 덜 쓰고 덜 버리기!

앞에서 우리는 전자 폐기물 때문에 생기는 몇 가지 문제점을 살펴보았다. 그렇다면 전자 폐기물 문제를 해결하려면 어떻게 해야 할까?

가장 근본적인 방법은 생산자가 만들 때부터 폐기물을 덜 발생시키고 덜 해로운 제품을 만드는 것이다. ⓒ그렇다고 생산자에게 책임을 떠넘길 수만은 없다. 매년 늘어나고 있는 전자 폐기물은 우리의 소비 행태와 관련이 있다. 제품의 기능이 다해서가 아니라 좀 더 새롭고 편리한 것을 갖고 싶어서 새 제품을 살 때가 많다. 그러니까 불필요한 구매를 줄이고, 구입한 제품은 오래 쓰자. 덜 쓰고 덜 버리는 것이 지구 환경을 지키는 가장 효과적인 방법이기 때문이다.

라 잘 버리기!

그래도 버릴 수밖에 없다면 어떻게 버리는 게 좋은지 고민하고 회수하는 곳이 있는지 찾아보아야 한다. 지방 자치 단체에서 판매하는 폐기물 딱지를 붙여서 버리거나, 새 제품을 구입할 때 판매 대리점에 헌 제품을 무상으로 회수해 줄 것을 요청할 수 있다. 이러한 일이 다 어려울 때에는 제품 생산자에게 연락하면 된다.

마 지금까지 우리는 전자 폐기물 문제와 그 해결 방법을 살펴보았다. 모든 환경 문제가 그렇지만, 특히 전자 폐기물 문제는 생산자인 기업과 소비자인 우리가 함께 노력해야만 해결할 수 있는 문제임을 잊지 말자. ⓔ제품을 바꾸기 전에 한 번 더 지구 환경을 생각하자!

– 장미정, 〈내가 버린 전기·전자 제품의 행방은?〉에서

정보 이해하기

01 이 글을 읽고 답할 수 있는 질문으로 알맞지 <u>않은</u> 것은?

① 전자 폐기물이 인체에 해로운 까닭은 무엇일까?
② 전자 폐기물이 가장 많이 나오는 나라는 어디일까?
③ 매년 지구에서 나오는 전자 폐기물의 양은 얼마나 될까?
④ 전자 폐기물이 개발 도상국으로 수출되는 이유는 무엇일까?
⑤ 전자 폐기물을 줄이기 위해 우리가 할 수 있는 일은 무엇일까?

도움말
이 글의 중심 화제는 '전자 폐기물'이에요. 중심 화제와 관련하여 각 문단별로 그 문단에서 말하고자 하는 중심 내용을 정리해 봐요.

예측하며 읽기

02 이 글을 예측하면서 읽은 내용으로 알맞지 <u>않은</u> 것은?

① 소제목을 보니 전자 폐기물 문제와 그 해결 방법으로 내용이 전개되겠군.
② ㉠을 보니 전자 폐기물이 지구에 미치는 영향에 대한 내용을 다루겠어.
③ ㉡을 보니 전자 폐기물의 처리 과정을 다루겠군.
④ ㉢을 보니 생산자에 대한 글쓴이의 생각이 긍정적임을 예측할 수 있군.
⑤ ㉣을 보니 전자 폐기물을 줄이기를 당부하려는 글쓴이의 의도를 예측할 수 있어.

도움말
글에 제시된 소제목, 문장이나 문단, 사진이나 그림을 통해 글의 내용을 예측해 봐요.

예측하며 읽기

03 이 글이 독자에게 미칠 영향을 예측한 내용으로 알맞지 <u>않은</u> 것은?

전기·전자 제품 생산자	① 해로운 물질이 없는 안전한 제품을 만들어야겠어.
	② 가급적 폐기물을 덜 발생시키는 방법으로 제품을 생산해야겠군.
전기·전자 제품 소비자	③ 새롭고 편리하다면 새 제품을 계속 사도 되겠군.
	④ 전자 제품을 버릴 때 먼저 회수하는 곳이 있는지 찾아봐야지.
환경 운동가	⑤ 많은 사람이 이 글을 읽고 전자 폐기물 문제에 관심을 가질 것 같아.

도움말
(다), (라)에서 글쓴이가 말한 전자 폐기물 문제의 해결 방법을 파악한 뒤 글쓴이의 의도를 바르게 이해한 독자의 반응을 예측해 봐요.

> 관점 비교하며 읽기

● **글쓴이의 관점**: 글쓴이가 글에서 화제를 바라보는 입장이나 (ㅌㄷ). 글쓴이의 가치관이나 지식, 경험이 달라 같은 화제라도 글쓴이에 따라 (ㄱㅈ)이 다를 수 있음.

● **동일한 화제를 다룬 글들의 관점 비교하기**

| 공통으로 다루는 화제 찾기. | → | 각 글의 구조에 따라 중심 내용과 주제 정리. | → | 제목을 고려하여 화제에 대한 글쓴이의 관점 정리. | → | 정리한 내용을 바탕으로 두 글의 공통점과 차이점 비교. |

답 태도, 관점

가 한식의 세계화, 퓨전이 해법 (진성철)

종류 주장하는 글
중심 화제 한식의 세계화
주제 한식의 세계화는 외국의 음식 문화에 맞추어야 함.

나 한식의 세계화, 한식 본연의 정체성으로 승부해야 (노정연)

종류 주장하는 글
중심 화제 한식의 세계화
주제 한식의 세계화는 한식 본연의 모습을 지키며 이루어져야 함.

가 퓨전 요리를 대표하는 요리사인 울프강 퍽은 "한식을 외국의 음식 문화에 맞추어야만 세계 음식으로 우뚝 설 수 있다."라고 충고한다. 즉, 한식을 세계화하려면 음식을 현지인의 입맛에 맞추어야 할 뿐만 아니라 현지인의 식습관과 음식 문화에도 맞추어야 한다는 것이다.

음식은 문화이다. '로마에 가면 로마법을 따르라.'라는 격언이 있듯이 한식을 미국과 유럽 등지에서 인기 있는 음식으로 성장시키기 위해서는 반드시 그들의 음식 문화에 맞추어 개발해야 한다.

나 한국 음식 특별 기고가인 벤저민 주아노는 우리 민족의 문화와 혼이 담겨 있는 것이 한식이니, 그 정체성이 훼손되지 않은 정통 한식, 김치와 나물이 주가 된 소박한 밥상으로 외국인들의 입맛을 길들여야 한다고 조언한다.

"한식을 대중화할지, 고급화할지 방향을 먼저 생각해야 해요. 한식의 정체성이 흔들리지 않는 것이 기본이 되어야 하고요. 다른 나라 사람들이 한식을 먹을 때 한국을 떠올릴 수 있게 하는 것이 진정한 한식의 세계화라고 생각해요."

그는 퓨전이라는 이름으로 한식을 '성형 수술'하는 것을 반대한다.

● **퓨전(fusion)** 서로 다른 두 종류 이상의 것을 섞어 새롭게 만든 것.
● **훼손** 체면이나 명예를 손상함. 또는 헐거나 깨뜨려 못 쓰게 만듦.

● 관점 비교하기
두 글에서 공통으로 다루는 화제를 찾고 화제에 대한 관점이 긍정적인지, 부정적인지 비교해 봐요.

1-1 (가)와 (나)에 나타난 글쓴이의 관점을 비교할 때 알맞은 것을 고르시오.

한식의 세계화

(가)	(나)
한식을 세계화하려면 그 나라 음식 문화에 맞게 한식을 바꾸어야 함.	한식을 세계화하려면 한식 본연의 모습을 지켜야 함.
퓨전으로 한식을 바꾸는 것을 (긍정 / 부정)적으로 바라봄.	퓨전으로 한식을 바꾸는 것을 (긍정 / 부정)적으로 바라봄.

● 관점 비교하기
같은 화제에 대한 또 다른 관점을 보고 (가), (나)에 나타난 관점과 비교해 봐요.

1-2 '한식의 세계화'에 대한 관점이 다음과 같을 때, (가)와 (나) 중 관점이 비슷한 것을 고르시오.

이제 세계인들은 불고기, 삼계탕, 갈비탕 등을 듣고 한국을 떠올립니다. 이렇게 한식을 접할 때 한국을 바로 떠올릴 수 있는 것이 진정한 한식의 세계화라고 봅니다.

형식 비교하며 읽기

헌 운동화 보고서

- 운동화 산 날: 20○○년 ○월 ○일
- 운동화 신은 기간: 2년 8개월
- 운동화 트렌드 조사 결과

운동화 살 수 있는 사이트
www.dnsehd.com

운동화를 살 때가 되어서 운동화 보고서를 드렸더니 엄마가 웃으면서 새 운동화를 사 주시겠다고 하셨어.

운동화를 바꿀 때가 되었을 때 '운동화'로 삼행시를 지어 아빠께 보여 드렸더니 새 운동화를 사 주셨어.

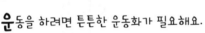

운동을 하려면 튼튼한 운동화가 필요해요.
동네에서 나보다 헌 신발을 신은 사람은 찾을 수가 없어요.
화끈하게 새 운동화 사 주세요~

글의 형식은 달랐지만 새 운동화 사는 목적은 달성했지!

개념 노트

- 화제에 대한 글쓴이의 관점이나 글의 목적이 비슷하더라도 글의 (ㅎㅅ)은 다양할 수 있음.

목적	정보 전달	설득	친교나 정서 표현
갈래	설명문, 기사문, 보고문, 안내문 등	논설문, 연설문, 광고문, 사설 등	편지글, 일기, 기행문 등

- **동일한 화제를 다룬 글들의 형식 비교하기**

| 같은 (ㅎㅈ)를 다룬 형식이 다른 글 읽기. | → | 글의 갈래를 고려하며 글의 형식적 특성 파악. | → | 글쓴이의 생각을 전달하기 위한 표현 형식의 효과 평가. |

답 형식, 화제

○ 정답과 해설 26쪽

가 잊힐 권리 법제화, 시급해

종류 주장하는 글
중심 화제 잊힐 권리의 법제화
주제 잊힐 권리의 법제화가 하루빨리 이루어져야 함.

나 나를 지워 주세요

종류 광고문
중심 화제 잊힐 권리의 법제화
주제 잊힐 권리는 법으로 보장받아야 할 마땅한 권리임.

가 현재 우리나라에는 개인 정보 보호법과 정보 통신망법이 있어 사생활 침해나 명예 훼손 등 개인의 권리가 침해된 경우에 인터넷 검색 서비스 사업자에게 해당 정보의 삭제를 요청할 수 있는 권리를 보장하고 있다. 그런데 문제는 그 정보 때문에 사생활이 침해되었거나 명예가 훼손되었다는 사실을 증명해야만 삭제를 요청할 수 있다는 점이다. 〈중략〉

개인에 관한 정보가 다른 사람에게 노출되기 쉬운 상황에서 현재 시행하고 있는 법만으로 개인 정보 자기 결정권을 보장하기에는 한계가 있다. 따라서 잊힐 권리를 법제화해 사생활 침해를 막고 개인 정보 자기 결정권을 보장해야 한다.

나

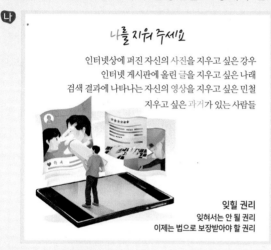

나를 지워 주세요

인터넷상에 퍼진 자신의 사진을 지우고 싶은 강우
인터넷 게시판에 올린 글을 지우고 싶은 나래
검색 결과에 나타나는 자신의 영상을 지우고 싶은 민철
지우고 싶은 과거가 있는 사람들

잊힐 권리
잊혀서는 안 될 권리
이제는 법으로 보장받아야 할 권리

● **법제화** 법률로 정하여 놓음.

● 형식 비교하기
공통된 화제에 대해 두 글의 관점을 정리한 후 형식적 특성을 비교해 봐요.

2-1 '잊힐 권리의 법제화'를 다룬 글인 (가)와 (나)의 형식을 비교할 때 알맞은 것을 고르시오.

> 잊힐 권리의 법제화 → (가)는 (주장하는 글 / 광고문)이고, (나)는 (주장하는 글 / 광고문)임. → 두 글의 형식적 특성이 다름.

● 형식 비교하기
화제나 관점이 비슷하더라도 표현하는 형식이 다를 수 있으니 갈래나 글의 표현 방식을 살펴 형식적 특성을 파악해 봐요.

2-2 (가)와 (나)에 나타난 형식적 특성을 바르게 말한 사람을 고르시오.

(가)는 주장하는 글로 근거를 통해 글쓴이의 의견을 논리적으로 전개하고 있어.

지민

(나)는 광고문으로 동영상과 도표를 활용하여 내용을 시각적으로 보여 주고 있어.

준서

(가) 글은

밥상머리 교육으로 올바른 식습관과 인성 함양이 이루어질 수 있으며 올바른 젓가락질이 바로 그 출발이라고 주장한 글입니다.

간단 체크

· **주제**: 올바른 젓가락질을 가르쳐야 함.
· **문단 요약**
1문단: 한 젊은이의 서투른 젓가락질을 본 경험
2문단: 놓치고 있는 젓가락질 교육
3문단: (ㅂㅅㅁㄹ) 교육의 출발점인 젓가락질 교육

(나) 글은

표준 젓가락질은 존재하지 않음을 강조하며, 올바른 젓가락질을 강요하는 현실을 비판한 글입니다.

간단 체크

· **주제**: 젓가락질을 잘못해도 괜찮음.
· **문단 요약**
1문단: 표준 젓가락질에 대한 문제 제기
2문단: 표준이 없는 젓가락질
3문단: (ㅅㄱㄹ)이 더 중요한 역할을 해 온 한국 문화

어휘 풀이

· **함양** 능력이나 품성 등을 길러 쌓거나 갖춤.
· **정석** 사물의 처리에 정하여져 있는 일정한 방식.
· **연명하다** 목숨을 겨우 이어 살아가다.
· **민초** '백성'을 질긴 생명력을 가진 잡초에 비유하여 이르는 말.

[01~03] 다음 글을 읽고 물음에 답하시오.

가 '젓가락질 참 특이하게 하네. 저러면 음식을 제대로 집을 수 있나?'

얼마 전 식당에서 한 젊은이가 젓가락질하는 모습을 보면서 든 생각이다. 손가락 사이에 끼워진 젓가락은 한 치의 공간도 없이 서로 딱 붙어 있었다. 젓가락으로 반찬을 집어 먹는 것이 아니라 끼워 먹는 수준이었다. 누가 보아도 젓가락질이 서투르고 이상했다.

최근 밥상머리 교육이 주목받고 있다. 자녀의 인성과 학업에 유익하다는 이유 때문이다. 어른과 함께 식사하는 밥상머리에는 삶의 지혜가 풍성했다. 밥상머리에서는 올바른 식습관과 인성 함양이 저절로 이루어졌다. 그러나 밥상머리 교육을 강조하면서도 가장 기본적인 젓가락질 교육은 놓치고 있는 듯하다.

밥상머리 교육의 출발은 젓가락질 가르치기였다. 젓가락질을 못하면 못 배웠다는 흉을 들을 정도로 엄격히 가르쳤다. 그러므로 젓가락질하는 것만 보아도 밥상머리 교육을 제대로 받았는지 판단할 수 있었다. 그런데 요즘 어린이들은 어떤가. 서투른 젓가락질 때문에 후루룩거리며, 흘리며 먹는 경우가 많다. 기업들이 이런 사정을 눈치채고 젓가락질을 어려워하는 어린이들을 겨냥한 기능성 젓가락을 개발했다. 기능성 젓가락은 젓가락을 변형하여 젓가락질을 쉽게 하도록 만든 것이다. 하지만 이러한 기능성 젓가락은 편리함만 추구하고, 젓가락의 숨겨진 힘은 깨닫지 못한 장난처럼 보인다.

– 윤상원, 〈젓가락으로 시작하는 밥상머리 교육〉에서

나 식사할 때마다 젓가락질 때문에 어른들에게 한 소리씩 듣는다는 친구는 하소연합니다. 젓가락질을 못 배워도 밥만 잘 먹는다고. 그리고 보면 생각해 볼 만한 문제입니다. 정석에 가까운 젓가락질을 해야만 밥을 잘 먹을까? 표준 젓가락질을 따르지 않으면 식사 예절에 어긋나는 것일까?

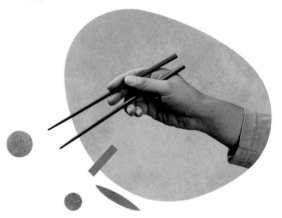

무거운 쇠젓가락을 한 손에 쥔 채 김치를 찢어 내는 한국인들의 젓가락질은 같은 젓가락 문화권인 중국이나 일본에 견주어도 세계적인 수준입니다. 그러나 음식 문화 전문가들의 이야기를 들어 보면, 사실 젓가락을 쥐는 데 완벽한 표준은 없습니다. 〈중략〉

원래 한국 문화에서는 숟가락이 더 중요했다는 것입니다. 밥과 국만으로 연명한 조선 민중에게 젓가락은 호사스러운 물건이었습니다. 잘게 썬 밑반찬을 푸짐하게 차려 먹던 양반님네나 소장하는 희귀품이었던 것이지요. 실제 옛 풍속화를 보면 민초들이 숟가락만 들고 밥 먹는 풍경을 볼 수 있습니다. 젓가락은 양반가의 남자가 아니면 가진 경우가 드물었고 양반 여성들도 숟가락으로만 밥을 먹었습니다.

– 엄지원, 〈젓가락질 잘해야만 밥 잘 먹나요〉에서

정보 이해하기

01 (가)와 (나)를 통해 알 수 있는 내용으로 알맞지 <u>않은</u> 것은?

① (가): 자녀의 인성과 학업에 유익하다는 이유로 밥상머리 교육이 주목받음.

② (가): 젓가락질을 어려워하는 어린이들을 겨냥한 기능성 젓가락이 개발됨.

③ (나): 한국인들의 젓가락질은 젓가락 문화권인 중국에 비해 수준이 떨어짐.

④ (나): 옛 풍속화를 보면 백성들이 숟가락만 들고 밥 먹는 풍경을 볼 수 있음.

⑤ (나): 조선 시대의 젓가락은 양반가의 남자가 가지는 호사스러운 물건이었음.

> **도움말**
> (가)와 (나)는 중심 화제가 동일한 글이에요. 화제와 관련성을 따지며 각각의 내용을 살펴봐요.

글의 관점 비교하기

02 (가)와 (나)의 관점을 비교하여 정리할 때 알맞지 <u>않은</u> 것은?

(가)		(나)
• 젓가락질을 정확하게 해야 한다. ────── ① • 올바른 젓가락질을 가르쳐야 한다. ────── ②	젓가락질	• 젓가락질을 잘 못해도 괜찮다. ────── ③ • 표준 젓가락질은 존재한다. ────── ④ • 올바른 젓가락질을 강요해서는 안 된다. ────── ⑤

> **도움말**
> 화제와 관련하여 각 문단에 제시된 내용을 정리하면 (가), (나)에 나타난 글쓴이의 관점을 파악할 수 있어요.

글의 형식 비교하기

03 (가)와 〈보기〉를 비교한 내용으로 알맞은 것은?

> **보기**
>
> 사랑하는 현서에게
>
> 현서야, 며칠 전 서투른 젓가락질 때문에 할머니께 혼났었지? 많은 사람이 바른 젓가락질을 식사 예절이라고 생각해. 올바른 젓가락질을 밥상머리 교육의 하나라고 보는 거야. 엄마는 네가 젓가락질도 잘하고 밥도 잘 먹는 건강한 사람이 되면 좋겠어.
>
> – 엄마가

① (가)와 〈보기〉는 화제는 다르지만 형식이 비슷하다.

② (가)와 〈보기〉는 화제는 동일하지만 화제에 대한 관점이 다르다.

③ (가)와 〈보기〉는 화제에 대한 동일한 관점을 다른 형식으로 나타낸다.

④ (가)와 〈보기〉는 모두 '서론-본론-결론'의 형식으로 생각을 전달한다.

⑤ (가)와 〈보기〉는 모두 부드러운 말투를 사용해 생각을 편안하게 전달한다.

> **도움말**
> 두 글의 주제, 글쓴이의 관점, 글의 형식 등을 비교해 봐요.

▶ 표현 방법과 의도 파악하기

- **매체**: 의사소통과 정보 전달의 다양한 수단.
  예 인쇄 매체, 방송 매체, 인터넷 매체
  책, 신문, 잡지 등 라디오, TV 등 온라인 대화, 블로그, 누리 소통망 서비스 등
- **매체의 표현 방법**: 언어 표현(어휘나 문장), (ㅅㄱ) 자료(그림, 사진, 도표 등), 청각 자료(소리, 음악 등), 시청각 자료(동영상, 애니메이션 등)

- **매체를 바르게 읽는 방법**
  • 매체의 특성과 매체에 사용된 표현 방법을 통해 정보를 바르게 이해함.
  • 매체의 표현 방법에 따른 효과를 통해 글쓴이의 (ㅇㄷ)를 바르게 파악함.
    흥미 유발, 주의 집중, 주제의 효과적 전달 등

답 시각, 의도

2008년 이후 우리 바다에서 명태 자취 감춰

(케이비에스(KBS))

종류 인터넷 기사
중심 화제 한국의 명태 어획량
주제 2008년 이후 우리 바다에서 사라지고 있는 명태

ⓗ**2008년 이후 우리 바다에서 명태 자취 감춰**

명태는 단일 어종으로는 세계에서 어획량이 가장 많은 어류이다. 1980년대 중반 전 세계 명태 어획량은 600만 톤을 넘었으나 근래에는 400만 톤 수준에 머물고 있다.

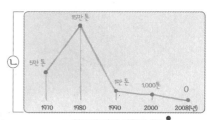

▲ 한국의 명태 어획량 추이

한국의 명태는 동해에서 생산량이 가장 많았던 어종으로 1970년대 중반에 5만 톤 정도 잡혔던 것이 1980년대 초반에는 15만 톤까지 잡혀 최고치를 기록했다. 이후 1990년대에는 1만여 톤으로 급감했고 2000년대에는 1천 톤을 넘지 못하다가 급기야 2008년에는 공식적으로 어획량이 '0'으로 보고되었다.

현재 우리 식탁에 올라오는 명태는 수입 명태가 대부분이며 그 가운데에서도 러시아산이 90퍼센트를 넘는다.

──────────
● **추이** 시간이 지나면서 일이나 상황이 변함. 또는 그 변하는 모습.
● **급감하다** 급작스럽게 줄어들다.

● 매체 평가하며 읽기
기사문의 제목에 사용된 표현 방법과 그 의도를 파악해 봐요.

1-1 ⓗ에서 사용한 표현 방법에 따른 의도가 맞으면 〇, 틀리면 ×에 표시하시오.

자료	표현 방법	의도
제목 (언어)	2008년 이후 우리 바다에서 명태 자취 감춰	2008년 이후 우리 바다에서 명태가 잡히지 않는 상황을 압축하여 보여 주고자 함. ➡ 〇 ⓧ

● 매체 평가하며 읽기
기사문에서 시각 자료의 역할을 생각해 봐요.

1-2 ⓛ에 사용된 표현 방법과 효과를 바르게 연결하시오.

(1) 기사의 내용을 사진으로 제시함. ·

(2) 한국의 명태 어획량 추이를 도표로 나타냄. ·

· ① 핵심 용어를 강조하여 강한 인상을 남김.

· ② 연도에 따른 한국의 명태 어획량의 변화를 한눈에 파악할 수 있음.

4주 4일 매체 평가하며 읽기

▶ 표현 방법의 적절성과 효과 평가하기

 개념 노트

● 매체에 쓰인 표현 방법의 적절성과 효과 평가하기

• 글의 내용을 (ㅇㅎ)하는 데 도움이 되는가?

　예 글의 내용을 그림으로 제시함. → 내용을 쉽고 빠르게 파악할 수 있게 함.

• 자료가 전달하려는 내용과 밀접한 관련이 있는가?

　예 글의 주제에 대해 전문가와 면담한 영상을 제시함. → 글의 주제를 잘 뒷받침함.

• 표현 방법이 설명하려는 대상이나 개념에 적절한가?

　예 변화 추이를 도표로 제시함. → 시간의 흐름에 따른 변화 과정을 한눈에 쉽게 알아보게 함.

ㅁ 이해

목뼈 휘는 '거북목 증후군' 질환 급증

(와이티엔(YTN))

종류 텔레비전 뉴스
중심 화제 거북목 증후군
주제 급증하고 있는 '거북목 증후군' 환자

기자: 업무 때문에 종일 컴퓨터와 스마트폰을 사용하는 직장인 정○○ 씨. 평소 목에 통증이 있었지만 금방 사라져 대수롭지 않게 생각했습니다. 그런데 최근 들어 어깨에도 통증이 오고 목을 좌우로 돌리기가 힘들어 병원을 찾았는데 거북목 증후군 진단을 받았습니다.

거북목 증후군 환자: 평상시에 컴퓨터를 많이 다루다 보니까 목이 뻐근했는데 6월에 통증이 나타나기 시작하더니 그 통증이 어깨까지 오게 돼서 병원에서 진료 받게 되었습니다.

기자: 거북목 증후군은 거북이 목처럼 몸에서 머리가 길게 빠져나온 자세를 빗대어 부르는 질환입니다. 최근 환자가 꾸준히 늘어 지난 2011년 600여 명에서 2015에는 1,100명이 넘었습니다.

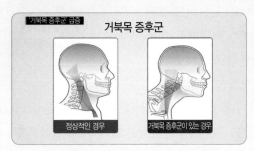

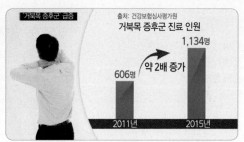

―――――――
● **대수롭다** 중요하게 여길 만하다.

● **매체 평가하며 읽기**
방송 매체인 뉴스의 특징을 떠올려 보고 사용된 매체 자료를 선택한 까닭을 생각해 봐요.

2-1 다음 빈칸에 들어갈 알맞은 말을 고르시오.

이 뉴스에서는 (　　) 뉴스의 내용을 이해하는 데 도움이 되었어요.

① 중요 내용을 그림, 사진, 도표로 제시하여 보여 주어서

② 전문가의 의견을 인터뷰한 동영상을 제시하여 보여 주어서

● **매체 평가하며 읽기**
텔레비전 뉴스에 쓰인 표현 방법이 무엇이고 그것이 적절하게 쓰였는지 그 효과를 따져 살펴봐요.

2-2 이 뉴스의 표현 방법을 평가하는 내용으로 알맞지 **않은** 것을 고르시오.

① 거북목 증후군의 뜻과 원인을 표로 정리해서 알아보기 쉬웠어요.

② 거북목 증후군으로 병원을 찾는 환자가 급증했다는 사실을 도표로 제시하여 이해하기 쉽네요.

이 글은

가격에 숨어 있는 판매 전략을 설명한 글로, 소비를 부추기는 판매 전략을 고려하여 현명한 소비를 할 것을 당부하고 있습니다.

간단 체크

- 주제: (ㄱㄱ)과 관련한 판매 전략
- 문단 요약
  1문단: 가격과 관련한 판매 전략
  2문단: 가격과 관련한 실험
  3문단: 단수 가격의 뜻
  4문단: (ㄷㅅ) 가격을 쓰는 까닭
  5문단: 알뜰하고 현명한 소비자가 되자는 당부

어휘 풀이

- **판매** 상품을 팖.
- **전략** 정치, 경제 등의 사회적 활동을 하는 데 필요한 방법과 계획.
- **무작위** 아무런 조작 없이 일어날 수 있는 모든 일이 같은 확률로 일어나게 함.
- **고객** 상점 따위에 물건을 사러 오는 손님.
- **저렴하다** 값이 싸다.
- **신중하다** 매우 조심스럽다.
- **소비** 돈, 물건, 시간, 노력 힘 등을 써서 없앰.

[01~03] 다음 글을 읽고 물음에 답하시오.

소비자가 물건을 살 것인지 말 것인지를 결정하는 데 가격은 큰 영향을 끼치죠. 그래서 물건을 팔려는 사람들은 더 많은 소비자가 지갑을 열도록 가격과 관련한 여러 가지 판매 전략을 세운답니다. 그럼 지금부터 가격과 관련한 판매 전략 중 하나를 살펴보겠습니다.

먼저 흥미로운 실험을 하나 보고 가죠. 미국에서 한 실험인데요, 한 의류 회사에서 똑같은 옷을 두고 가격만 다르게 적은 세 종류의 상품 안내서를 만들었습니다. 첫 번째 안내서에는 옷의 가격을 34달러로 표시하였고, 두 번째에는 39달러로, 마지막 하나에는 44달러로 표시했지요. 그리고 이 안내서들을 무작위로 고

▲ 세 종류의 상품 안내서

객들에게 보냈습니다. 사람들이 가장 많이 주문한 옷은 어떤 것일까요? 놀랍게도 39달러로 표시된 옷이 가장 많은 주문을 받았다고 합니다. 이 실험을 한 사람들은 그 까닭을 숫자 '9'에서 찾았습니다. ⓐ

▲ 상품에 단수 가격을 매긴 예

자, 이번에는 사진을 한번 살펴봅시다. 사진에 나타난 가격에는 어떤 공통점이 있나요? 네, 가격에 숫자 9가 많이 들어 있다는 점을 눈치챘을 것입니다. 과연 9는 무엇 때문에 이렇게 많이 쓰였을까요? 그 까닭은 바로 '단수 가격(Odd Price)'을 이용한 판매 전략 때문입니다. 단수 가격이란 100원, 1,000원, 10,000원 등과 같이 딱 떨어지는 가격이 아니라, 그에 조금 못 미치는 가격을 말합니다. 예를 들어 9,900원, 990원 등이 이에 해당합니다.

그렇다면 단수 가격을 쓰는 까닭은 무엇일까요? 단수 가격이 매겨진 제품은 소비자에게 저렴하다고 인식되기 때문입니다. 예를 들어 10,000원짜리 티셔츠가 있고 9,900원짜리 티셔츠가 있다고 해 보죠. 실제 가격 차이는 100원이지만 사람들은 하나는 만 원대, 다른 하나는 천 원대의 티셔츠로 인식할 것입니다. 1,000원짜리 과자와 990원짜리 과자의 경우에도 역시 가격 차이는 10원에 지나지 않지만 천 원대와 백 원대로 구분하여 인식하는 것이죠. 〈중략〉

지금까지 가격과 관련한 판매 전략을 살펴보았습니다. 가격과 관련한 판매 전략을 알고 나니 앞으로는 조금 더 신중하게 소비해야겠다는 생각이 들죠? 오늘 함께 알아본 판매 전략을 잘 이해하여 알뜰하고 현명한 소비자가 되길 바랍니다.

– 박정호, 〈소비자의 지갑을 여는 가격의 비밀〉에서

글쓴이의 의도 파악하기

01 글쓴이가 이 글을 쓴 의도로 가장 알맞은 것은?

① 제품의 가격이 정해지고 상점에서 판매되는 과정을 알려 주려고

② 자기 자신보다는 다른 사람을 위한 소비를 해야 행복하다고 말하려고

③ 가격과 관련한 판매 전략을 알고 현명한 소비 생활을 하자고 말하려고

④ 가격과 관련한 판매 전략을 모르고 소비하는 소비자의 태도를 탓하려고

⑤ 가격과 관련한 다양한 판매 전략을 알고 이를 정확히 구분하자고 말하려고

도움말

글의 '끝' 부분의 내용을 이해해 보고, 글쓴이가 글을 통해 전달하려는 내용을 파악해 봐요.

매체 평가하며 읽기

02 이 글에 사용된 ㉠, ㉡의 시각 자료에 대한 설명으로 알맞지 <u>않은</u> 것은?

① ㉠은 단수 가격과 관련한 실험에 사용된 안내서를 그림으로 보여 줌.

② ㉠은 단수 가격과 관련한 실험의 내용을 쉽게 이해하는 데 도움을 줌.

③ ㉡은 단수 가격이 사용된 예를 사진으로 보여 줌.

④ ㉡은 단수 가격이 사용된 실제 모습을 담은 사진을 통해 사실감을 높임.

⑤ ㉠, ㉡은 모두 글의 내용을 압축하여 주제나 핵심을 강조함.

도움말

매체 자료의 종류를 확인하고 매체 자료가 어떤 내용을 설명할 때 제시되었는지 파악한 뒤 표현 방법이 주는 효과를 생각해 봐요.

매체 평가하며 읽기

03 ⓐ에 다음 자료를 제시하였을 때 자료의 효과를 바르게 말한 것은?

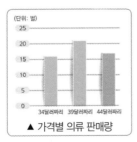

▲ 가격별 의류 판매량

① 글의 내용과 반대되어 적절하지 않군.

② 실험 결과를 한눈에 보여 주어 적절하군.

③ 독자의 흥미를 떨어뜨리니 적절하지 않군.

④ 단수 가격의 개념을 자세히 알 수 있어 적절하군.

⑤ 내용에 전문성과 신뢰성이 느껴지지 않아 적절하지 않군.

도움말

매체 자료가 글의 내용을 이해하는 데 도움이 되는지, 내용과 관련이 있는지 등을 따져 보며 자료의 효과를 평가해 봐요.

개념 한번 더 체크

요약하며 읽기

요약하며 읽기 글의 중심 내용이 드러나게 간략하게 정리하는 것.

선택 중심 내용이 분명히 드러난 중심 문장을 ☐☐.

삭제 덜 중요하거나 반복되는 내용, 예로 든 내용 ☐☐.

일반화 세부 정보가 여러 개일 때 이들을 포괄하는 말로 일반화.

재구성 중심 내용이 드러나지 않으면 중심 문장을 새롭게 재구성.

예측하며 읽기

예측하며 읽기 글의 내용이나 글쓴이의 의도를 추측하면서 읽는 것.

읽기 전

☐☐☐☐이나 경험, 글의 제목, 차례 등의 읽기 맥락을 활용하여 글의 전체적인 내용이나 구성을 예측.

읽는 중

배경지식이나 경험, 글과 사진이나 그림 등의 정보, 읽기 상황을 활용하여 단어나 문장의 의미, 이어질 내용, 글이 독자에게 미칠 영향 등을 예측.

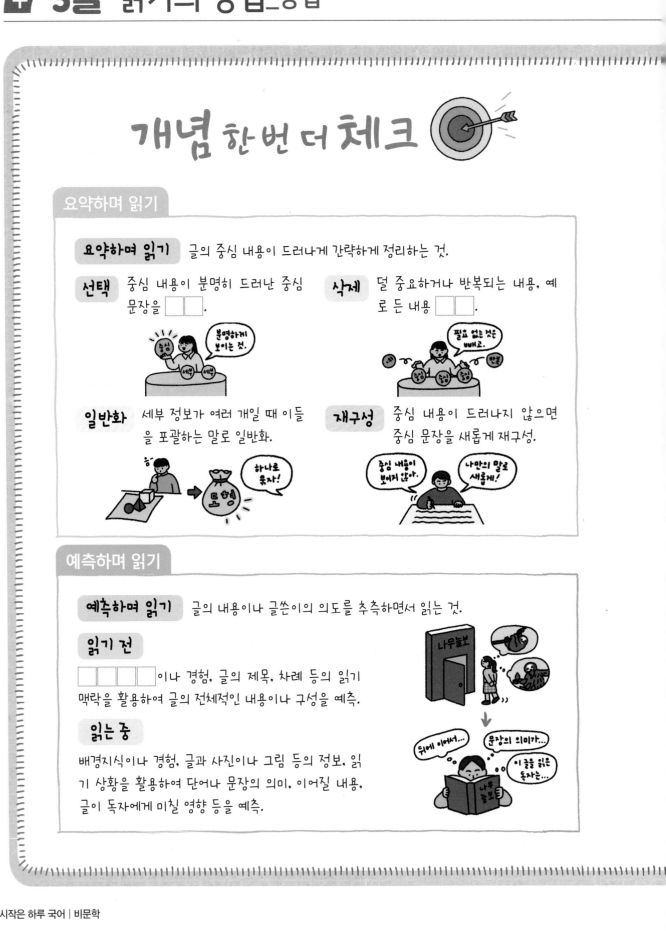

비교하며 읽기

비교하며 읽기 동일한 화제를 다룬 여러 글을 읽으며 ☐☐이나 ☐☐의 차이를 파악하는 것.

관점 비교하기

글쓴이가 화제를 바라보는 태도나 입장의 차이를 비교.

형식 비교하기

글의 형식의 차이를 비교하고 어떠한 표현 효과가 나타나는지 평가.

매체 평가하며 읽기

매체의 종류	
인쇄 매체	책, 신문, 잡지 등
방송 매체	라디오, 텔레비전 등
인터넷 매체	온라인 대화, 블로그, 누리소통망 서비스(SNS) 등

매체의 표현 방법	
언어 표현	어휘나 문장
시각 자료	그림, 사진, 도표 등
청각 자료	소리, 음악 등
시청각 자료	동영상, 애니메이션 등

매체를 바르게 읽는 방법

• 매체의 특성과 매체에 사용된 ☐☐☐☐ 이해.
• 매체의 표현 방법에 따른 효과와 매체를 활용한 글쓴이의 의도 파악.

답 선택, 삭제, 배경지식, 관점, 형식, 표현 방법

이 글은

석빙고의 얼음 저장 과정에 담긴 과학적 원리를 두 단계로 나누어 설명한 글입니다.

간단 체크

· 주제: 석빙고의 (○○) 저장 원리

· 문단 요약
(가): 석빙고의 얼음 저장 과정
(나): 석빙고의 얼음 저장 원리 ①-냉각 원리
(다): 석빙고 내부를 냉각하는 데 도움을 주는 (ㄴㄱㅂ)
(라): 석빙고의 얼음 저장 원리 ②-저온 상태 유지 원리
(마): 석빙고 내부를 저온 상태로 유지하는 데 도움을 주는 (ㅊㅈ) 구조

어휘 풀이

● **석빙고** 얼음을 넣어 두던 창고.

● **냉각** 식어서 차게 됨. 또는 식혀서 차게 함.

● **저온** 낮은 온도.

● **소용돌이** 기체나 액체가 팽이처럼 회전하는 부분. 또는 그러한 현상.

● **추진력** 물체를 밀어 앞으로 내보내는 힘.

● **절묘하다** 비교할 데가 없을 만큼 아주 놀랍고 신기하다.

● **아치형** 활과 같은 곡선으로 된 모양이나 형식.

● **환기구** 탁한 공기를 맑은 공기로 바꾸거나 온도 조절을 하기 위하여 만든 구멍.

[01~06] 다음 글을 읽고 물음에 답하시오.

가 석빙고(石氷庫)의 얼음 저장 과정은 냉각과 저온 유지의 두 단계로 나뉜다. 얼음을 넣기 전에 내부를 냉각하는 것이 첫 번째 단계이고, 얼음을 넣은 뒤 7~8개월 동안 내부 온도를 낮게 ㉠유지하는 것이 두 번째 단계이다. 두 단계 중 어느 하나라도 잘못되면 더운 여름철에 차가운 얼음을 맛볼 수 없다.

나 첫 번째 단계는 겨울에 석빙고의 내부를 ㉡냉각하는 것이다. 석빙고 내부를 차게 만드는 것은 얼음을 저장하는 데 가장 기본적인 작업이라고 할 수 있다. 전문가들이 ㉢측정한 바에 따르면 경주 석빙고의 겨울철 내부 온도는 평균 영상 3.9도라고 한다. 일반적으로 건물의 지하실 내부 평균 온도가 영상 15도 안팎이라는 것을 생각하면 석빙고 내부가 얼마나 차가운지 쉽게 알 수 있다.

다 겨울이라고 해도 건물 내부를 냉각하는 것이 쉽지는 않다. 그런데 우리 조상들은 어떻게 석빙고 내부를 잘 냉각할 수 있었을까? 그 비밀은 석빙고 출입문 옆에 세로로 튀어나온 '날개벽'에 숨어 있다. 겨울에 부는 찬바람은 날개벽에 부딪히면서 소용돌이로 변

▲ 석빙고의 날개벽

한다. 이 소용돌이는 추진력이 있어서 빠르고 힘차게 석빙고 내부 깊은 곳까지 밀고 들어간다. 석빙고 내부는 그렇게 해서 냉각된다.

라 두 번째 단계는 2월 말 무렵에 얼음을 저장하고 나서 7~8개월 동안 석빙고 내부를 저온 상태로 유지하는 것이다. 늦겨울에 저장한 얼음은 봄이 지나고 여름이 되어도 녹지 않아야 한다. 전혀 녹지 않게 할 수는 없겠지만, 석빙고 내부를 저온 상태로 유지해 녹는 속도를 최대한 늦춰야 하는 것이다. 그렇다면 어떻게 한여름에도 저온 상태를 유지할 수 있었을까?

마 그 비밀을 알려면 먼저 석빙고의 절묘한 천장 구조를 살펴보아야 한다. 석빙고의 천장은 1~2미터 간격을 두고 나란히 ㉣배치된 4~5개의 아치형 구조물로 이루어져 있다. 각각의 아치 사이에는 자연히 움푹 들어간 공간이 생기게 된다. 이 공간을 '에어 포켓'이라고 하는데, 여기에 비밀이 숨어 있다. 얼음을 저장하고 나서 시간이 지나면 내부 공기는 조금씩 더워진다. 하지만 더

▲ 석빙고 단면도

운 공기가 위로 뜨는 순간 그 공기는 에어 포켓에 갇혀 아래로 내려올 수 없게 된다. 에어 포켓에 갇힌 더운 공기는 에어 포켓 위쪽에 ㉤설치된 환기구를 통해 밖으로 빠져나간다. 이렇게 해서 석빙고 내부는 한여름에도 저온 상태를 유지할 수 있었다.

석빙고가 한여름에도 저온 상태로 유지할 수 있었던 비밀은 또 있다.

– 이광표, 〈조상의 슬기가 낳은 석빙고의 비밀〉에서

01 이 글에 대한 설명으로 알맞은 것은?

① 석빙고의 종류를 구분하여 설명하고 있다.
② 석빙고의 쓰임을 예를 들어 설명하고 있다.
③ 석빙고의 문제점을 분석하여 설명하고 있다.
④ 석빙고가 무엇인지 그 뜻을 밝혀 설명하고 있다.
⑤ 석빙고의 얼음 저장 과정을 단계에 따라 설명하고 있다.

02 이 글의 구조를 고려하여 요약할 때, ⓐ, ⓑ에 들어갈 내용으로 알맞은 것은?

	ⓐ	ⓑ
①	석빙고의 뜻	석빙고 위치
②	석빙고 건축의 원리	석빙고와 자연의 관계
③	석빙고 내부의 냉각 원리	석빙고 내부의 저온 상태 유지 원리
④	냉장고와 석빙고의 원리 차이	석빙고의 내부와 외부 모습
⑤	석빙고 내부의 저온 상태 유지 원리	석빙고에서 얼음을 만드는 원리

03 다음 매체 자료를 제시하기에 가장 알맞은 문단과 그 효과를 바르게 연결한 것은?

◀ 석빙고 내부

① (가)-글의 내용을 요약하여 보여 준다.
② (나)-석빙고의 얼음 저장 과정을 한눈에 보여 준다.
③ (다)-석빙고의 날개벽의 위치를 아는 데 도움을 준다.
④ (라)-겨울철의 석빙고 외부의 모습을 느끼게 한다.
⑤ (마)-석빙고 내부의 저장 원리를 이해하는 데 도움을 준다.

04 (가)~(마)를 요약하는 방법을 바르게 말하지 않은 것은?

서연
① (가)는 '석빙고의 얼음 저장 과정은 냉각과 저온 유지의 두 단계로 나뉜다.'를 선택해서 요약했어.

서준
② (나)도 '첫 번째 단계는 겨울에 석빙고의 내부를 냉각하는 것이다.'를 선택해서 요약했어.

지원
③ (다)는 중심 내용이 드러난 문장이 없어서 '석빙고 내부가 냉각이 잘되는 것은 겨울바람을 효과적으로 이용할 수 있게 만든 날개벽 때문이다.'로 재구성하여 요약했어.

지호
④ (라)는 첫 문장에서 중요하지 않은 내용을 삭제하고 '두 번째 단계는 2월 말 무렵에 얼음을 저장하는 것이다.'로 요약했어.

하은
⑤ (마)는 '석빙고가 저온 상태를 유지할 수 있었던 것은 더워진 내부 공기를 에어 포켓에 가두었다가 밖으로 빼내는 천장 구조 때문이다.'로 재구성하여 요약했어.

05 다음 빈칸에 들어갈 답으로 알맞은 것은?

(마) 뒤에 어떤 내용이 이어질까?

(마)의 마지막 문장으로 보아 (   )이 나올 것 같아.

① 우리 조상들의 지혜를 보여 주는 물건
② 우리 조상들이 석빙고를 만들게 된 까닭
③ 석빙고 내부를 저온 상태로 유지하는 비밀
④ 에어 포켓에 갇힌 더운 공기가 빠지는 과정
⑤ 우리 조상들이 겨울에 얼음을 채취하는 방법

06 문맥상 ㉠~㉢과 바꿔 쓰기에 알맞지 않은 것은?

① ㉠: 펼치는   ② ㉡: 차게 하는
③ ㉢: 잰   ④ ㉣: 놓인
⑤ ㉤: 만들어진

간단 체크

- **주제:** 착한 소비의 실천을 통해 기업, (ㅅㅎ), 세상의 미래를 바꿀 수 있음.
- **문단 요약**

  1~2문단: 경제적 어려움 속에서 확산하는 착한 소비의 움직임

  3~4문단: (ㄱㅇ)의 경영에 영향을 미치는 착한 소비

  5~6문단: 경제가 어려울수록 착한 소비가 확산되는 (ㄲㄷ)

  7문단: 착한 소비의 중요성

어휘 풀이

- **공정 무역** 상호 간에 혜택이 동등한 가운데 이루어지는 무역.
- **여파** 어떤 일이 끝난 뒤에 남아 미치는 영향.
- **추세** 어떤 현상이 일정한 방향으로 나아가는 경향.
- **가치 지향적** 어떤 사고나 행위를 할 때 가치의 문제를 가장 중요한 기준으로 삼는 것.
- **제삼 세계** 제이차 세계 대전 뒤, 아시아, 아프리카, 라틴 아메리카의 개발 도상국을 이르는 말.
- **이미지 마케팅** 상표 콘셉트 등 감성에 의한 이미지를 고객의 마음속에 심어 주는 활동.
- **호모 에코노미쿠스** 윤리적이거나 종교적인 동기와 같은 외적 동기에 영향을 받지 않고 순전히 자신의 경제적인 이득만을 위해 행동하는 사람.

[07~11] 다음 글을 읽고 물음에 답하시오.

세계 공정 무역 매출액은 지난 2004년 이래 꾸준히 증가해 왔는데, 특히 2008년 이후 금융 위기의 여파로 세계 경제 성장률이 마이너스로 돌아섰을 때에도 공정 무역 매출액은 증가 추세를 보였다.

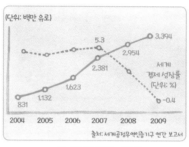

▲ 세계 공정 무역 매출액

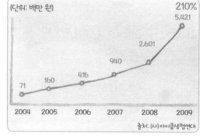

▲ 국내 공정 무역 매출액

우리나라의 상황도 이와 다르지 않다. 우리나라의 공정 무역 매출액은 2008년에서 2009년까지 1년 사이에 무려 210퍼센트나 증가했다. 경제가 안 좋을 때 타인을 생각하는 착한 소비가 오히려 늘어나는 이상한 현상이 벌어진 것이다. 〈중략〉

사람들은 이제 가격이나 품질이 아무리 좋아도 비인간적이고 이기적인 과정을 거쳐 만들어진 물건이라면 더는 그것을 소비하려 들지 않는다. 따라서 기업들도 예전보다 훨씬 더 가치 지향적인 경영을 해야 한다. 한 세계적인 커피 회사는 2000년대 초반 제삼 세계 커피 농부들을 정당하게 ㉠대우하지 않는다는 사실이 알려지면서 엄청난 손가락질을 받은 뒤, 공정 무역 커피를 ㉡도입하며 친환경 기업의 이미지를 만들어 나갔다.

물론 착한 가치를 내세운다고 해서 기업이 선한 의도와 목적을 갖게 되었다고 보기는 어렵다. 이것이 윤리 경영이 아니라 이미지 마케팅에 불과하다고 보는 시각도 많다. 그러나 기업이 선하게 행동하도록 만든 것 자체가 한 단계 나아가는 것임은 분명하다. 좋은 일을 하는 기업이 성공하는 사례가 거듭된다면 점차 시장의 질서도 합리적으로 바뀔 것이다. 그리고 세계는 이미 그러한 방향으로 변해 가고 있다.

그동안 경제학에서는 합리적인 선택을 하는 것, 즉 자신에게 가장 이익이 되는 쪽을 선택하는 것이 '호모 에코노미쿠스'인 인간의 본성이라고 여겨 왔다. 경제학에서 이제껏 인간의 이기적 본성을 ㉢부각해 왔던 것은 모두가 자기 위치에서 자기 이익을 추구하면 그것이 건강한 경쟁을 통해 모든 사람에게 행복을 가져다줄 것이라고 믿었기 때문이다. 하지만 이기심을 바탕으로 한 경쟁은 기대와 달리 환경 파괴, 물질 숭배, 지나친 경쟁, 인간성 상실 등 온갖 문제를 발생시켰다. / 지금 세계 곳곳에서 나타나는 착한 소비의 움직임은 그동안의 이기적 선택에 대한 반성과 함께 이타심(利他心)이라는 인간의 본성이 ㉣발현된 것이라고 할 수 있다. 경제가 어려울수록 착한 소비가 더욱 ㉤확산하는 이유 역시 여기에서 찾을 수 있다.

착한 소비는 단순히 경제 활동의 문제가 아니다. 착한 소비는 한 장의 투표용지와 같다. 우리가 어디에, 어떻게 소비하느냐에 따라 기업이, 사회가, 그리고 세상의 미래가 달라질 수 있다.

– 케이비에스(KBS) 〈명견만리〉 제작진, 〈착한 소비, 내 지갑 속의 투표용지〉에서

07 이 글의 표현 방식으로 알맞지 않은 것은?

① 정확한 수치를 제시하여 내용의 신뢰성을 높였다.
② 구체적인 사례를 제시하여 근거의 타당성을 높였다.
③ 도표를 제시하여 내용에 대한 독자의 이해를 도왔다.
④ 설문 조사 결과를 제시하여 독자의 흥미를 불러일으켰다.
⑤ 착한 소비를 '투표용지'에 비유하여 인상적으로 표현하였다.

08 이 글의 내용을 요약한 것으로 알맞지 않은 것은?

① 경제가 나빠질 때 착한 소비는 오히려 늘어나고 있다. ② 하지만 우리나라는 착한 소비가 오히려 줄어드는 이상한 현상이 벌어지고 있다. ③ 착한 소비의 확산은 기업이 윤리적인 경영을 하는 데도 영향을 미치고 있다. ④ 착한 소비는 그동안의 이기적 선택에 따른 반성과 함께 이타심이라는 인간의 본성이 발현된 것이라 할 수 있다. ⑤ 소비 방식에 따라 기업, 사회, 세상의 미래가 달라질 수 있다.

09 이 글이 독자에게 미칠 긍정적인 영향을 예측한 내용으로 알맞지 않은 것은?

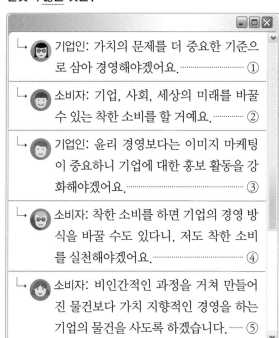

└ 기업인: 가치의 문제를 더 중요한 기준으로 삼아 경영해야겠어요. ……………… ①

└ 소비자: 기업, 사회, 세상의 미래를 바꿀 수 있는 착한 소비를 할 거예요. ………… ②

└ 기업인: 윤리 경영보다는 이미지 마케팅이 중요하니 기업에 대한 홍보 활동을 강화해야겠어요. ………………… ③

└ 소비자: 착한 소비를 하면 기업의 경영 방식을 바꿀 수도 있다니, 저도 착한 소비를 실천해야겠어요. ……………… ④

└ 소비자: 비인간적인 과정을 거쳐 만들어진 물건보다 가치 지향적인 경영을 하는 기업의 물건을 사도록 하겠습니다. …… ⑤

10 이 글과 〈보기〉를 비교한 내용으로 알맞지 않은 것은?

보기

착한 소비를 아십니까?

더불어 사는 사회   무한 경쟁 사회

공정한 물건   불공정한 물건

투표함   투표함

착한 소비
공정한 생산과 유통 과정을 거친 물건을 선택하는 소비.

착한 소비는 투표용지와 같이
세상의 미래를 바꿀 수 있는 힘이 됩니다.

		이 글	〈보기〉
①	공통 화제	착한 소비	
②	글의 형식	주장하는 글	광고문
③	글의 목적	착한 소비를 하자고 설득함.	착한 소비를 한 경험을 서술함.
④	글의 특징	주장을 뒷받침하는 근거를 제시함.	짧은 문구와 그림을 함께 제시함.
⑤	글의 주제	착한 소비의 효과와 영향력	착한 소비를 하자.

11 ㉠~㉤을 활용하여 짧은 글을 지을 때 알맞지 않은 것은?

① ㉠: 모든 학생을 동등하게 대우하여 불편함이 없도록 하세요.
② ㉡: 첨단 장비를 도입하여 새 건물을 짓기로 하였다.
③ ㉢: 태풍으로 많은 인명과 재산의 피해가 부각하였다.
④ ㉣: 태극기를 보자 애국심이 발현되어 가슴이 벅차올랐다.
⑤ ㉤: 마스크는 전염병이 확산하는 것을 막는 역할을 하기도 한다.

9주

5일

누구나 100점 테스트

▶▶136~137쪽 참고

01 요약하기에 대해 바르게 설명한 것을 고르시오.

(1) 요약하기는 글의 중심 내용을 간략히 정리하는 것이다.

(2) 요약하기는 글의 세부 정보를 자세히 나열하는 것이다.

▶▶136~139쪽 참고

02 내용을 요약한 방법을 〈보기〉에서 찾아 쓰시오.

보기

삭제   선택   일반화   재구성

(1) 나래는 머리가 좋다. 한 번 보거나 들은 것을 절대 잊지 않는다. 문제가 생겼을 때는 효과적인 방법을 찾아 해결한다.

→ 나래는 머리가 좋다.

(   )

(2) 학생들이 가방을 들고 있다. 학생들이 학교에 간다.

→ 학생들이 가방을 들고 학교에 간다.

(   )

(3) 석호는 달리기를 좋아한다. 피구나 배구도 좋아한다.

→ 석호는 운동을 좋아한다.

(   )

(4) 수업 종이 울리기 전, 우리는 국어 교과서를 꺼내 놓았고, 연필과 지우개를 꺼냈다.

→ 우리는 국어 수업을 들을 준비를 했다.

(   )

▶▶142~145쪽 참고

03 읽기의 방법에 대한 설명으로 알맞은 것을 고르시오.

(요약하며 읽기 / 예측하며 읽기)는 글을 읽을 때 배경지식이나 경험, 읽기 맥락을 활용하여 글의 내용 등을 미리 예측하는 것이다.

▶▶142~145쪽 참고

04 글을 읽으며 예측한 내용과 예측에 활용한 요소를 바르게 연결하시오.

(1) 😊 표지를 보니 환경 오염과 관련한 내용의 글일 것 같아. ·

· ㉠ 읽기 맥락

(2) 😃 이 그림을 보니 환경 오염이 인체에 미치는 영향을 뒤에서 다루지 않을까? ·

(3) 😊 환경 오염의 주범이 플라스틱이라고 알고 있는데, 이 글에서는 이와 관련한 내용을 다룰 것 같아. ·

· ㉡ 배경지식 이나 경험

▶▶144~145쪽 참고

05 예측하며 읽기 활동을 했다고 볼 수 <u>없는</u> 사람을 고르시오.

글의 마지막 문단을 통해 글쓴이의 의도를 짐작할 수 있어.

효연

사전을 찾아보니 '동료애'는 동료끼리 서로 아끼고 사랑하는 마음을 뜻해.

지우

몸이 아픈 친구의 가방을 들어준 경험이 있어. 동료를 돕는 고래를 통해 동료애의 가치를 말하겠군.

아연

◦ 정답과 해설 30쪽

▶▶148~149쪽 참고

06 (가)와 (나)의 관점을 바르게 비교한 것을 고르시오.

> (가) 수명을 다한 인공위성은 새로운 관광 자원이
> 될 수 있다.
> – 〈수명을 다한 인공위성 다시 보기〉
> (나) 수명을 다한 인공위성은 우주 쓰레기가 되어
> 여러 가지 피해를 준다.
> – 〈우주 개발의 걸림돌, 우주 쓰레기〉

(1)	(가), (나)는 모두 인공위성을 긍정적으로 바라본다.	(2)	인공위성에 대해 (가)는 긍정적, (나)는 부정적으로 바라본다.

▶▶148~151쪽 참고

07 (가)~(다)를 비교하여, 다음 항목에 맞게 나누시오.

> (가) 꺼지지 않는 인공조명들이 창으로 들어와 잠
> 에서 깬 적이 있을 것이다. 번화가 근처에 산다면
> 더 자주 겪게 되는데, 숙면해야 할 밤에는 빛이 없
> 는 것이 좋으므로 인공조명을 줄여야 한다.
> – 〈잠들지 않는 도시의 밤, 빛 공해가 심각하다〉
> (나) "잠을 잘 수가 없어. 이곳은 밤에도 늘 환하게
> 불이 켜져 있거든."
> 시골 쥐가 커다란 나무 이파리로 굴을 막자 굴
> 속은 어두워졌고 도시 쥐는 편안히 잠들 수 있었답
> 니다.
> – 〈시골 쥐와 도시 쥐-빛 공해〉
> (다) 도시의 야간 조명은 어둠을 밝히기 위한 수단
> 이기도 하지만 감성을 자극하기도 한다. 따라서
> 빛의 도입을 적극적으로 검토해야 한다.
> – 〈밤이 아름다운 도시〉

관점이 나머지와 다른 글	
형식이 나머지와 다른 글	

▶▶148~151쪽 참고

08 비교하며 읽기에 대한 설명으로 맞으면 ○, 틀리면 ×표를 하시오.

(1) 글이란, 동일한 화제를 다루어도 서로 다른 관점에서 쓰일 수 있고, 다양한 형식으로 표현될 수도 있다. (　　)

(2) 비교하며 읽을 때 글쓴이의 관점이 아니라 형식을 비교하며 읽는 것이 좋다. (　　)

▶▶154~157쪽 참고

09 다음 매체 자료의 종류와 특성으로 알맞은 것을 고르시오.

> 일기 예보의 내용을 (그림 / 사진)으로 보여 주
> 어 지역별 날씨를 한눈에 알 수 있고, 기상 캐스터가
> 전달하는 내용을 (쉽게 / 천천히) 파악할 수 있다.

▶▶156~157쪽 참고

10 다음 매체 자료의 적절성을 바르게 평가한 것을 고르시오.

> **유기 동물 3년 연속 증가**
>
> 유기 동물의 수가 3년 연속 증가 추세를 보이고 있다. …… 유기 동물의 수는 2014년 8만 천여 마리에서 2015년 8만 2천여 마리, 2016년 8만 9천여 마리로 조사되었다.

(1)	도표를 통해 유기 동물의 수가 3년 연속 증가한 사실을 한눈에 보여 준다.	(2)	글의 내용과 어울리게 유기 동물의 표정을 밝게 했으면 좋겠다.

❶ 어휘 챌린지

4주에는 읽기의 방법에 대해 배웠습니다. 배운 글들을 떠올리며 글에 나온 단어들의 뜻을 익혀 봅시다. 각 단계에 따라 풀어 보고, 우리말 달인이 되어 보세요.

1 다음 그림을 참고하여 문장의 흐름에 맞는 단어를 고르세요.

① 디지털 시대에 혹사 무시 당하는 우리 눈을 보호해 주세요.

② 군인들은 훈련하기 전에 크림 등으로 위장 위선 을 한다.

③ 물을 담은 틀을 냉동실에 넣으면 냉각 망각 되어 물이 얼음으로 변한다.

④ 가뭄과 고온의 한파 여파 로 채소값이 크게 올랐다.

⑤ 공공 기관의 일회용품 사용 줄이기 실천 지침이 법제화 다각화 되었다.

2 아래 뜻풀이에 해당하는 단어를 찾아 ○ 표시하고, 남은 글자를 골라 책 읽기와 관련된 한자 성어를 만들어 보세요.

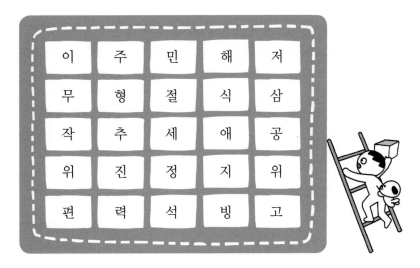

이	주	민	해	저
무	형	절	식	삼
작	추	세	애	공
위	진	정	지	위
편	력	석	빙	고

1 ㅈㅅ
사물의 처리에 정하여져 있는 일정한 방식.

2 ㅅㅂㄱ
얼음을 넣어 두던 저장고.

3 ㅎㅈ
바다의 밑바닥.

4 ㅎㅅㅇ
해안 침식과 풍화 작용에 의해 해안에 생긴 낭떠러지.

5 ㅊㅈㄹ
물체를 밀어 앞으로 내보내는 힘.

6 ㅊㅅ
어떤 현상이 일정한 방향으로 나아가는 경향.

7 ㅁㅈㅇ
아무런 조작 없이 일어날 수 있는 모든 일이 같은 확률로 일어나게 함.

8 ㅇㅈㅁ
다른 지역에서 옮겨 와서 사는 사람. 또는 다른 곳으로 옮겨 가서 사는 사람.

ㅇㅍㅅㅈ : 공자가 책을 즐겨 읽어 책의 가죽끈이 세 번이나 끊어졌다는 뜻으로, 책을 열심히 읽음을 이르는 말.

❷ Q&A 챌린지

글을 읽으면서 앞부분의 내용이 기억이 나지 않아 다시 돌아가 읽거나 내용을 이해하기 어려웠던 적이 있을 겁니다. 이 럴 때 읽기 과정을 스스로 점검해 보는 방법이 있습니다. 카드 뉴스를 통해 자세히 알아봅시다.

> **능숙하게 글을 읽는 독자가 되려면 어떻게 해야 할까요?**

능숙한 독자란

능숙한 독자는 자신의 읽기 과정을 스스로 점검하고 조정하여 글을 효율적으로 읽습니다.

읽기 과정이란

읽기 과정은 '읽기 전-읽기 중-읽은 후'로 나눌 수 있 어요. 각 과정마다 해당하는 읽기 방법이 있는데요. 읽기 상황에 따라 적절히 적용하면 돼요.

읽기 전 활동

- 읽기 목적 정하기
- 제목이나 차례 훑어보기
- 배경지식 활성화하기
- 궁금한 점, 알고 싶은 점 등 질문 만들기

읽기 중 활동

- 예측한 내용 확인하기
- 질문하고 답 찾기
- 글의 내용 파악하기
- 글쓴이의 의도 추론하기
- 공감하거나 비판하기

읽은 후 활동

- 요약하기
- 새롭게 알게 된 점 정리하기
- 주제 파악하기
- 자신의 생활에 적용하기

점검·조정하며 읽기

점검하며 읽기 + 조정하며 읽기 → 내용 이해 = 읽기 목적 달성

점검하고 조정하며 읽기는 글을 읽는 과정에서 부딪히는 다양한 문제를 해결하고 자신의 읽기 과정이 올바르게 이루어지는지를 보는 적극적인 읽기예요.

읽기 과정의 점검과 조정

정보 파악이 목적인가?

예 점검

메모하며 읽자.

읽기의 목적에 맞는 글인가?

아니요 조정

목적에 맞는 글을 찾자.

글을 읽는 중에 자신에게 질문을 하고 이에 답하면서 읽기 과정을 점검해 봐요. 그리고 이 과정에서 문제점을 발견하면 읽기 과정을 조정해요.

읽기 과정의 점검과 조정

 글이 어려워. → 쉬운 글을 찾자.

 피곤해서 집중력이 떨어져. → 잠시 쉬자.

 시끄러워서 집중이 안 돼. → 소음을 차단하자.

글을 읽는 중에 읽기 환경에 문제가 발생했을 때도 점검과 조정이 가능해요.

이렇게 글을 읽는 동안 자신의 읽기 과정을 점검하고 조정하는 습관을 가진다면 높은 수준의 읽기 능력을 갖출 수 있을 거예요!

③ 갈래 탐구 챌린지

우리는 생활하면서 여러 매체를 통해 광고를 자주 접하지요? 4주에서는 광고문의 뜻과 특성, 광고문의 종류, 광고문을 읽는 방법 등에 대해 자세히 알아봅시다.

내 안의 국어 DNA를 깨우자!

국어 공부력을 기르는
DNA 깨우기

중학에서 다지는 국어 공부력

비문학 독해, 문법, 어휘, 문학 등
어느 것 하나 놓칠 수 없는
중학 국어 공부의 확실한 해법!

알찬 구성, 친절한 안내

개념·원리 이해부터 문제 적용까지
학습 계획표를 따라 공부하면
어느 새 실력이 쑥쑥!

교과 연계로 학습 효율 UP

교과와 연계하여 내용을 선정함으로써
배경지식을 쌓으며 내신도 챙길 수 있는
일석이조의 효율적인 학습 시스템!

비문학 독해 DNA 깨우기 (3권)

1. 독해원리 / 2. 독해기술 / 3. 기출유형

문법 DNA 깨우기 (1권)

어휘 DNA 깨우기 (2권) 기본 / 실력

COMING SOON ── **문학 DNA 깨우기** (3권) 2021년 하반기 출간 예정

정답과 해설
포인트 **3**가지

▶ 혼자서도 이해할 수 있는 친절한 정답 풀이

▶ 헷갈리는 오답도 속 시원히 설명해 주는 명쾌한 오답 풀이

▶ 개념과 제재에 대한 이해를 도와주는 다양한 추가 자료 제공

비문학

하루국어

정답과 해설

정답과 해설

읽기의 기초

1주에는 무엇을 공부할까? ❷
8~9쪽

1 지현: (가), 진우: (나)　**2** ②　**3** 성희-②, 영진-①
4 다른

1일　화제 찾기

개념 원리 확인
10~13쪽

1-1 ㉠: 세계 문화유산, ㉡: 유네스코　**1-2** 종묘
2-1 (가)-①, (나)-③, (다)-②　**2-2** 종우

1-1 ㉠은 '무엇이'에 해당하는 '세계 문화유산은'과 '무엇이
다'에 해당하는 '인류 전체를 ~ 한 형태이다.'로 끊어
읽을 수 있으므로, 문장의 화제는 '세계 문화유산'이
다. ㉡은 '무엇이'에 해당하는 '유네스코는'과 '어찌하
다'에 해당하는 '1972년 세계 ~ 보호해 왔다.'로 끊어
읽을 수 있으므로, 문장의 화제는 '유네스코'이다.

1-2 (나)의 세 문장 모두 '종묘는'으로 시작하며, 종묘의 특
징에 대해 서술하고 있다. 따라서 (나)를 구성하는 문
장의 화제는 모두 '종묘'이다.

2-1 (가)에서는 글의 중심 화제인 '남극과 북극'을 소개하
고, (나)에서는 '남극'을, (다)에서는 '북극'을 중심 화
제로 삼아 각각의 특징을 설명하고 있다.

2-2 글의 중심 화제는 글쓴이가 중요하게 다루는 대상이
다. 이 글은 각각의 문단을 할애하여 (나)에서는 '남
극'의 특성을 (다)에서는 '북극'의 특성을 설명하고 있
으므로 '남극과 북극' 모두가 글의 중심 화제이다.

1일　기초 집중 연습
14~15쪽

간단 체크　식사, 젓가락, 일본

01 ②　**02** ①　**03** ⑤

제재 소개　김경은, 〈한중일 삼국의 젓가락〉
종류　설명하는 글
중심 화제　한중일의 젓가락
특징　① 한중일 삼국의 식사 문화와 젓가락 모양의 차이를 비
　　　　교·대조함.
　　　　② 식사 문화에 따라 젓가락 모양이 달라진 것을 인과적
　　　　으로 설명함.

01 (라)에서 한국의 젓가락은 끝을 납작하게 만들었다고
하였다. 젓가락 끝이 뾰족한 것은 일본 젓가락의 특징
이다.
　오답 풀이
⑤ (나)에서 중국인은 온 식구가 커다란 식탁에 둘러
앉아 식사를 한다고 하였고, (라)에서 한국인은 가족
이 함께 밥을 먹는다고 하였다. 따라서 한국과 중국에
서는 가족이 함께 식사하는 문화가 있다.

02 (가)에서는 포크와 비교했을 때 젓가락은 아시아 국가
에서 널리 쓰이며 사용하는 나라에 따라 그 모양이 다
양하다고 설명하고 있으므로, '젓가락의 다양한 모양'
이 문단의 중심 화제로 적절하다.
　오답 풀이
② (나)에서는 중국의 식사 문화의 특징과 이에 따른
젓가락 모양을 설명하고 있으므로, (나)의 중심 화제
는 '중국의 식사 문화와 젓가락의 모양'이다.
③ (다)에서는 일본의 식사 문화와 젓가락 모양에 대
해 설명하고 있으므로, (다)의 중심 화제는 '일본의 식
사 문화와 젓가락의 모양'이다.
④ (라)에서는 한국의 식사 문화와 이에 따른 젓가락
모양의 특징을 설명하고 있으므로, (라)의 중심 화제
는 '한국의 식사 문화와 젓가락의 모양'이 적절하다.
⑤ (마)에서는 한중일 삼국의 젓가락 모양의 특징을
정리하고 있으므로, (마)의 중심 화제는 '한중일 젓가
락의 특징'이 적절하다.

03 이 글에서는 한중일 삼국의 젓가락에 대해 설명하고
있으므로, 글의 제목으로 알맞은 것은 글의 중심 화제
가 드러난 '한중일 젓가락 모양의 차이점'이다.

1-1 (1)　　**1-2** ㅏ　　**2-1** 결과　　**2-2** 하지만-①, 그러므로-③, 또한-②

1-1 ㉠이 가리키는 것은 앞 문장 전체로, 중국의 한자를 빌려 썼으나 한자 자체가 어려워 백성들이 소통하기 힘든 상황을 의미한다. 따라서 ㉠이 가리키는 상황에 처한 인물은 한자로 쓰인 글을 읽지 못하는 사람이다.

1-2 ㉡은 '모음자의 기본자'를 가리키는 지시 표현으로, 이에 해당하는 글자는 '·, ㅡ, ㅣ'이다. 'ㅏ'는 기본자를 합하여 만든 나머지 모음자에 해당한다.

2-1 ㉠에서 '때문에'는 '자신이 좋아하는 영화나 드라마에 사용된 소품이다.'라는 앞의 내용과, '무의식 속에 그 상품이나 기업을 '좋은 상품', '좋은 기업'으로 인식하게 된다.'라는 뒤의 내용을 연결한다. '때문에'는 앞뒤 내용을 원인과 결과의 관계로 이어 주는데, ㉠의 앞의 내용은 뒤의 내용의 원인·이유에 해당하며, ㉠의 뒤의 내용은 앞의 내용의 결과에 해당한다.

2-2 ① 서로 일치하지 않거나 서로 반대되는 사실을 나타내는 두 문장을 이어 줄 때 쓰는 접속어는 '하지만'이다. [A]에서 '하지만'의 앞 문장은 간접 광고를 광고가 아닌 것으로 착각한다는 내용이고, 뒤 문장은 간접 광고는 광고라는 내용이므로 서로 반대되는 사실로 연결되고 있다.
② 서로 비슷한 앞뒤 내용을 연결하는 접속어는 '또한'이다. [A]에서 '또한'의 앞뒤 문장은 모두 간접 광고를 대할 때, 소비자가 지녀야 하는 비판적인 태도를 나타낸다.
③ 앞뒤 문장을 원인과 결과로 연결하는 접속어는 '그러므로'이다. [A]에서 '그러므로'의 앞 문장에 해당하는 내용인 '광고의 정보는 매체 이용자의 소비 심리를 부추기기 위해 제공된다.'는 '광고의 정보가 거짓인지 참인지 따져 보여야 한다.'는 뒤 문장의 내용의 이유나 근거에 해당한다.

접속어의 역할	접속어 예
앞 문장과 비슷한 내용을 이어받아 연결	그리고, 또한, 또, 게다가
서로 반대되는 내용의 앞뒤 문장을 연결	그러나, 하지만, 그렇지만, 그런데
앞뒤 문장을 원인과 결과의 관계로 연결	그래서, 때문에, 그러므로, 따라서, 왜냐하면
앞 문장의 내용을 요약·정리하여 연결	결국, 요컨대, 즉
앞 문장의 내용에 대한 구체적인 예를 연결	예컨대, 예를 들면, 예를 들어, 이를테면, 가령
앞의 내용과 다른 화제로 바꿔서 연결	그런데, 한편

간단 체크　관심, 귀화 식물, 거리감

01 ④　　**02** ⑤　　**03** ④

제재 소개　이유미, 〈다시 보는 귀화 식물〉
종류　설명하는 글
중심 화제　귀화 식물
특징　① 우리 주변에 있는 귀화 식물의 예를 구체적으로 들어 설명함.
　　　② 귀화 식물이 우리나라에 정착하게 된 경로를 인과적으로 설명함.

01 이 글은 귀화 식물이 무엇인지, 우리나라에 살고 있는 귀화 식물에는 어떤 것이 있는지 예를 들어 설명하고 있다. 또한 마지막 문단에서 귀화 식물은 우리나라 생태계를 구성하는 가족들이라는 인식을 갖고, 귀화 식물에 대해 관심을 가질 것을 권유하고 있다.

02 3문단에서 오리새는 도로 공사 때 생긴 비탈면에 심으려고 수입되어 퍼진 귀화 식물이라고 하였다.

오답 풀이

① 1문단에서 자생 식물은 원산지가 우리 땅인 식물이라고 하였다.

② 마지막 문단에서 우리 땅에는 이미 삼백여 종의 귀화 식물이 자리를 잡았다고 하였다.

③ 2문단에서 네잎클로버로 우리에게 친숙한 토끼풀도 귀화 식물이라고 하였다.

④ 4문단에서 서양등골나물은 자생 식물을 밀어내는 대표적인 귀화 식물이라 하였다.

03 ㉣(그런데)은 화제를 앞의 내용과 관련시키면서 다른 방향으로 이끌어 나갈 때 쓰는 접속어이다. ㉣의 앞에서는 귀화 식물이 우리나라에 정착하게 된 다양한 경로를, ㉣의 뒤에서는 사람들이 귀화 식물을 부정적으로 보는 이유를 설명하고 있다. 뒤 문장이 앞 문장의 원인에 해당할 때 쓰는 접속어는 '왜냐하면'이다.

오답 풀이

① ㉠(이 땅)은 앞서 나온 '우리 땅'을 대신하여 사용된 지시 표현이다.

② ㉡(이것들)은 앞서 나온 귀화 식물들을 가리키는 지시어이며, '개망초, 달맞이꽃, 자운영, 토끼풀'을 가리킨다.

③ ㉢(이 밖에)에서 '이'는 도로 공사 때 들어와 우리나라에 정착한 오리새나 큰김의털의 경우를 가리킨다. 따라서 ㉢을 통해 앞서 설명한 오리새나 큰김의털의 예에 더해 귀화 식물이 우리나라에 정착하게 된 또 다른 경로를 제시할 것임을 알 수 있다.

⑤ ㉤(그러나)은 앞뒤 내용이 서로 반대될 때 쓰이는 접속어이다. ㉤의 앞에서는 귀화 식물에 대한 사람들의 부정적인 인식을, ㉤의 뒤에서는 귀화 식물을 무조건 배척하기보다는 귀화 식물에 대해 관심을 가지자는 글쓴이의 제안을 다룬다.

3일 문단 읽기

개념 원리 확인   22~25쪽

1-1 ②   **1**-2 은아   **2**-1 화연   **2**-2 ②

1-1 (가)에서 글쓴이는 문장 ㉠~㉣을 통해 아침밥을 먹지 않는 현대인의 모습을 제시한 뒤, 문장 ㉤에서 '그러나'라는 접속어를 활용해 앞 내용에 반대하는 자신의 주장을 펼쳤다. 문장 ㉥에서는 앞으로 제시할 내용을 소개하며 자신의 주장을 뒷받침하였다. 따라서 (가)의 중심 내용은 문단의 중심 화제인 아침밥에 대한 글쓴이의 생각이 드러난 '아침밥을 챙겨 먹어야 한다.'이다.

1-2 '아침밥을 먹으면 기억력이 좋아진다.'는 (나)의 전체 내용을 아우르지 못하기 때문에 중심 내용으로 볼 수 없다. (나)에서는 아침밥을 먹을 때의 효과를 '작업 능률이 오른다, 학습 능력이 향상된다, 기억력이 좋아진다, 집중력이 높아진다.'로 나열하므로, 이러한 내용을 모두 아우르는 '아침밥을 먹으면 뇌의 기능이 활발해진다.'가 중심 내용으로 적절하다.

2-1 (가)의 첫 번째 문장에서는 황사 현상이 무엇인지 그 뜻을 명확히 밝혔으며, 두 번째 문장에서는 황사라 불리게 된 시점을, 세 번째 문장에서는 황사의 현황을 덧붙여 설명하였다. 이때 중심 문장은 문단의 중심 화제인 황사가 어떤 현상인지 구체적으로 설명하는 첫 번째 문장이므로 (가)는 중심 문장이 문단의 앞에 있는 두괄식 구성이다.

2-2 (나)의 첫 번째 문장에서 황사 속에 포함된 중금속에 대해 언급한 뒤, 두 번째~세 번째 문장에 걸쳐 황사가 일으키는 문제를 구체적으로 제시하였다. 마지막 문장에서는 이를 종합하여 '황사는 우리의 일상생활과 산업에 엄청난 피해를 끼치고 있다.'라고 정리하였으므로 (나)의 중심 문장은 문단의 맨 끝에 있다.

간단 체크   이타적, 약자, 깡통 라디오

01 ④   **02** ⑤   **03** ④

제재 소개   공규택, 〈이타적 디자인으로 사람을 살리다〉

종류   설명하는 글
중심 화제   이타적 디자인
특징   ① 이타적 디자인의 구체적 사례를 제시하여 독자의 이해
         를 도움.
         ② 빅터 파파넥의 말을 인용해, 이타적 디자인의 정신을
         강조함.

01   (가)는 이타적 디자인의 의미에 대해, (나)는 깡통 라디오를 만든 이유에 대해, (라)는 디자인에 대한 파파넥의 관점에 대해 설명하고 있다. 또한 (마)에서는 깡통 라디오의 제작 비용이 9센트(약 100원)라고 하였다. 그러나 이 글에서 라디오 디자인의 변화 과정에 대해 설명하고 있지는 않다.

02   (다)에서 깡통 라디오의 몸체는 관광객들이 버리고 간 깡통을 이용했고, 부품 역시 발리섬 여기저기에서 구할 수 있는 간단한 것들로 만들었다고 하였다.

오답 풀이

① (마)에 따르면, 깡통 라디오의 에너지원에는 파라핀 왁스나 연소가 가능한 쓰레기, 동물의 배설물 등이 있다.

②, ③ (나)와 (다)를 참고할 때, 파파넥은 발리섬 원주민들이 화산 폭발 재난 경보를 들을 수 없는 문제를 해결하기 위해 값싼 깡통 라디오를 만들었다.

④ (다)에서 깡통 라디오는 전기 배선, 안테나 등이 그대로 드러나 그 겉모습이 매우 보기 흉하다고 하였다.

03   (라)에서는 디자인에 대한 고정 관념을 깬 파파넥의 견해를 중심 내용으로 다루고 있다. 파파넥은 사물을 아름답게만 만드는 것은 죄악이며, 사물을 쓸모 있게 만드는 것이 좋은 디자인이라고 하였다. 디자인이 보기 좋고 아름다워야 한다는 것은 파파넥이 비판한 디자인에 대한 고정 관념에 해당한다.

4일 글 전체 읽기

개념 원리 확인   28~31쪽

1-1 시간, 시간   **1-2** ①   **2-1** ㄱ, ㄷ / ㄴ, ㄹ
2-2 (가) 중심 내용: ①, (나) 중심 내용: ②, 주제: ③

1-1   '옛날, 17세기 중엽, 오늘날'은 시간을 나타내는 표현이므로, 이 글을 구성하는 세 문단은 시간을 기준으로 나눌 수 있다. 이러한 문단들이 모여 글 전체적으로는 시간의 흐름에 따른 기상 관측법의 변화를 설명하고 있다.

1-2   1문단에서 옛날에는 기상 관측기가 없었기 때문에 눈으로 그날그날의 날씨를 예측했다고 하였다.

자료실   문단 간의 관계

- **통시**: 앞뒤 문단이 시대의 흐름, 시간의 순서에 따라 배열된 경우. 예 시대에 따른 기상 관측법
- **대비**: 서로 차이가 드러나는 둘 이상의 화제나 주장을 나열하는 경우.
- **구체화**: 뒤 문단에서 앞 문단의 내용을 구체적으로 설명하거나 예를 드는 경우.
- **열거**: 중심 화제에 대한 대등한 자격의 내용을 나열하는 경우.

2-1   (나)에서 글쓴이는 ㄱ, ㄷ과 같은 상황에서 개의 입양을 쉽게 결정해서는 안 된다고 하였으며, ㄴ, ㄹ처럼 개를 책임감 있게 돌보는 사람들만이 개를 기를 자격이 있다고 하였다.

2-2   (가)는 개를 쉽게 입양하고 버리는 문제 상황을 제시하므로 ①이 (가)의 중심 내용에 해당한다. (나)는 개를 기를 수 있는 경우와 개를 길러선 안 되는 경우를 구분하여 글쓴이의 주장을 제시하므로, ②가 (나)의 중심 내용이다. 주제는 (가)와 (나)의 중심 내용을 종합한 문장이므로 ③에 해당한다.

간단 체크 성향, 내향적, 차이

01 ③   **02** ⑤   **03** ④

제재 소개 문세영, 〈외향적인 사람이 강하다?〉

종류 설명하는 글

중심 화제 내향적인 사람, 외향적인 사람

특징 ① 일반적인 생각에 의문을 제기하고 이와 관련된 답을 제시함.
     ② 내향적인 사람과 외향적인 사람의 특성 등을 대조의 방법을 활용하여 제시함.

---

01 (라)에서 내향적인 사람(㉠)은 기억력, 문제 해결 능력, 계획 세우기 등과 연관 있는 대뇌 전두엽을 많이 쓴다고 하였다. 운전, 듣기, 보기 등과 연관 있는 뇌 영역을 자주 쓰는 것은 외향적인 사람(㉡)의 특성이다.

오답 풀이

① (가)에서 내향적인 사람은 주관적인 세계를 관찰하는 데 에너지를 쓴다고 하였다.

② (나)에 나타난 내향적인 사람의 특성이다.

④, ⑤ (다)에 나타난 외향적인 사람의 특성이다.

02 (마)는 글의 끝부분으로 '성향을 기준으로 우열을 가릴 필요가 없다.'는 글의 주제를 제시하고 있지만, 이러한 주제는 (가)에서 제시된 '실제로 외향적인 사람은 내향적인 사람보다 강할 것일까.'라는 질문에 대한 답변에 해당한다.

오답 풀이

① (가)에서 내향적인 사람은 유약한 사람으로, 외향적인 사람은 강인한 사람으로 보이기 쉽다는 내용을 제시하였다. 이는 중심 화제에 대한 사람들의 일반적인 생각에 해당한다.

②, ③ (나)에서 내향적인 사람의 특성을 (다)에서 외향적인 사람의 특성을 설명하며, 이 두 특성은 서로 반대되는 관계에 있다.

④ (라)에서 성향의 차이가 나타나는 원인에 해당하는 생리학적 차이에 대해 다루므로, (라)는 (나)와 (다)의 내용이 발생한 원인을 설명하고 있다.

03 (마)에서 글쓴이는 외향적인 사람이 내향적인 사람보

다 강하다는 표현은 적절하지 않으며, 성향을 기준으로 우열을 가릴 필요가 없다고 하였다.

오답 풀이

⑤ 글쓴이는 (마)에서 카를 구스타프 융의 말을 통해 사람은 두 성향 중 한쪽으로 기울어져 있다고 설명했으므로, 두 성향을 고루 갖추어야 한다고 생각하지 않는다.

간단 체크 자연, 달력, 공업 / 합의, 올림픽, 금지

01 ③   **02** ③   **03** ③   **04** ①   **05** ②   **06** ①
07 ②   **08** ④   **09** ②   **10** ①   **11** ⑤   **12** ④

제재 소개 안광복, 〈시계는 어떻게 달력을 이겼을까?〉

종류 설명하는 글

중심 화제 달력, 시계

특징 ① 달력과 시계를 중심 화제로 삼아 사람이 자연을 대하는 태도의 변화를 설명함.
     ② 과거와 오늘날의 인식 차이를 인과와 대조의 방식으로 설명함.

---

01 이 글에서는 사회의 주요 산업이 농업에서 공업으로 변화한 상황과 그로 인해 발생하게 된 사막화 현상, 지구 온난화와 같은 환경 문제를 다루고 있다.

오답 풀이

② 이 글은 달력과 시계의 차이점을 다루고 있다.

④ (바)에서 글쓴이는 조급한 마음을 가라앉히고, 달력의 의미를 곱씹을 것을 당부하고 있다.

⑤ 이 글에서는 글쓴이 개인의 경험을 다루고 있지 않다.

02 (나)에서 달력은 계절의 변화를 읽을 수 있는 수단이며, 자연의 흐름을 담고 있다고 하였다. 덧붙여 (라)에서 비닐하우스를 이용해 농사를 짓는 것은 자연의 질서와 관계없이 농사를 짓는 행위로 달력이 크게 중요

하지 않다고 하였다. 이를 종합할 때 달력이 자연환경을 바꾸는 것과 관계가 있다는 내용은 적절하지 않다.

오답 풀이

① (가)와 (나)를 종합할 때, 조상들은 시계보다는 달력을 중요하게 여겼다.

④ (다)에서 공업이 발달하면서 생산량과 밀접한 관계를 맺는 시계가 중요해졌다고 하였다.

⑤ (바)에서 시계는 우리의 마음을 조급하게 한다고 하였다.

03 ㉠(자연의 복수)은 인간들이 계절의 흐름과 같은 자연의 질서를 거스르면서 발생한 자연재해를 의미한다. ③은 자연의 리듬을 잊은 인간의 행위 자체를 의미하므로 ㉠이 일어나게 된 원인에 해당한다.

04 달력이 중요했던 사회의 모습을 다룬 문단은 (가), (나)이며, 시계가 중요해진 사회의 모습을 다룬 문단은 (다), (라)이다. 이 두 부분은 내용상 서로 반대된다. 현대 사회에서 잦아진 자연재해를 다룬 문단은 (마), 이에 맞추어 현대인이 가져야 할 바람직한 태도에 대해 언급한 문단은 (바)이다.

05 글쓴이는 (바)에서 자연의 리듬을 담고 있는 달력의 의미를 곱씹어 봐야 한다고 하였다. 이때 자연의 리듬은 자연의 질서를 의미하므로 글쓴이가 말하고자 하는 바인 주제로 가장 알맞은 것은 ②이다.

06 전파하다는 '전하여 널리 퍼뜨리다.'라는 의미이므로, ⓐ와 바꿔 쓸 수 없다. ⓐ와 바꿔쓸 수 말은 '전래했다'이다.

오답 풀이

② 순응하다: 환경이나 변화에 적응하여 익숙하여지거나 체계, 명령 따위에 적응하여 따르다.

③ 운영하다: 조직이나 기구, 사업체 따위를 관리하고 운용하다.

④ 재배하다: 식물을 심어 가꾸다.

⑤ 빈번하다: 어떤 일이나 현상이 일어나는 횟수가 매우 잦다.

제재 소개 최성우, 〈첨단 기술의 승리? 신종 도핑 반칙?〉

종류 주장하는 글

중심 화제 기술 도핑

특징 ① 스포츠 속옷, 전신 수영복 등의 사례를 통해 문제를 제기함.

② 다양한 근거와 구체적인 사례를 제시하여 주장을 뒷받침함.

07 이 글에서는 첨단 기술을 적용한 스포츠용품의 사용을 둘러싼 논란을 구체적으로 제시하고 이러한 스포츠용품의 사용에 대한 규범과 합의가 필요하다는 글쓴이의 생각(주장)을 드러내고 있다. 그러나 이 글에서 올림픽 규정의 변화 과정을 중점적으로 설명하고 있지는 않다.

오답 풀이

③ (마)에서 '기술 도핑'이라는 새말을 활용하여 논란의 심각성을 효과적으로 전달하고 있다.

④ (나)~(라)에서 글쓴이가 근거로 든 사건이 발생한 연도를 구체적으로 밝혀, 설득력을 높이고 있다.

08 (라)에서는 첨단 스포츠용품으로 인해 생긴 논란을 전신 수영복의 예를 들어 설명하고 있다. 따라서 (라)의 중심 내용은 '전신 수영복 때문에 생긴 논란'으로 정리할 수 있다.

오답 풀이

① (가)의 중심 내용은 '첨단 과학 기술의 경연장인 올림픽'이다.

② (나)의 중심 내용은 '마라톤 경기에 적용된 첨단 과학 기술'이다.

③ (다)의 중심 내용은 '전신 수영복의 특성'이다.

⑤ (마)의 중심 내용은 '첨단 기술 운동화가 불러일으킨 논란'이다.

09 (다)에 따르면, 전신 수영복은 2000년 시드니 하계 올림픽에서부터 본격적으로 등장하였다. (나)에 따르면, 1984년에는 형상 기억 합금으로 만든 스포츠 속옷을 착용한 선수가 처음으로 나타났다.

오답 풀이

①, ③, ④ (다)에서 전신 수영복은 상어 비늘의 원리를 적용해 부력이 증가하는 효과를 극대화했고, 선수

정답과 해설

들의 기록 향상에 기여했다고 하였다.
⑤ (라)에 따르면, 전신 수영복은 2010년 이후 국제 대회에서 착용이 금지되었다.

10 이 글은 처음 (가), 중간 (나)~(마), 끝 (바)로 나눌 수 있다. 중간 부분은 첨단 기술이 선수들의 기록을 향상시킨 사례를 다룬 (나), (다)와 이러한 기록 향상을 둘러싼 논란을 다룬 (라), (마)로 구분할 수 있다.

11 (바)에서 글쓴이는 선수들이 정정당당하게 기량을 겨루는 스포츠 정신에 어긋나지 않는 방향으로 첨단 스포츠용품에 대한 규범과 합의를 마련해 과학 기술과 인간 사이의 조화를 달성해야 한다고 주장하였다.

오답 풀이

② (가)의 첫 번째 문장에서 드러난 글쓴이의 생각이다.

12 ㉠은 '어떤 행동이나 말이 관련된 다른 일이나 상황을 초래한다.'는 의미로 쓰였다. 이와 같은 의미로 쓰인 것은 ④이다.

오답 풀이

① '말이나 행동 따위로 다른 사람의 주의를 끌거나 오라고 하다.'라는 의미로 쓰였다.
② '남이 자신의 말을 받아 적을 수 있게 또박또박 읽다.'라는 의미로 쓰였다.
③ '무엇이라고 가리켜 말하거나 이름을 붙이다.'라는 의미로 쓰였다.
⑤ '곡조에 맞추어 노래의 가사를 소리 내다.'라는 의미로 쓰였다.

01 화제   **02** (1)-㉠ (2)-㉢ (3)-㉡   **03** (1)
04 ⓐ: 윷놀이 ⓑ: 사람들   **05** 그리고, 그러나, 그래서, 결국   **06** (1) × (2) ○ (3) ×   **07** ①   **08** 비판, 뒤   **09** ㉠: (가) ㉡: (나), (다) ㉢: (라)   **10** (2)

01 화제는 글에서 이야기하는 대상이나 소재이다. 문장의 화제는 문장에서 진술하고 있는 대상으로 문장에서 '무엇'에 해당한다.

02 각 문장을 '누가/무엇이' 부분과 '어떠하다/어찌하다/무엇이다' 부분으로 나누어 읽으면, 문장의 화제를 쉽게 찾을 수 있다.

03 중심 화제는 글에서 가장 중요하게 다루는 대상이다. 제시된 글은 진달래에 대해 설명하고 있으므로, 진달래가 중심 화제이다. 철쭉은 진달래를 설명하기 위해 끌어 온 대상이다.

04 ⓐ, ⓑ는 지시어로 앞에서 언급된 말이나 내용을 대신하여 쓰는 말이다. 문맥을 고려할 때, ⓐ는 '윷놀이', ⓑ는 '사람들'을 의미한다.

05 〈보기〉에서 앞 문장과 비슷한 내용을 연결하는 말은 '그리고', 앞 문장과 반대되는 내용을 연결하는 말은 '그러나', 원인과 결과로 앞뒤 문장을 연결하는 말은 '그래서', 앞 문장의 내용을 요약·정리하는 말은 '결국'이다.

06 (1) 문단을 대표하는 내용은 중심 내용이다. 주제는 중심 내용을 종합한 내용으로 글 전체를 대표한다.
(2) 문단은 중심 내용이 잘 드러난 문장인 중심 문장과 이를 뒷받침하는 뒷받침 문장으로 구성된다.
(3) 중심 문장이 문단의 처음에 있는 것을 두괄식, 끝부분에 있는 것을 미괄식 구성이라 한다.

07 제시된 문단의 중심 문장은 ①이다. ②, ③은 ①의 내용을 구체적인 예로 설명하는 뒷받침 문장이다.

08 〈보기〉에서는 비판의 의미를 제대로 이해해 올바른

비판 문화를 만들자는 중심 내용을 담고 있으며, 〈보기〉의 중심 문장은 제일 마지막 문장이다.

09 글의 구조를 파악하기 위해서는 각 문단의 중심 내용을 파악하고, 그 내용이 비슷한 문단끼리 묶을 수 있어야 한다. (가)는 옛날 아이들이 즐긴 전래 놀이(중심 화제)에 대해 소개하고 있으며, (나)와 (다)는 중심 화제의 특성과 장점을 다루고 있으며, (라)는 중심 화제에 대해 관심을 가질 것을 권하고 있다.

10 글의 주제는 글 전체를 아우르며 글을 대표하는 내용이어야 하므로, (2)가 제시된 글의 주제로 알맞다. 사과의 맛은 1문단에서만 다룬 내용이므로, (1)은 주제로 볼 수 없다.

④ 우열은 '나음과 못함.'을 뜻한다. 우연은 '아무런 인과 관계가 없이 뜻하지 아니하게 일어난 일.'을 뜻한다.

⑤ 향상은 '실력, 수준, 기술 따위가 나아짐. 또는 나아지게 함.'을 뜻한다. 하락은 '값이나 등급 따위가 떨어짐.'을 뜻한다.

특강 | 창의·융합·코딩　　　**42~47쪽**

❶ 어휘 챌린지

1 ① 뭉툭 ② 분포 ③ 이타적 ④ 우열 ⑤ 향상　**2** ① 재질
② 양상 ③ 외래 ④ 심사숙고 ⑤ 주관적 ⑥ 생태계 ⑦ 낭패
⑧ 인위적 / 등화가친(燈火可親)

❸ 갈래 탐구 챌린지

믿을 만한 기사: (나), (라)　믿기 어려운 기사: (가), (다), (마)

❶-1 ① 뭉툭은 '굵은 사물의 끝이 아주 짧고 무딘 모양.'을 뜻한다. 뾰족은 '물체의 끝이 점차 가늘어져서 날카로운 모양.'을 뜻한다.

② 분포는 '일정한 범위에 흩어져 퍼져 있음.'을 뜻한다. 분류는 '사물을 종류에 따라 가름.'을 뜻한다.

③ 이타적은 '자기의 이익보다는 다른 이의 이익을 더 꾀하는. 또는 그런 것.'을 뜻한다. 이기적은 '자기 자신의 이익만을 꾀하는. 또는 그런 것.'을 뜻한다.

2주 설명하는 글 읽기

2주에는 무엇을 공부할까? ❷   50 ~ 51쪽

1 ③   **2** 수연   **3** 재료   **4** ②

1 버스 정류장의 도착 정보 안내판으로 보아, 수연이가 타려는 6623번 버스는 버스 정류장에 도착하고 있으며, 성우가 타려는 362번 버스는 9분 뒤에 도착하므로 수연이가 버스를 먼저 타게 된다.

3 재활용품을 페트류, 캔류(금속류), 종이팩류, 병류(유리류)의 재료에 따라 나누고 있다.

1일 내용 파악하기

개념 원리 **확인**   52 ~ 55쪽

1-1 여드름   **1-2** (1) ○ (2) ×   **2-1** 녹차   **2-2** 지연

1-1 1문단의 첫 번째 문장에서 여드름은 주로 사춘기에 얼굴 등에 도톨도톨하게 나는 검붉은 작은 종기라고 하였다.

오답 풀이
• 피지: 1문단의 두 번째 문장에서 '피지는 모공 안쪽의 피지샘에서 만들어져 모공을 통해 분비되는 기름 물질'이라고 하였다.
• 피지샘: 피지의 뜻풀이에서 피지샘은 모공 안쪽에서 피지를 만들어 내는 곳임을 알 수 있다.

1-2 (1) 1~2문단에서 여드름은 모공에 쌓인 피지에 세균이 증식하여 발생한다고 하였다.
(2) 3문단에서 여드름을 예방하고 관리하려면 포도당이 많은 탄수화물 식품은 피하는 것이 좋다고 하였다.

2-1 이 글의 중심 화제는 녹차로, 글쓴이는 녹차의 카테킨 성분의 역할을 나열하여 녹차의 효능을 구체적으로 설명하고 있다.

2-2 이 글의 글쓴이는 녹차에 들어 있는 카테킨 성분이 감기 예방에 효과가 있고, 피부 건강에도 효과가 있다는 핵심 내용을 전달하고 있다.

1일 기초 집중 연습   56 ~ 57쪽

간단 체크   참신, 만화, 올덴버그

01 ①   **02** ⑤   **03** ④

제재 소개   전성수, 〈만화와 포장지도 예술이 되지〉
종류   설명하는 글
중심 화제   팝 아트
특징   ① 구체적인 예를 들어 내용을 이해하기 쉽게 설명함.
② 대표적인 팝 아트 작가와 그들의 작품을 중심으로 팝 아트의 특징을 설명함.

01 이 글은 팝 아트에 대해 설명하는 글이다. ①은 주장하는 글에 대한 설명이다.
오답 풀이
② 설명하는 글은 정확하고 객관적이고 믿을 만한 정보를 전달한다.
③ 설명하는 글은 대상에 대한 정보를 전달하기 위한 목적으로 쓴 글이다.
④ 설명하는 글은 독자가 이해하기 쉽게 하기 위해 평이한 문장으로 쉽게 쓴다.
⑤ 설명하는 글은 '처음-중간-끝'으로 짜임새 있게 글을 조직한다.

02 이 글에서 팝 아트의 뜻, 팝 아트의 대표 작가, 팝 아트의 소재, 팝 아트의 의의를 알 수 있다. 6문단에서 팝 아트 작가들이 대중에게 미술을 즐길 수 있는 기회를 주어서 팝 아트가 인기를 끌었다고 하였다. 1문단에서 추상 표현주의가 작품을 이해하기 아주 어려운 특징을 지녔다고도 하였다.

03 이 글은 대표적인 팝 아트 작가와 그들의 작품을 중심으로 친숙한 소재를 활용하여 대중이 쉽게 즐길 수 있는 예술을 선보인 팝 아트의 특징을 설명하고 있다.

자료실 설명하는 글의 특성

- **사실성**: 정확한 지식이나 정보를 사실에 근거하여 전달함.
- **객관성**: 개인의 생각이나 감정에 치우치지 않고 있는 그대로 설명함.
- **평이성**: 읽는 이가 잘 이해할 수 있도록 쉽게 설명함.
- **체계성**: 글의 구조에 따라 짜임새 있게 체계적으로 내용을 전개함.
- **명료성**: 문장의 뜻이 분명하게 드러나도록 씀.

2일 설명 방법 파악하기 ①

개념 원리 확인 58~61쪽

1-1 ㉠-정의-①, ㉡-예시-② **1-2** ② **2-1** 비교와 대조 **2-2** 된장, 청국장

1-1 ㉠에서는 '착시'의 뜻을 풀이하고 있고, ㉡에서는 영화의 예를 들어 그림이나 사진을 잇달아 늘어놓아 연속적으로 움직이는 것처럼 보이는 착시를 설명하고 있다.

1-2 이 글은 1문단에서 착시에 대한 뜻을 밝힌 뒤, 3~5문단에서 착시의 원인을 예를 들어 쉽게 설명하고 있다.

2-1 ㉠에서는 청국장과 된장이라는 두 대상을 견주어 둘의 공통점과 차이점을 밝히고 있으므로, 비교와 대조의 설명 방법이 쓰였다.

2-2 ㉠에서 청국장과 된장이 콩으로 만든다는 공통점이 있지만, 만드는 과정에서 된장은 황국균으로 발효되고, 청국장은 고초균으로 발효된다는 차이점이 있다고 설명하고 있다.

2일 기초 집중 연습 62~63쪽

간단 체크 역할, 지문, 연구

01 ① **02** ④ **03** ④

제재 소개 김형자, 〈지문이 촉각을 위해 존재한다고?〉
종류 설명하는 글
중심 화제 지문
특징 ① 다양한 설명 방법을 활용하여 지문의 개념, 특성, 역할을 체계적으로 설명함.
② 지문이라는 일상적인 소재를 통해 과학 지식과 원리를 알기 쉽고 재미있게 설명함.
③ 과학적 설명을 통해 지문 연구의 필요성을 제시함.

01 4문단에서 두 사람의 지문이 일치할 수 있는 확률이 매우 낮고, 한 사람의 왼손과 오른손의 지문도 다르다고 하였다.

오답 풀이

② 4문단에서 '전 세계에서 지문이 같은 사람은 없다고 해도 과언이 아니다.'라고 하였다.
③ 6문단에서 '손가락의 지문이 손의 촉각을 예민하게 한다는 것이다.'라고 하였다.
④ 5문단에서 '대부분의 동물은 지문이 없지만 영장류는 지문을 가지고 있다.'라고 하였다.
⑤ 2문단에서 '피부의 무늬는 무늬가 있는 위치에 따라 손가락에 있는 지문, 손바닥에 있는 장문, 발바닥에 있는 족문 등으로 나뉜다.'라고 하였다.

02 5문단에서 지문이 있는 동물에는 침팬지, 오랑우탄, 고릴라와 같은 영장류와 유대류에 속하는 코알라가 있다고 하였다. 이 동물들은 사람처럼 손을 이용해 나무를 잡는 공통점이 있다.

03 ㉠은 정의의 방법을 사용하여 지문의 뜻을 설명하고 있고, ㉡은 비교의 설명 방법을 사용하여 영장류, 코알라, 사람의 공통점을 설명하고 있으며, ㉢은 예시의 방법을 사용하여 마찰력을 높여 미끄럼을 방지하는 지문의 역할을 설명하고 있다.

자료실 그 외 이 글에 사용된 설명 방법

- 피부의 무늬는 무늬가 있는 위치에 따라 손가락에 있는 지문, 손바닥에 있는 장문, 발바닥에 있는 족문 등으로 나뉜다. → 피부 무늬의 종류: 분류
- 대표적인 영장류인 침팬지, 오랑우탄, 고릴라 등은 지문이 있다. → 영장류의 예: 예시

3일 설명 방법 파악하기 ②

개념 원리 확인 64 ~ 67쪽

1-1 (1)-② (2)-①　　**1-2** (1) 악기의 종류 (2) 자전거의 구조

2-1 과정　　**2-2** 인과

1-1 분류와 구분은 대상을 일정한 기준에 따라 나누거나 종류별로 묶어서 설명하는 방법이고, 분석은 대상을 구성하는 요소나 부분으로 나누어 설명하는 방법이다.

1-2 ㉠에는 분류와 구분, ㉡에는 분석의 방법이 사용되었다. 악기의 종류는 소리 내는 방법에 따라 관악기, 현악기, 타악기로 나눌 수 있으므로 분류와 구분의 방법으로 설명하는 것이 알맞다. 자전거의 구조는 핸들, 페달, 안장, 브레이크 등으로 부분을 나눌 수 있으므로 분석의 방법으로 설명하는 것이 알맞다.

[오답 풀이]
(1) 씨름의 뜻은 대상의 뜻을 풀이하는 방법인 정의를 사용하는 것이 알맞다.
(2) 한국 종과 서양 종의 차이는 두 대상을 견주어 차이점을 밝히는 비교와 대조의 방법을 사용하는 것이 알맞다.

2-1 ㉠에서 입으로 들어간 음식물이 똥이 되어 항문으로 나오는 과정을 설명하고 있다. 음식물이 '위→샘창자→작은창자→큰창자→곧창자'를 거쳐 항문으로 똥이 되어 나온다.

2-2 음식물이 똥이 되기까지 몸 내부의 주요 기관을 지나기 때문에 어느 기관에 이상이 있으면 평상시와 다른 똥이 만들어진다고 하였다. '때문에' 앞부분이 원인에 해당하고, 뒤 부분이 결과에 해당하는 인과의 설명 방법이 사용되었다.

3일 기초 집중 연습 68 ~ 69쪽

[간단 체크]　특성, 뜻, 구조

01 ②　　**02** ⑤　　**03** ④

[제재 소개]　〈머리카락, 얼마나 알고 있니?〉
종류　　설명하는 글
중심 화제　머리카락
특징　① 정의, 분류와 구분, 분석 등 다양한 설명 방법을 사용하여 대상을 설명함.
　② '처음' 부분에 질문을 제시하여 독자의 흥미를 불러일으킴.
　③ 그림 자료를 활용하여 독자의 이해를 도움.

01 2문단에서 모낭의 모양에 따라 머리카락의 모양이 달라진다고 하였고, 3문단에서 멜라닌 색소의 양에 따라 머리카락의 색깔이 결정된다고 하였다.

[오답 풀이]
① 3문단에서 '모표피는 머리카락의 바깥층'이라고 하였다.
③ 3문단에서 '머리카락은 크게 모수질, 모피질, 모표피 세 개의 층으로 구성되어 있다.'라고 하였다.
④ 2문단에서 '머리카락은 모양에 따라 직모, 파상모, 축모로 나눌 수 있다.'라고 하였다.
⑤ 4문단에서 '머리카락은 우리의 뇌를 보호한다.', '(머리카락은) 뇌를 안전하게 지켜 준다.'라고 하였다.

02 ㉣은 머리카락이 우리 몸에 쌓인 노폐물을 밖으로 배출하는 기능을 함을 설명하고 있을 뿐, 과정의 방법을 사용하여 설명하고 있지 않다.

03 ⓐ에서는 축모의 모양이 고불고불한 까닭이, 모낭이 휘어져 있기 때문임을 인과의 방법을 사용하여 설명하고 있다. 〈보기〉는 인과의 방법을 사용하여 북극곰의 서식지가 줄어든 까닭을 설명하고 있다.

자료실 설명 방법 더 알아보기

• 열거: 여러 가지 예나 사실을 낱낱이 죽 나열하여 설명하는 방법.
　예 물은 생활용수로 이용되고, 농사를 짓는 데 이용되며, 전기를 일으키는 데 이용된다.
• 인용: 남의 말이나 글을 자신의 말이나 글 속에 끌어와서 설명하는 방법.
　예 꼭 필요한 사람이 되라는 의미로 '소금 같은 사람이 되어라.'라는 말이 있다. 소금은 이처럼 매우 중요한 역할을 한다.

4일 구조와 의도 파악하기

1-1 이 글은 '처음-중간-끝'의 3단 구조로 되어 있다. (가)는 '처음' 부분으로 설명 대상인 '효과적인 듣기 방법'을 소개하고 있고, (나)와 (다)는 '중간' 부분으로 상대에게 집중하기, 공유한 내용 확인하기와 같은 효과적인 듣기 방법을 설명하고 있으며, (라)는 '끝' 부분으로 효과적인 듣기 방법을 알고 실천하자고 강조하고 있다.

1-2 이 글은 설명하는 글로, '처음' 부분인 (가)에서 설명할 대상을 소개하고, '중간' 부분인 (나)와 (다)에서 대상에 관한 정보를 전달하며, '끝' 부분인 (라)에서 글 내용을 정리하고 있다.

2-1 조각보를 디자인이라고 말한 제목과 조각보를 몬드리안 그림보다 낫다고 말한 마지막 문단을 통해 조각보의 예술적 가치와 아름다움을 전달하려는 글쓴이의 의도를 알 수 있다.

2-2 '천으로 만든 디자인, 조각보'라는 글의 제목과 글의 중심 내용으로 보아, 글쓴이는 조각보에 담긴 한국의 예술성을 전하기 위한 목적으로 글을 썼음을 알 수 있다.

제재 소개	케이비에스(KBS) 〈우주 대기행〉 제작진, 〈미지의 세계, 블랙홀〉
종류	설명하는 글
중심 화제	블랙홀
특징	① 블랙홀에 대한 정보를 뜻, 생성 원인, 관찰 방법으로 나누어 설명함. ② 질문으로 시작하여 독자의 호기심을 불러일으킴. ③ 블랙홀에 대한 과학적 지식을 알기 쉽게 설명함.

01 5문단에서 블랙홀은 사람들에게 육안으로 관측된 적은 없고, 빛을 내지 않는 암흑의 천체이기 때문에 직접 관측하는 것이 불가능하다고 하였다.

오답 풀이

① 2문단에서 '블랙홀은 20세기 초 아인슈타인이 이론적으로 증명하면서 주목받기 시작했다.'라고 하였다.

② 2문단에서 '존 휠러라는 천문학자가 아인슈타인이 예언한 새로운 천체를 '블랙홀'이라고 이름 붙였다.'라고 하였다.

④ 5문단에서 '지금은 블랙홀의 위치를 확인하는 방법이 몇 가지 있다. 그중 하나는 블랙홀이 방출하는 엑스선을 찾는 것이다.'라고 하였다.

⑤ 2문단에서 '이 이름에는 '일단 그 내부로 떨어지면 빛조차 탈출할 수 없는 암흑의 구멍'이라는 의미가 담겨 있다.'라고 하였다.

02 이 글의 '끝' 부분은 '많은 과학자가 관심을 기울이고 있는 블랙홀', 또는 '블랙홀 연구의 필요성' 등으로 내용을 요약할 수 있다.

오답 풀이

①, ②, ③, ④ 이 글은 '처음-중간-끝'의 구조로 전개되고 있다. '처음' 부분에서는 두려움과 호기심의 대상인 블랙홀을 소개하고 있고, '중간' 부분에서는 블랙홀의 뜻과 그 명칭의 유래, 블랙홀의 생성 원인, 블랙홀을 찾는 방법에 대해 구체적으로 설명하고 있다.

03 이 글의 글쓴이는 블랙홀과 관련한 다양한 정보를 전달하여 블랙홀에 관심을 기울이고 연구하기를 당부하고 있다.

정답과 해설

5일 설명하는 글 읽기_종합

5일 기초 집중 연습   78 ~ 81쪽

간단 체크 특성, 가려움, 활발 / 특성, 겨울, 예방

01 ①	02 ⑤	03 ③	04 ②	05 ④	06 ⑤
07 ①	08 ⑤	09 ③	10 ⑤	11 ③	12 ②

제재 소개 서동준, 〈우리는 왜 간지럼을 느낄까〉
종류 설명하는 글
중심 화제 간지럼
특징 ① 간지럼의 특성과 간지럼을 타는 까닭을 구분, 인과, 대조, 예시 등의 설명 방법을 사용하여 설명함.
② 질문을 통해 간지럼에 대한 흥미를 불러일으키는 방식으로 내용을 전개함.

01 이 글에 간지럼의 위험성에 대한 내용은 제시되지 않았다.
오답 풀이
② '그럼 지금부터 이 수수께끼를 살펴볼까요?', '이 둘은 어떻게 다를까요?'와 같이 독자에게 질문을 하여 흥미를 유발하고 있다.
③ 5~6문단에서 간지럼의 특성에 대해 설명하고 있다.
④ 이 글은 1문단에서 간지럼이라는 설명 대상을 소개하고, 2~6문단에서 알리고 싶은 내용을 구체적으로 설명하고 있으며, 7문단에서 앞의 내용을 요약·정리하고 있어 '처음-중간-끝'의 구조로 설명하고 있음을 알 수 있다.
⑤ 5~6문단에서 간지럼에 대한 실험 결과와 연구 결과와 같은 객관적 사실에 근거하여 내용을 전달하고 있다.

02 5문단과 6문단에서 간지럼이 통각으로 여겨졌으나 연구 결과 여러 감각과의 연관성이 제시되고 있다고 하였다.
오답 풀이
① 3문단에서 가려움은 몸 전체의 피부에서 나타난다고 하였다.
② 3문단에서 가려움을 느끼면 벅벅 긁거나 문지르고 싶어진다고 하였다.

③ 4문단에서 가려움을 과거에는 통각의 일종으로 여겼으나 최근 통각이 약하다고 해서 가려움을 느끼는 것이 아니라 가려움을 느끼는 신경이 따로 있다는 사실이 드러났다고 하였다.
④ 5문단에서 간지럼은 신체의 특정 부위에서 잘 일어나며, 가려움보다는 더 강한 촉감 때문에 생긴다는 특징이 있다고 하였다.

03 이 글에서는 간지러운 느낌을 가려움과 간지럼으로 나누어 두 대상을 견주어 설명함으로써 가려움과 간지럼의 특성을 효과적으로 드러내고 있다.

04 이 글의 '끝' 부분에서 간지럼이 운동과 지각의 통합 과정을 밝혀낼 수 있는 좋은 사례이기 때문에 간지럼과 관련된 연구가 점점 활발해지고 있다고 인과를 사용하여 설명하고 있다.

05 ㉠은 피부 질환의 예로 아토피 피부염과 두드러기를 들어 설명하고 있다. ④도 세계 문화유산에 대해 예시의 방법을 사용하여 설명하고 있다.
오답 풀이
① 앞부분 '비가 와서'가 원인이 되고, 뒤 부분 '운동장에서 체육 수업을 할 수 없었어.'가 결과로 '인과'가 사용되었다.
② 꽃을 이루는 구성 요소인 '암술, 수술, 꽃잎, 꽃받침'으로 나누고 있어 '분석'이 사용되었다.
③ 개와 고양이가 활동하는 시간을 기준으로 개와 고양이의 차이점을 설명하고 있어 '비교와 대조'가 사용되었다.
⑤ '한복'의 뜻을 풀이하고 있으므로 '정의'가 사용되었다.

06 ⓔ의 '지각'은 감각 기관을 통해 대상을 인식함. 또는 그런 작용을 뜻한다. ⑤의 '어떤 사물이나 사실을 실제와 다르게 인식하거나 생각함.'은 '착각(錯覺)'을 의미한다.

제재 소개	김정훈, 〈정전기가 겨울로 간 까닭은?〉
종류	설명하는 글
중심 화제	정전기
특징	① 정의, 인과, 예시 등 다양한 설명 방법을 사용하여 대상을 설명함.
	② 일상생활에서 정전기를 경험하는 여러 상황을 제시하여 독자의 이해를 도움.

07 이 글은 정전기에 대한 여러 가지 정보를 제공하는 것을 목적으로 하는 설명하는 글이다.

08 이 글의 '중간' 부분에서는 정전기의 뜻, 정전기와 전기의 차이점, 정전기가 생기는 까닭, 정전기를 예방하는 방법에 대해 설명하고 있다.

09 3문단에서 정전기는 마찰 때문에 생긴다고 하였다.

오답 풀이

① 2문단에서 '쉽게 설명하면 흐르지 않고 그냥 머물러 있는 전기라고 해서 "움직이지 아니하여 조용하다."는 뜻을 가진 한자 '정(靜)'을 써 정전기라고 부르는 것이다.'라고 하였다.

② 2문단에서 '(정전기는) 우리가 실생활에서 쓰는 전기와는 다르게 전류가 거의 없어 위험하지는 않다.'라고 하였다.

④ 5문단에서 '적절한 습도를 유지할 필요가 있다.'라고 하였고, 6문단에서 '플라스틱 제품을 사용할 때에는 특히 주의해야 한다.'라고 하였다.

⑤ 마지막 문단에서 '이제부터 정전기를 잘 다스려 포근하고 편안한 겨울을 보내자.'라고 하였다.

10 ㉠에는 예시, ㉡에는 정의, ㉢에는 비교·대조, ㉣에는 분석의 설명 방법이 사용되었다. ⑤는 인과에 대한 설명이지만, ㉤에는 인과가 사용되지 않았다.

11 인과는 어떤 일의 원인과 결과를 제시하는 설명 방법이다. 3문단에서 인과로 정전기가 생기는 까닭을 설명하여 내용에 대한 이해를 도와 효과적이었다고 평가할 수 있다.

12 글에 쓰인 '발라'(바르다)는 '액체나 가루 등을 물체의 표면에 문질러 고루 묻히다.'라는 뜻으로, ②도 같은

뜻으로 쓰였다.

오답 풀이

① '겉으로 보기에 비뚤어지거나 굽은 데가 없다.'라는 뜻이다.

③ '말이나 행동 등이 사회적인 규범이나 사리에 어긋나지 아니하고 들어맞다.'라는 뜻이다.

④, ⑤ '뼈다귀에 붙은 살을 걷거나 가시 따위를 추려 내다.'라는 뜻이다.

자료실　**설명 방법의 적절한 사용**

• 정의: 개념을 정확히 알아야 할 때.
• 예시: 추상적이고 모호한 대상을 구체적으로 파악할 때.
• 비교: 잘 알려진 대상이나 현상을 통해 모르는 대상을 설명할 때.
• 대조: 대상이나 현상의 차이점이 두드러질 때.
• 분류: 기준에 따라 종류를 나눌 때.
• 분석: 복잡한 내용을 쉽게 설명하거나 하위 구성 요소로 자세히 설명할 때.

누구나 100점 테스트　　82~83쪽

01 정보 전달　**02** 재영　**03** 설명 방법　**04** (1) 정의 (2) 예시 (3) 비교와 대조　**05** (1)-㉡ (2)-㉢ (3)-㉠　**06** (1) 분류와 구분 (2) 분석 (3) 인과　**07** (1)-㉠ (2)-㉢ (3)-㉡　**08** 분류와 구분, 과정　**09** ㉡-㉢-㉠　**10** (1) ○ (2) ○ (3) ×

01 설명하는 글은 정보 전달을 목적으로 하는 글이다.

02 설명하는 글에서 여러 세부 정보들이 밀접한 관계를 맺으며 핵심 정보를 뒷받침하고 구성하고 있으므로 핵심 정보와 세부 정보를 구분하며 읽어야 한다.

03 설명하는 글에서 글쓴이는 독자가 내용을 쉽게 이해할 수 있도록 다양한 설명 방법을 사용한다.

04 (1)은 정의, (2)는 예시, (3)은 비교와 대조에 대한 설명이다.

05 (1) 판소리의 예를 예시의 방법을 사용하여 설명하였다.
(2) 설과 추석의 공통점과 차이점을 비교와 대조의 방법을 사용하여 설명하였다.
(3) 축구의 뜻을 정의의 방법을 사용하여 설명하였다.

06 (1)은 분류와 구분, (2)는 분석, (3)은 인과에 대한 설명이다.

07 (1)과 ㉠은 분석으로, (2)와 ㉢은 인과로, (3)과 ㉡은 분류와 구분의 방법으로 내용을 설명하고 있다.

08 문학의 종류는 기준에 따라 묶거나 나누는 분류와 구분의 방법을 사용하는 것이 알맞다. 샌드위치를 만드는 방법은 절차나 순서에 따라 알려 주어야 하므로 과정의 방법을 사용하는 것이 알맞다.

09 설명하는 글은 일반적으로 '처음-중간-끝' 또는 '머리말-본문-맺음말'의 구조로 이루어지는데, '처음' 부분은 글의 설명 대상을 소개하고, '중간' 부분은 설명 대상에 대한 정보나 지식을 전달하고, '끝' 부분은 설명한 내용을 요약·정리하고 글쓴이가 하고자 하는 말을 덧붙여 한다.

10 (3) 제목을 통해 화제에 대한 글쓴이의 태도를 알고 중심 내용을 파악하면 글쓴이의 의도를 파악할 수 있다.

❶-1 ① '찬미하다'는 '아름답고 훌륭한 것 등을 높여 말하며 칭찬하다.'라는 뜻이다. '비판하다'는 '현상이나 사물의 옳고 그름을 판단하여 밝히거나 잘못된 점을 지적하다.'라는 뜻이다.

② '감지하다'는 '느끼어 알다.'라는 뜻이다. '감수하다'는 '꾸짖음이나 괴로움 따위의 힘든 일을 달갑게 받아들이다.'라는 뜻이다.

③ '손상'은 '병이 들거나 다침.', '품질이 나빠짐.'이라는 뜻이다. '손해'는 '물질적으로나 정신적으로 밑짐.'이라는 뜻이다.

④ '정립하다'는 '방법, 내용, 이론, 법칙 등을 정하여 세우다.'라는 뜻이다. '중립하다'는 '어느 편에도 치우치지 않고 중간적인 입장에 서다.'라는 뜻이다.

⑤ '마찰'은 '두 물체가 서로 닿아 문질러지거나 비벼짐. 또는 그렇게 함.'을 뜻한다. '마모'는 '마찰 부분이 닳아서 없어짐.'이라는 뜻이다.

❸ (가)는 어떤 대상의 특성이나 각종 행사를 널리 알리는 안내문이고, (나)는 알릴 만한 가치가 있는 사건이나 사실을 객관적으로 신속하게 전달하는 기사문이고, (라)는 집단이나 개인에게 어떤 문제에 대해 개선하거나 해결할 것을 요구하는 건의문이다.

특강 | 창의·융합·코딩　　84~89쪽

❶ 어휘 챌린지

1 ① 찬미 ② 감지 ③ 손상 ④ 정립 ⑤ 마찰
2 ① 모방 ② 무한대 ③ 기승 ④ 기하학 ⑤ 과도 ⑥ 한도 ⑦ 공감대 ⑧ 유전자 / 독서삼매(讀書三昧)

❸ 갈래 탐구 챌린지

1단계: 예, 2단계: 예, 3단계: 예, 4단계: 예, 5단계: (다)

 **3주**

주장하는 글 읽기

1 욕설　**2** 주희　**3** ①　**4** (1): (가), (2): (나)

1일 주장 파악하기

1-1 신조어　　**1-2** ⊙: 문제 상황, ⓛ: 세대, ⓒ: 청소년
2-1 좋은 점, 늘리자　　**2-2** 주장, 근거

1-1 이 글의 글쓴이는 청소년들이 신조어를 지나치게 사용하여 의사소통에 어려움이 생기는 문제 상황을 제시한 뒤, 신조어를 무분별하게 사용하지 말자고 주장하였으므로 빈칸에 공통으로 들어갈 말은 신조어이다.

1-2 신조어를 지나치게 사용하여 생긴 의사소통의 어려움은 글쓴이가 문제라고 여기는 상황이다. 글쓴이는 2문단에서 신조어를 지나치게 써 세대 간 의사소통의 어려움이 생기고, 3문단에서 청소년 사이에도 의사소통의 문제가 생긴다고 하였다.

2-1 이 글의 글쓴이는 길거리에 쓰레기통 수를 늘리면 거리 환경을 개선할 수 있고, 재활용 쓰레기의 수거율을 높일 수 있다는 좋은 점을 근거로 들어 길거리 쓰레기통 수를 늘려야 한다고 주장하고 있다.

2-2 '길거리에 쓰레기통의 수를 늘리자.'는 글쓴이의 제안이므로 주장, '쓰레기통의 수를 늘리면, 거리 환경을 개선할 수 있고, 재활용 쓰레기의 수거율을 높일 수 있다.'는 쓰레기통을 늘려야 하는 이유이므로 근거에 해당한다.

간단 체크　공정 여행, 비행기, 관계

01 ②　　**02** ①　　**03** ③

> **제재 소개** 장미정, 〈모두가 즐거운 착한 여행〉
> **종류**　　주장하는 글
> **중심 화제** 공정 여행
> **특징**　① 관광 산업의 성장으로 발생한 문제 상황을 분석하고, 그 해결 방안을 제시하는 방식을 취함.
> 　　　② 여행자, 현지인, 환경이 바람직한 관계를 맺으며 지속해야 한다는 점을 강조함.

01 1문단에서 관광 산업이 자연을 그대로 이용해 외화를 벌 수 있어 다른 산업보다 환경 오염의 피해도 적을 것 같다는 생각이 있지만, 현실은 이와 다르며 무분별한 개발로 환경이 파괴되고 현지인도 피해를 입는다고 하였으므로, 관광 산업의 부정적인 면을 강조하고 있다.

오답 풀이
③ 3~5문단에서 공정 여행의 장점을 제시하고 있다.
④ 4~5문단에서 여행에 대한 글쓴이의 생각이 드러난다. 글쓴이는 여행은 다른 문화를 이해하고 배려하며 새로운 경험을 할 수 있는 소중한 체험 기회이자 낯선 문화와 사람들, 환경과의 '관계 맺음'이라 하였다.

02 여행으로 낯선 문화나 사람들을 이해할 수 있는 것은 글쓴이가 생각한 여행의 장점에 해당한다.

오답 풀이
③ 3문단에서 공정 여행은 여행지에서 쓴 돈이 현지인들에게 돌아가도록 한다고 하였다. 공정 여행이 여행의 부정적인 측면을 줄이는 여행인 점을 고려할 때, 여행지에서 쓴 돈이 현지인에게 돌아가지 않는 문제가 있음을 추론할 수 있다.

03 이 글의 글쓴이는 관광 산업이 지닌 여러 문제를 해결할 수 있는 공정 여행을 해야 한다고 주장하고 있다. 공정 여행은 여행자들이 일으키는 환경 파괴를 줄이기 위해 비행기 이용을 자제하고, 여행지에서 쓴 돈이 현지인에게 돌아갈 수 있도록 호텔을 이용하는 대신

현지인이 제공하는 숙소와 음식을 먹는 등의 방식을 택한다.

② 마지막 문단에서 글쓴이는 여행은 단순한 재미나 놀이가 아니라고 하였다.

2일 글의 구조 파악하기

개념 원리 확인   100 ~ 103쪽

1-1 서론: (가) 본론: (나), (다) 결론: (라)

1-2 서론-②, 본론-③, 결론-①

2-1 미연   **2-2** ㉠, ㉡

1-1 (가)는 휴대 전화가 사람 사이를 가까워지게 한다는 점에 의문을 제기하고 있으므로 서론에, (나)와 (다)는 휴대 전화가 사람 사이를 멀어지게 한다는 구체적인 내용이 제시되므로 본론에, (라)는 (가)~(다)의 내용을 요약·정리하므로 결론에 해당한다.

1-2 서론은 문제 상황을 제시하는 부분이므로 ②, 본론은 근거를 들어 주장을 구체적으로 밝히는 부분이므로 ③, 결론은 앞의 내용을 요약하고 주장을 강조하는 부분이므로 ①과 이어야 한다.

2-1 이 글의 글쓴이는 청소년의 팬클럽 활동에 대한 어른들의 부정적인 생각에 반대하고 있다. 이 글에 따르면, 대부분의 어른들은 청소년이 팬클럽 활동을 하면서 시간을 낭비하고, 다른 사람에게 피해를 준다고 생각한다. 그러나 글쓴이는 이러한 어른들의 생각은 선입견이며, 팬클럽 활동은 건강한 여가 생활의 방법이자 사회에 긍정적인 영향을 미친다고 주장하고 있다.

2-2 ㉠은 '청소년은 팬클럽 활동으로 시간을 낭비한다.'는 어른들의 생각과 반대되는 글쓴이의 생각이며, ㉡은 '경쟁 연예인에게 악성 댓글로 피해를 준다.'는 어른들의 생각과 반대되는 글쓴이의 생각이다.

2일 기초 집중 연습   104 ~ 105쪽

간단 체크 습관, 전기, 아동

01 ②   **02** ④   **03** ④

제재 소개 박정훈, 〈냉장고의 이중성〉
종류 주장하는 글
중심 화제 냉장고
특징 ① 일상생활에서 일어나는 일을 예로 들어 주장을 뒷받침함.
② 냉장고 사용의 문제점을 여러 측면으로 나열함.

01 이 글의 마지막 문단에서 글쓴이는 우리의 삶과 환경을 위협하는 냉장고의 폐해를 인식하고, 우리의 냉장고 사용 습관을 되돌아보자고 하였다.

①, ④ 마지막 문단에서 글쓴이는 냉장고를 당장에 버리고 사용하지 말자는 것이 아니며, 냉장고의 폐해를 인식하자고 주장하였다.
③ 3~4문단에서 냉장고 때문에 필요 이상으로 많은 음식을 사게 되는 문제점이 생긴다고 했으므로, 글쓴이는 필요한 만큼만 음식을 사야 한다고 할 것이다.

02 5문단에 따르면, 냉장고로 인해 아동들이 어느 때나 음식을 먹을 수 있어서 필요 이상의 열량을 섭취해 비만과 같은 건강 문제가 발생하였다. 따라서 아이들이 음식을 충분히 먹지 못하는 것은 냉장고 사용의 문제점으로 볼 수 없다. 오히려 냉장고 사용으로 아이들이 음식을 너무 많이 먹는 것이 문제이다.

03 이 글의 결론 부분에서는 본론 부분에서 제기한 냉장고의 여러 가지 문제점을 정리하고 있을 뿐, 서로 대비되는 견해를 종합하고 있지 않다.

① 3문단에서 대부분의 가정집 냉장고에 음식이 쌓여 있을 것이라며, 일상생활에서 일어나는 일을 근거로 냉장고의 문제점을 지적하고 있다.
② 5문단에서 음식을 과하게 섭취하여 일어나는 아동 비만 문제를 인과적으로 제시하고 있다.
③ 1문단에서 '냉장고가 과연 문명의 이기이기만 한 것일까?'라고 물으며, 냉장고에 대한 일반적인 생각에 반대 의견을 제시하고 있다.

⑤ 2~5문단에서 냉장고가 일으키는 여러 문제 상황을 제시한 뒤, 마지막 문단에서 냉장고 사용 습관을 되돌아보자는 주장을 제시하고 있다.

3일 논증 방법 파악하기

개념 원리 확인	106 ~ 109쪽

1-1 사례, 결론   **1-2** 현민   **2-1** 전제, 결론   **2-2** ①

1-1 이 글에 따르면, 마거릿 미드는 각각의 부족을 연구한 사례들을 바탕으로 남녀의 특성은 소속된 사회의 문화에 따라 정해진다는 결론을 이끌어 내었다.

1-2 이 글에서는 서로 다른 성 역할을 지닌 부족의 사례를 근거로 들어 성 역할을 고정하지 말아야 한다는 글쓴이의 주장을 이끌어 내고 있다.

2-1 '사회화 매체는 다양한 현실의 모습을 담아야 한다.'는 것은 결론을 이끌어 내기 위해 글쓴이가 끌어온 일반적인 원리이므로 전제, '텔레비전은 다양한 삶의 형태를 보여 주어야 한다.'는 것은 글쓴이가 궁극적으로 주장하려는 내용이므로 결론에 해당한다.

2-2 [A]에 쓰인 논증 방법은 연역이며, 이와 같은 논증 방법이 쓰인 것은 ①에 해당한다. ②는 개별적인 사실로부터 일반적인 내용을 이끌어 내고 있으므로 귀납이 쓰였다.

3일 기초 집중 연습	110 ~ 111쪽

간단 체크   건강, 인공조명, 동물

01 ⑤   **02** ②   **03** ②

제재 소개   건강다이제스트 편집부, 〈밤도 대낮처럼 환하게, 인공 빛의 두 얼굴〉
종류   주장하는 글
중심 화제   빛 공해
특징   ① 빛 공해의 악영향을 근거로 제시하여 인공조명을 줄이자는 주장을 뒷받침함.
② 귀납과 연역의 논증 방법을 사용하여 주장의 설득력을 높임.

01 3문단에 따르면, 과도한 인공 빛으로 인해 멜라토닌의 합성이 억제되어 유방암 발병률이 높아진다고 하였다.

오답 풀이
① 5문단에서 식물들이 6~10럭스(lx) 밝기의 빛에 장기간 노출될 경우 수확량이 벼는 16퍼센트, 보리는 20퍼센트, 들깨는 94퍼센트가 감소한다고 하였다.
②, ③ 4문단에서 빛 공해는 녹조류를 증가시켜 수질을 나빠지게 하고, 철새들에게 착각을 불러일으켜 철새들이 고유한 이동 경로를 이탈하게 한다고 하였다.
④ 3문단에서 과도한 인공 빛 때문에 사람들의 생체 리듬이 깨진다고 하였다.

02 이 글에서는 과도한 인공 빛이 인간, 동물, 식물에 미치는 영향을 인과적으로 설명하고 있으나, 인공조명이 생기게 된 원인에 대해 인과적으로 설명하고 있지 않다.

오답 풀이
① 3문단과 5문단에서 과학적 연구 결과를 근거로 제시하고 있다.
③, ⑤ 3~5문단에서 인공 빛이 지닌 문제 상황들을 제시한 뒤, 6문단에서 불필요한 불을 끄자는 해결책을 제시하고 있다. 이때 '세상이 바뀌기를 기다리기 전 나부터 바꿔야 하지 않을까?'라고 스스로 묻고 답하는 방식을 활용해 주장을 강조하고 있다.
④ 3~5문단에서 든 구체적인 사례를 바탕으로 '지나친 인공 빛은 알게 모르게 인간과 동식물에 악영향을 미치며, 우리 삶에 직간접적으로 관여한다.'는 진술을 이끌어 내고 있다.

03 [A]에서 쓰인 논증 방법은 연역이다. 연역은 누구나 인정할 만한 일반 법칙을 근거로 구체적인 내용에 해

당하는 주장을 이끌어 내는 방식이다.

오답 풀이

①, ③ 귀납에 대한 설명이다.

④ 유추에 대한 설명이다.

자료실 **귀납적 논증 방법의 예 - 유추**

유추: 둘 이상의 대상이 비슷한 속성을 가진다는 것을 근거로 들어, 그것들 사이의 다른 속성들도 유사할 것이라고 추론하는 논증 방법.

예 화성은 태양과의 거리나 자전 주기가 지구와 거의 같다. 이런 점을 고려할 때, 화성에도 지구처럼 생명체가 살 것이다.

4일 타당성 판단하기

개념 원리 **확인**   112 ~ 115쪽

1-1 ③   **1-2** 현서   **2-1** 일우   **2-2** 전통문화

1-1 ③은 동물원의 환경으로 인해 동물들이 고통받는 예에 해당하므로 주장을 뒷받침하지 못하고 있다. 따라서 타당하지 않은 근거에 해당한다.

1-2 [B]에서는 동물원이 생물 다양성을 교육하고, 생명 존중 의식을 기르는 데 동물원을 폐지해서는 안 된다고 하였다. 지수가 [B]의 논리를 그대로 받아들인 것에 반해 현서는 동물원이 정말 생명 존중 의식을 기를 수 있는 곳인지를 비판적으로 따져 보고 있다.

2-1 이 글의 글쓴이는 안동 탈놀이를 활용한 '안동 민속 축제', 강릉 단오굿을 활용한 '강릉 단오제', 조선 통신사를 위한 해신제를 재현한 '조선 통신사 축제' 등 개별적인 사례들을 근거로 축제에 전통문화를 활용할 것을 주장하고 있다. 따라서 이 사례들이 정말 전통문화를 활용해 성공한 것인지 따져 본 일우가 이 글의 타당성을 바르게 판단하며 읽었다.

오답 풀이

이 글의 글쓴이는 연역의 논증 방법을 사용하지 않았다.

2-2 제시된 기사에 따르면, ○○시에서 전수되고 있는 판소리를 활용한 지역 축제는 예상과 달리 큰 성과를 얻지 못했다. 이를 참고할 때 전통문화를 활용한 축제가 항상 성공하는 것이 아님을 알 수 있으므로 축제에 각 지방의 전통문화를 활용해야 한다는 글쓴이의 주장은 설득력이 떨어진다.

4일 기초 집중 연습   116 ~ 117쪽

간단 체크   이용, 교통사고, 운동량

01 ③   **02** ②   **03** ①

제재 소개   **김찬호, 〈우리에게 자동차는 무엇인가〉**

종류   주장하는 글

중심 화제   자동차 이용

특징   ① 문제점들이 병렬적으로 제시됨.
② 글 전체적으로 '문제점–해결 방안'의 2단계 구성 방식을 취함.

01 ③은 이 글에서 언급되지 않은 내용이다. 또한 ③은 자동차 이용이 주는 장점에 해당하므로 이 글의 주장을 뒷받침할 수 있는 근거로 알맞지 않다.

오답 풀이

① 3문단에서 제시한 근거에 해당한다.

② 1문단에서 제시한 근거에 해당한다.

④ 2문단에서 제시한 근거에 해당한다.

⑤ 4문단에서 제시된 근거에 해당한다.

02 ②는 자동차 때문에 낭비되는 시간이 늘어난다는 이 글의 내용을 뒷받침하는 근거에 해당한다.

오답 풀이

① 자동차에 드는 비용이 만만치 않다는 내용을 반박하는 근거이다.

③ 자동차 이용 때문에 운동량이 줄고, 성인병이 늘어났다는 내용을 반박하는 근거이다.

④ 2문단의 내용을 반박하는 근거이다.

⑤ 1문단의 내용을 반박하는 근거에 해당한다.

03 주장하는 글에서는 보통 하나의 주장과 그 주장을 뒷받침하는 여러 근거들이 제시된다. 주장과 근거의 개

수가 일치하는가의 여부는 글의 타당성과는 관련이 없다.

5일 주장하는 글 읽기_종합

5일	기초 집중 연습				120 ~ 123쪽

간단 체크 권리, 당연, 택배 기사 / 조작, 유해성, 생태계

01 ⑤	02 ④	03 ②	04 ①	05 ②	06 ③
07 ⑤	08 ④	09 ③	10 ③	11 ①	12 ③

제재 소개 김용섭, 〈왜 속도를 고민해야 하는가?〉
종류   주장하는 글
중심 화제 택배 기사의 열악한 노동 환경
특징   ① 제목을 의문문으로 제시하여 독자의 호기심을 유발함.
         ② 통계 자료를 활용하여 주장의 타당성을 높임.

01 이 글은 주장하는 글인데, 주장하는 글을 읽을 때에는 주장의 타당성을 판단하며 읽어야 한다. 즉, 글쓴이의 주장을 있는 그대로 받아들이기보다 그 주장이 이치에 맞는지를 판단하며 읽어야 한다.

02 ④는 이 글에서 찾을 수 없는 내용이다. (나)에 따르면, 택배 기사들이 과속을 하거나 신호를 위반하는 가장 큰 원인은 빠른 속도를 강요하는 배달 구조 때문이다. 따라서 이 글의 글쓴이는 우선 배달 구조를 개선하여 택배 기사들이 교통 법규를 어기는 문제를 해결해야 한다고 생각할 것이다.

오답 풀이
① (가)와 (마)를 종합할 때, 빠른 배달 속도를 당연하게 여겨선 안 됨을 알 수 있다.
② (다)에서 나타난 내용이다.
③ (나)와 (마)에 나타난 내용이다.
⑤ (마)에서 나타난 내용이다.

03 (가)는 우리나라가 '배달 공화국'이라고 불릴 만큼 택배 산업이 발달하였음을 제시하고 있으므로 서론에, (나)~(라)는 택배 기사들이 처한 문제점을 구체적으

로 설명하므로 본론에, (마)는 택배 기사들의 권리 보장을 위해 작은 불편을 받아들이자는 당부를 전하고 있으므로 결론에 해당한다.

04 귀납은 사례들을 바탕으로 일반적인 원리를 이끌어 내는 논증 방법이므로, ⓐ에 들어갈 알맞은 말은 (나)~(라)의 문제점을 아우르는 '택배 기사들은 열악한 노동 환경에 처해 있다.'이다.

05 ②는 택배업의 규모가 커졌지만, 택배 기사들의 수입은 그대로라는 (라)의 의견과 반대되는 사례이므로 글쓴이의 주장을 뒷받침하는 근거로 알맞지 않다.

오답 풀이
①, ③ 택배 기사들이 과도하게 일하고 있다는 (다)의 내용을 뒷받침하는 근거이다.
④ 택배 기사들이 각종 비용을 부담해야 한다는 (라)의 내용을 뒷받침하는 근거이다.
⑤ 택배 기사들이 열악한 노동 환경에 처해 있으며, 바람직한 환경에서 일할 권리를 보장 받아야 한다는 (마)의 내용을 뒷받침하는 근거이다.

06 ㉠은 '어떤 경우, 사실이나 기준 따위에 의거하다.'라는 뜻으로 이와 비슷하게 쓰인 것은 ③이다.

오답 풀이
① '그릇을 기울여 안에 들어 있는 액체를 밖으로 조금씩 흐르게 하다.'라는 의미이다.
②, ④ '남이 하는 대로 같이 하다.'라는 의미이다.
⑤ '관례, 유행이나 명령, 의견 따위를 그대로 실행하다.'라는 의미이다.

제재 소개 가치를 꿈꾸는 과학 교사 모임, 〈유전자 조작과 다국적 기업〉
종류   주장하는 글
중심 화제 유전자 조작 농산물
특징   ① 실험 보고서 자료를 인용하여 자신의 주장을 강화함.
         ② 찬성 측 의견을 언급하며 반론을 제기하고 있음.

정답과 해설

07 5문단에 따르면, 유전자 조작 농산물은 종자 특허권을 가진 다국적 기업들의 지위만을 높일 뿐 농민들은 해마다 다국적 기업의 종자와 이에 맞는 화학 비료 및 농약을 사야 된다.

오답 풀이
① 이 글의 마지막 문단에서 '이제는 유전자 조작 농산물을 거부해야 한다.'는 주장이 나타난다.
② 2문단에서 제시된 근거이다.
③ 3문단에서 제시된 근거이다.
④ 4문단에서 제시된 근거이다.

08 이 글에서는 중심 화제인 유전자 조작 농산물에 대한 부정적인 관점이 주로 나타나며, 여러 관점을 제시한 뒤 이를 절충하는 부분은 나타나지 않는다.

오답 풀이
① 2문단에서 다국적 기업의 실험 보고서 자료라는 구체적인 근거를 바탕으로 설득력을 높이고 있다.
② 1문단에서 유전자 조작 농산물의 뜻을 풀이하여 독자의 이해를 돕고 있다.
③ 4문단에서 유전자 조작 농산물 찬성론자의 입장을 제시한 후 이를 비판하고 있다.
⑤ 마지막 문단에서 독자에게 유전자 조작 농산물을 거부할 것을 권유하고 있다.

09 [A]는 '생태계의 질서를 깨면 문제가 생긴다. → 유전자 조작 농산물은 생태계의 질서를 깬 것이다. → 유전자 조작 농산물은 생태계에 문제를 일으킨다.'는 연역의 논증 방법이 쓰이고 있다.

10 타당성이란 주장과 근거가 이치에 맞는 성질을 의미한다. 따라서 글쓴이의 주장이 독자의 흥미를 유발하는지를 파악하는 것은 글의 타당성을 파악하는 것과는 관련이 없다.

오답 풀이
①, ④ 타당성을 판단하기 위해선 주장과 근거 사이의 연관성이 있는지, 근거에서 주장을 이끌어 내는 과정에서 오류는 없는지를 점검해야 한다.
② 글에 제시된 보고서는 이 글의 글쓴이가 사용한 근거이므로 그 근거가 타당한지 찾아보아야 한다.
⑤ 이 글에서 비판하는 다국적 기업의 입장에서 이 글을 반박할 수 있는지 생각하는 것은 이 글의 주장이

치우치지 않았는지 점검하여, 이 글의 주장이 이치에 맞는지 따져 보는 것이다.

11 ㉠은 유전자 조작 농산물의 유해성을 뒷받침하는 구체적인 자료이다.

12 ㉢는 '자연적인 재해나 사회적인 피해를 당하여 어려운 처지에 놓인 사람을 도와주다.'라는 의미로 쓰였다.

누구나 100점 테스트 124 ~ 125쪽

01 주장 **02** 문제 상황: (가), 주장: (다), 근거: (나)
03 (1) ○ (2) × (3) ○ **04** ① **05** ② **06** (1)-㉠ (2), (3)-㉢ **07** (1) 연역 (2) 귀납 (3) 연역 **08** (1)
09 ㄱ, ㄴ **10** ㄴ, ㄷ

01 주장은 어떤 문제에 대해 내세우는 글쓴이의 생각이며, 주장을 뒷받침하는 것이 근거이다. 따라서 빈칸에 공통적으로 들어갈 말은 주장이다.

02 (가)는 글쓴이가 해결해야 한다고 여기는 상황이 드러나므로 문제 상황에, (다)는 글쓴이의 생각이 나타나므로 주장에, (나)는 나트륨을 많이 먹을 때의 문제점을 다루어 글쓴이의 주장을 뒷받침하므로 근거에 해당한다.

03 (1) 주장하는 글은 '서론-본론-결론'으로 구성된다.
(2) 서론은 문제를 제기하고 독자의 흥미를 유발한다. 본론의 내용을 요약하고 주장을 강조하는 것은 결론에 해당한다.
(3) 본론에서는 근거를 들어 주장을 펼친다.

04 제시된 글은 글쓴이의 주장과 반대되는 의견을 비판하는 전개 방식을 취하고 있다. ①은 글쓴이의 주장과 반대되는 의견이다. ②와 ③은 채식만 했을 때 일어날 수 있는 문제점이므로 글쓴이의 주장을 뒷받침하는 근거에 해당한다. ④는 채식과 육식을 고루 해야 한다

는 글쓴이의 생각이 나타나므로 글쓴이의 주장에 해당한다.

05 1문단에서는 학교 폭력이 가해자와 피해자의 개인적 특성 때문에 발생한다고 본 '가해자-피해자 모델'을, 2문단에서는 학교 폭력이 방관 행동 때문에 유지된다고 본 '가해자-피해자-방관자 모델'을 소개하였고, 3문단에서는 이 두 의견 중 '가해자-피해자-방관자 모델'을 택해야 한다고 주장하였다.

06 (1) 누구나 인정하는 원리로부터 어떤 사실이 참이라 주장하는 논증 방법은 연역이다.
(2), (3) 관찰이나 경험 등을 통해 알게 된 여러 사실들로부터 일반적인 원리나 법칙을 이끌어 내는 논증 방법은 귀납이다. 귀납은 모든 사실을 관찰할 수 없기 때문에 결론이 항상 참이지는 않다.

07 (1), (3) 연역은 'A는 B다. C는 A이다. 따라서 C는 B이다.'의 형식으로 일반적인 진술로부터 구체적인 내용이 참임을 이끌어 내는 논증 방법이다.
(2) 귀납은 구체적인 사례를 바탕으로 일반적인 원리를 이끌어 내는 논증 방법이다.

08 근거가 주장을 뒷받침하기 위해서는 근거와 주장이 관련이 있어야 하므로 커피를 마셨을 때 일어날 수 있는 문제점에 해당하는 (1)이 주장을 뒷받침하는 근거로 알맞다.

09 글의 타당성을 판단하는 것은 주장과 근거의 논리적인 관계를 판단하는 것이다. 글의 타당성을 판단하기 위해서는 글에 쓰인 내용이 이치에 맞는지 비판적으로 검토해야 한다. 읽는 이의 흥미를 유발하는 표현의 사용 여부는 타당성과 관련이 없다.

10 이 학생은 현성이가 태블릿 PC를 활용하여 성적을 올린 경험을 근거로 주장을 이끌어 내고 있으나, 이 일부의 경험이 태블릿 PC를 쓰는 모두가 성적을 올렸음을 뒷받침할 수는 없다. 또한 현성이가 성적을 올리는 데에 태블릿 PC 외의 다른 요소가 개입하였을 수도 있으므로, 이 학생은 ㄴ, ㄷ의 오류를 범했다고 볼 수 있다.

특강 | 창의·융합·코딩　　126~131쪽

❶ 어휘 챌린지

1 ① 경관 ② 각박 ③ 고유한 ④ 부수적 ⑤ 이면　　**2** ① 터전 ② 이기 ③ 기하급수적 ④ 이중성 ⑤ 기력 ⑥ 유해성 ⑦ 내성 ⑧ 독점 / 수불석권(手不釋卷)

❸ 갈래 탐구 챌린지

㉠: 인성적 ㉡: 감성적 ㉢: 이성적

❶-1 ① 경관은 '산이나 들, 강, 바다 따위의 자연이나 지역의 풍경'을 뜻한다. 터전은 '생활의 근거지가 되는 곳'을 뜻한다.

② 각박하다는 '인정이 없고 삭막하다.'라는 뜻이다. 훈훈하다는 '마음을 부드럽게 녹여 주는 따스함이 있다.'라는 뜻이다.

③ 고유하다는 '한 사물이나 집단만이 본래부터 특별히 가지고 있다.'라는 뜻이다. 새롭다는 '지금까지 있은 적이 없다.'라는 뜻이다.

④ 부수적은 '주된 것이나 기본적인 것에 붙어서 따르는. 또는 그런 것.'이라는 뜻이다. 필수적은 '꼭 있어야 하거나 하여야 하는. 또는 그런 것.'이라는 뜻이다.

⑤ 이면은 '겉으로 나타나거나 눈에 보이지 않는 부분'을 의미한다. 표면은 '겉으로 나타나거나 눈에 띄는 부분'을 의미한다.

정답과 해설

읽기의 방법

4주에는 무엇을 공부할까? ❷ 134~135쪽

1 ③ **2** 도현 **3** 그림 **4** (나)

2 동물이 도로에 뛰어들어 자동차에 치여 목숨을 잃는 다는 제시된 내용과 관련지어, 도로를 가로지르려는 고라니가 갑자기 나타나는 차로 인해 위험해질 수 있음을 예측할 수 있다.

3 '이모티콘'은 컴퓨터나 휴대 전화의 문자와 기호, 숫자 등을 조합하여 만든 그림 문자로, 감정이나 느낌을 전달할 때 사용한다. '픽토그램'은 사물이나 시설, 사회적인 행위나 개념 등을 누구나 쉽게 알아볼 수 있게 단순화하여 나타낸 그림 문자로, 주로 공공시설이나 교통 안내판 등에 사용된다.

1일 요약하며 읽기

개념 원리 확인 136~139쪽

1-1 민서 **1**-2 ② **2**-1 도구 **2**-2 ②

1-1 (가)에는 반복되고 덜 중요한 내용이 있으므로, 이런 내용을 삭제하고 글의 주제와 관련 있는 중요한 내용을 중심으로 요약하였다.

오답 풀이

준수는 중심 내용이 분명하게 드러나는 문장을 선택하여 요약하는 '선택'의 방법을 말하였다.

1-2 (라)의 내용을 요약할 때는 중심 내용이 직접 드러난 부분을 선정하는 선택을 활용할 수 있다. 이 글은 오늘날에 맞는 예절 마련의 필요성에 대해 말하고 있으므로 ②가 중심 문장에 해당한다.

자료실 (나)와 (다)의 중심 내용과 요약 방법

- (나): 오늘날에는 평등한 인간관계에 적합한 예절이 발달하였고, 예절의 형식과 절차도 점차 간소화되고 있다.(삭제의 방법)
- (다): 오늘날의 예절은 때로 심각한 문제점을 드러내기도 한다.(선택의 방법)

2-1 (다)는 불을 이용하여 토기, 무기, 장신구를 만들었다는 세부 정보가 제시되었으므로, '토기, 무기, 장신구'를 포괄하는 말인 '도구'로 일반화하여 요약하면 된다.

2-2 글의 요약 방법 가운데 재구성하기는 중심 내용이 직접적으로 드러나지 않을 때 제시된 내용을 바탕으로 중심 문장을 만들어 요약하는 방법이다. (라)는 불이 중세 사회부터 오늘날까지 인류의 발전에 끼친 영향을 설명하고 있으므로 중심 내용으로 ②가 알맞다.

자료실 (가)와 (나)의 중심 내용과 요약 방법

- (가): 초기 인류의 발전에 가장 결정적인 역할을 한 것은 불의 이용이다.(선택의 방법)
- (나): 불을 이용하기 시작하면서 인간은 자연을 이용하고 다스리기 시작했다.(삭제의 방법)

자료실 요약하며 읽기의 효과

- 글의 내용을 정확하게 이해하는 데 도움을 줌.
- 글의 내용을 체계적으로 기억하는 데 도움을 줌.
- 글의 구조를 이해하는 데 도움을 줌.

1일 기초 집중 연습 140~141쪽

간단 체크 가치, 경제, 식물

01 ④ **02** ③ **03** ⑤

01 이 글의 구조를 고려할 때, (나)는 독도의 경제적 가치, (다)는 독도의 지형(지질학적 가치), (라)와 (마)는 독도의 생태계를 중심 내용으로 다루고 있다. 독도의 자연환경 소개라는 목적에 따라 이 글을 읽을 때 독도의 지형, 새, 식물에 관한 정보가 담긴 (다)~(마)를 집중적으로 읽어야 한다.

오답 풀이
- (가)는 '처음' 부분으로 독도와 관련하여 살펴볼 내용을 소개하고 있다.
- (나)는 독도의 경제적 가치에 대해 설명하고 있다.
- (바)는 '끝' 부분으로 독도를 대하는 태도를 당부하고 있다.

02 (다)는 첫 문장인 '독도는 지질학적으로도 매우 중요한 곳입니다.'에 중심 내용이 있으므로, 이 부분을 선택하여 요약해야 한다.

오답 풀이
① (가)의 마지막 문장인 '독도의 가치는 무엇인지, 독도의 생태계에는 어떤 특성이 있는지 살펴보려고 합니다.'에 중심 내용이 있으므로, 이 부분을 선택하여 요약할 수 있다.
② (나)의 마지막 문장인 '독도는 경제적인 가치가 높다고 할 수 있겠지요.'에 중심 내용이 있으므로, 이 부분을 선택하여 요약할 수 있다.
④ (라)는 '괭이갈매기와 쇠가마우지, 바다제비, 슴새 등'과 '매나 벌매와 같은 멸종 위기종에서부터 육지에서도 흔히 볼 수 있는 참새'와 '다양한 철새'를 모두 '다양한 새'로 묶어 '독도에서는 다양한 새를 찾아볼 수 있다.'로 일반화하여 요약할 수 있다.
⑤ (마)는 '독도는 땅의 면적이 좁을 뿐만 아니라 흙층이 얇고 경사가 심해서'와 같은 세부 내용과, '천연기념물로 지정된 독도 사철나무는 현재 독도에서 자라

는 대표적인 나무이며, 섬기린초나 섬초롱꽃 같은 희귀 식물도 찾아볼 수 있습니다.'는 구체적인 예를 삭제하고, '식물이 자라기 좋지 않은 환경에도 독도에는 50~60종의 식물이 자라고 있다.'로 요약할 수 있다.

03 (바)는 '중간' 부분에서 말한 독도의 가치와 생태계에 대해 정리하며 독도에 애정을 두자고 당부하고 있다. 이러한 문단 내용을 바탕으로 재구성하여 중심 문장을 '독도에 애정과 관심을 두고 독도의 다양한 특성을 알아 나가자.'로 만들 수 있다.

 2일 예측하며 읽기

개념 원리 **확인**　　　　　　　　142 ~ 145쪽

1-1 (1) 제목 (2) 경험　　**1-2** (1)-① (2)-②　　**2-1** 읽기 전-②　　**2-2** 앞으로의 다문화 정책 방향

1-1 (1)은 읽기 맥락(글의 제목)을 근거로, (2)는 배경지식이나 경험을 근거로 글의 내용을 예측하였다.

1-2 (1)은 문장을 통해 글의 내용이나 구조를 예측한 내용이고, (2)는 글을 읽으며 글이 독자에게 미칠 영향을 예측한 내용이다.

2-1 글을 읽기 전에 책의 제목(읽기 맥락)을 통해 내용을 예측하고 있다. 제목을 고려할 때 ②가 글 전체 내용을 합리적으로 예측했음을 알 수 있다.

2-2 (가)로 보아 국내 거주 외국인의 현황과 이주민이 겪는 어려움을 말한 뒤, 앞으로의 다문화 정책 방향을 말하는 흐름으로 글이 전개될 것임을 예측할 수 있다.

정답과 해설

2일 **기초** 집중 연습 **146 ~ 147쪽**

간단 **체크** 문제, 덜, 덜, 잘

01 ② **02** ④ **03** ③

제재 소개 장미정, 〈내가 버린 전기·전자 제품의 행방은?〉

종류 설명하는 글
중심 화제 전자 폐기물
특징 ① 소제목을 제시하여 내용을 예측할 수 있게 함.
② 구체적인 수치를 제시하여 전자 폐기물의 문제점을 뒷받침함.
③ 전자 폐기물 문제를 해결할 수 있는 방법을 구체적으로 소개함.

---

01 (가)에서 매년 지구에서 나오는 전자 폐기물의 양을 말하고는 있지만, 각 나라에서 나오는 전자 폐기물의 양은 언급하지 않았다.

오답 풀이
① (가)에서 전자 폐기물에는 납, 수은, 카드뮴 같은 인체에 해로운 화학 물질이 많이 들어 있어서 문제가 된다고 하였다.
③ (가)에서 매년 지구에서 쏟아지는 전자 폐기물의 양이 약 5,000만 톤에 이른다고 하였다.
④ (나)에서 약 5,000만 톤에 이르는 전자 폐기물의 절반 이상이 개발 도상국에 불법으로 수출되고 있다고 하였다. 이는 선진국에서 개발 도상국의 값싼 노동력과 느슨한 환경법을 악용하였기 때문이라고 하였다.
⑤ (다)와 (라)에서 전자 폐기물을 줄이기 위해 덜 쓰고 덜 버리고, 잘 버리는 방법을 설명하였다.

02 ㉢을 통해 생산자뿐만 아니라 소비자도 전자 폐기물을 줄이려고 노력해야 한다는 내용이 이어질 것임을 예측할 수 있다. 또한 글의 흐름으로 보아 생산자에 대한 글쓴이의 생각이 긍정적이라고 볼 수 없다.

03 (다)에서 불필요한 구매를 줄이고, 구입한 제품은 오래 쓰자고 말하고 있으므로, 전기·전자 제품 소비자는 새 제품이 나오면 멀쩡한 것을 버리고 새것을 사는 소비 습관을 고치고 제품을 오래 써야겠다는 반응을 보일 것임을 예측할 수 있다.

3일 비교하며 읽기

개념 원리 **확인** **148 ~ 151쪽**

1-1 (가): 긍정, (나): 부정 **1-2** (나) **2-1** 주장하는 글, 광고문 **2-2** 지민

1-1 (가)와 (나)의 글쓴이는 모두 한식의 세계화에 대해 찬성하고 있다. 하지만 '퓨전 한식'에 대해 (가)의 글쓴이는 긍정적인 관점으로 바라보는 반면에, (나)의 글쓴이는 부정적인 관점으로 바라본다.

1-2 제시된 내용은 한식을 접하고 바로 한국을 떠올리는 것을 바람직하게 생각하고 있으므로 한국 본연의 음식으로 한식의 정체성을 지켜야 한다는 (나)와 관점이 비슷하다.

2-1 (가)와 (나)는 모두 '잊힐 권리의 법제화'를 긍정적으로 바라보고 있다는 점에서 관점은 비슷하지만, (가)는 주장하는 글이고 (나)는 광고문으로 형식은 다르다.

2-2 (가)는 주장하는 글의 형식에 따라 주장과 근거를 논리적으로 전개하여 글쓴이의 의견을 전달하고 있다. (나)는 광고문으로 그림과 문구를 활용하여 잊힐 권리의 법제화가 필요함을 시각적으로 전달하고 있다.

3일 기초 집중 연습   152~153쪽

간단 체크 | 밥상머리, 숟가락

01 ③   **02** ④   **03** ③

제재 소개 | **㉮ 윤상원, 〈젓가락으로 시작하는 밥상머리 교육〉**

종류	주장하는 글
중심 화제	올바른 젓가락질
특징	① 젓가락질이 서투른 젊은이를 보며 든 생각을 바탕으로 내용을 전개함.
	② 밥상머리 교육의 효과를 근거로 들어 자신의 주장을 뒷받침함.

제재 소개 | **㉯ 엄지원, 〈젓가락질 잘해야만 밥 잘 먹나요〉**

종류	주장하는 글
중심 화제	올바른 젓가락질
특징	① 글의 도입 부분에서 표준 젓가락질과 식사 예절에 관한 의문을 제기함.
	② 표준 젓가락질이 없고 한국 문화에서는 숟가락이 더 중요함을 근거로 들어 주장함.

01 (나)에서 한국인들의 젓가락질은 같은 젓가락 문화권인 중국이나 일본에 견주어도 세계적인 수준이라고 하였다.

오답 풀이

① (가)의 2문단에서 자녀의 인성과 학업에 유익하다는 이유로 밥상머리 교육이 주목받고 있다고 하였다.
② (가)의 3문단에서 요즘 어린이들이 젓가락질을 서툴게 하자 기업들이 이러한 어린이들을 겨냥한 기능성 젓가락을 개발했다고 하였다.
④ (나)의 3문단에서 우리나라의 옛 풍속화를 보면 민초들이 숟가락만 들고 밥 먹는 풍경을 볼 수 있다고 하였다.
⑤ (나)의 3문단에서 우리 문화에서 젓가락은 양반가의 남자가 가지는 호사스러운 물건이라고 하였다.

02 (나)의 글쓴이는 젓가락질을 하는 데 완벽한 표준은 없다고 말하며 올바른 젓가락을 강요해서는 안 된다는 관점을 보여 주고 있다.

오답 풀이

(가)의 글쓴이는 밥상머리 교육의 출발은 정확하고 올바른 젓가락질 가르치기였음을 말하면서 젓가락질을 긍정적으로 바라보고 있다.

03 (가)와 〈보기〉는 젓가락질이라는 화제에 대해 올바른 젓가락질을 해야 한다는 동일한 관점을 보여 주고 있다. (가)는 주장하는 글의 형식에 따라, 〈보기〉는 편지글의 형식에 따라 자신의 생각을 전달하고 있다.

오답 풀이

	(가)	〈보기〉
관점	젓가락질을 바르게 해야 함.	
형식	• 주장하는 글로, '서론-본론-결론'의 형식으로 씀. • 주장과 주장을 뒷받침하는 근거를 제시함.	• 편지글로 '받는 사람-첫인사-본론-끝인사-보내는 사람'의 형식으로 씀. • 부드러운 말투를 사용함. • 솔직하고 편안하게 생각을 전달함.

4일 매체 평가하며 읽기

개념 원리 확인   154~157쪽

1-1 ○   **1-2** (2)-②   **2-1** ①   **2-2** ①

1-1 ㉠은 기사문의 제목으로 기사의 주요 내용을 압축적으로 보여 주고 있다.

1-2 ㉡은 도표로 한국의 명태 어획량 추이, 특히 2008년에는 우리 바다에서 명태가 잡히지 않는 상황을 한눈에 파악할 수 있게 제시하여 기사의 내용을 쉽고 빠르게 이해할 수 있도록 하였다.

2-1 이 뉴스에서는 '거북목 증후군'에 대한 정보를 시각 자료(그림, 사진, 도표)를 활용하여 제시하여 독자의 이해를 돕고 있다. 또 거북목 증후군 환자의 인터뷰 영상을 제시하여 거북목 증후군 환자가 늘고 있음을 뒷받침하고 있다.

2-2 '거북목 증후군'에 대한 개념을 설명하기 위해 정상적인 목뼈와 휘어진 목뼈 그림을 함께 제시하여 '거북목 증후군'이 무엇인지 쉽게 이해할 수 있게 하였지만, 거북목 증후군의 뜻과 원인을 표로 제시하지 않았다.

> **자료실** 매체 자료의 효과
> • 내용에 대한 설득력을 높일 수 있음.
> • 전하고자 하는 바를 강조할 수 있음.
> • 보는 이의 관심과 흥미를 끌 수 있음.
> • 내용을 적절하게 뒷받침하고 내용에 관한 이해를 도울 수 있음.

4일 기초 집중 연습   158 ~ 159쪽

간단 체크 가격, 단수

01 ③   **02** ⑤   **03** ②

> **제재 소개** 박정호, 〈소비자의 지갑을 여는 가격의 비밀〉
> **종류** 설명하는 글
> **중심 화제** 가격과 관련한 판매 전략
> **특징** ① 사진, 그림, 도표 등 다양한 매체 자료를 사용하여 독자의 흥미를 불러일으킴.
> ② 다양한 예를 들어 판매 전략을 이해하기 쉽게 설명함.

01 이 글의 '끝' 부분에서 글쓴이가 글을 쓴 의도가 잘 드러나고 있다. 글쓴이는 가격과 관련한 판매 전략에 어떤 것이 있는지 알려 주고, 이를 잘 이해하여 현명한 소비 생활을 할 것을 당부하고 있다.

02 시각 자료를 활용하면 글에서 설명하려는 내용을 좀 더 구체적이고 시각적으로 보여 주어 독자의 이해를 돕고 독자의 관심과 흥미를 끌 수 있다. ㉠, ㉡이 글의

내용을 압축하여 주제나 핵심을 강조한다고 볼 수는 없다.

> **오답 풀이**

①, ② ㉠은 같은 옷이지만 가격을 각각 34달러, 39달러, 44달러로 표시한 상품 안내서 그림으로, 단수 가격에 대한 실험 내용을 쉽게 이해하는 데 도움을 주고 있다.

③, ④ ㉡은 상품에 9,900원, 990원 등과 같이 단수 가격을 매긴 예가 담긴 사진으로, 단수 가격을 매기는 것이 흔히 접할 수 있는 판매 전략임을 보여 주고 있다.

03 제시된 자료는 가격별 의류 판매량을 도표로 제시하여 실험 결과를 한눈에 보여 주고 있기 때문에 ⓐ에 제시하기에 적절한 자료라고 평가할 수 있다.

> **자료실** 매체 자료를 쓰기 좋은 경우
> • 도표: 어떤 대상의 수치를 한눈에 보여 주고자 할 때, 자료의 추이를 보여 주고자 할 때.
> • 표: 어떤 대상의 구체적 수치를 나타내고자 할 때, 자료의 추이를 보여 주고자 할 때.
> • 그림이나 사진: 어떤 대상의 형태를 보여 주고자 할 때, 보는 이의 흥미와 관심을 끌고자 할 때.
> • 청각 자료: 어떤 대상의 소리 등을 표현하고자 할 때.
> • 시청각 자료: 어떤 대상의 제작 방법, 사용 방법 등을 소개하고자 할 때.

5일 읽기의 방법_종합

5일 기초 집중 연습   162 ~ 165쪽

간단 체크 얼음, 날개벽, 천장 / 사회, 기업, 까닭

01 ⑤   **02** ③   **03** ⑤   **04** ④   **05** ③   **06** ①
07 ④   **08** ②   **09** ③   **10** ③   **11** ③

제재 소개 이광표, 〈조상의 슬기가 낳은 석빙고의 비밀〉
종류   설명하는 글
중심 화제 석빙고
특징   ① 석빙고의 얼음 저장 과정을 두 단계로 나누어 설명함.
         ② 석빙고의 얼음 저장 과정에 담긴 과학적 원리를 구체적
           으로 설명함.
         ③ 사진이나 그림 등 시각 자료를 활용하여 독자의 이해
           를 도움.

01 이 글은 석빙고의 얼음 저장 과정을 두 단계로 나누어 설명하고 있다.

02 (가)에서는 석빙고의 얼음 저장 과정과 원리를 설명하고 있는데, (나)와 (다)에서는 석빙고 내부의 냉각 원리를 설명하고 있고, (라)와 (마)에서는 석빙고 내부의 저온 상태 유지 원리를 설명하고 있다.

03 제시된 자료는 석빙고의 내부 사진으로, (마)에서 말한 석빙고의 아치형 천장 구조와 연결하여 내용을 이해할 수 있다.

04 (라)는 첫 문장에 중심 내용이 드러나지만, '저온 상태 유지'가 중요한 내용이므로 덜 중요한 부분을 삭제해서 '두 번째 단계는 석빙고 내부를 저온 상태로 유지하는 것이다.'로 좀 더 간결하게 요약할 수 있다.

오답 풀이

① (가)는 첫 문장에 중심 내용이 분명하게 드러나므로 '석빙고의 얼음 저장 과정은 냉각과 저온 유지의 두 단계로 나뉜다.'를 선택하여 요약할 수 있다.

② (나)는 첫 문장에 중심 내용이 분명하게 드러나므로 '첫 번째 단계는 겨울에 석빙고의 내부를 냉각하는 것이다.'를 선택하여 요약할 수 있다.

③ (다)에는 중심 내용이 분명하게 드러난 문장이 없다. 석빙고 내부를 냉각하는 원리를 설명하면서, 그 비밀이 날개벽에 숨어 있다고 말하고 있다. 따라서 석빙고 내부의 냉각 원리와 날개벽을 서로 관련지어 문장을 새로이 만들어 '석빙고 내부가 냉각이 잘되는 것은 겨울바람을 효과적으로 이용할 수 있게 만든 날개벽 때문이다.'로 요약할 수 있다.

⑤ (마)에는 중심 내용이 분명하게 드러난 문장이 없다. 석빙고 내부의 저온 상태 유지 비결을 말하고 있

다. 따라서 석빙고의 천장 구조와 에어 포켓을 관련지어 문장을 새로이 만들어 '석빙고가 저온 상태를 유지할 수 있었던 것은 더워진 내부 공기를 에어 포켓에 가두었다가 밖으로 빼내는 천장 구조 때문이다.'로 요약할 수 있다.

05 (마)의 마지막 문장인 '석빙고가 한여름에도 저온 상태로 유지할 수 있었던 비밀은 또 있다.'를 통해 석빙고 내부가 한여름에도 저온 상태를 유지할 수 있었던 이유를 더 말할 것임을 예측할 수 있다.

06 이 글에서 '유지하다'는 '어떤 상태나 상황 등을 그대로 이어 나가다.'의 의미로 쓰여, '지속하다', '이어 나가다' 등으로 바꿔 쓸 수 있다.

오답 풀이

② '냉각하다'는 '식어서 차게 하다.'라는 뜻이다.

③ '측정하다'는 '일정한 양을 기준으로 하여 같은 종류의 다른 양의 크기를 재다.'라는 뜻이다.

④ '배치되다'는 '사람이나 물건 등이 알맞은 자리에 나뉘어 놓이다.'라는 뜻이다.

⑤ '설치되다'는 '어떤 목적에 맞게 쓰이기 위하여 기관이나 설비 등이 만들어지거나 제자리에 맞게 놓여지다.'라는 뜻이다.

제재 소개 케이비에스(KBS) 〈명견만리〉 제작진, 〈착한 소비,
              내 지갑 속의 투표용지〉
종류   주장하는 글
중심 화제 착한 소비
특징   ① 착한 소비를 '투표용지'에 빗대어 전달하고자 하는 내
           용을 강조함.
         ② 다양한 표현 방법을 사용하여 전달하고자 하는 바를
           드러냄.

07 이 글은 착한 소비가 우리 사회에 미치는 효과와 영향에 대한 글쓴이의 주장을 담은 글이다. 이 글에 설문 조사 결과는 제시되지 않았다.

08 2문단에서 우리나라 역시 착한 소비가 늘어나고 있는 추세라고 말하고 있다.

오답 풀이

① 1문단에서 세계 경제가 나빠졌을 때 공정 무역 매

정답과 해설

출액은 오히려 증가 추세를 보였다고 하였다.
③ 3문단에서 사람들이 가격이나 품질이 아무리 좋아도 비인간적이고 이기적인 과정을 거쳐 만들어진 물건을 소비하지 않으려고 하기 때문에 기업들이 예전보다 훨씬 더 가치 지향적인 경영, 윤리 경영을 하도록 만들고 있다고 하였다.
④ 6문단에서 경제가 어려울수록 착한 소비가 확산하는 이유가 그동안의 이기적 선택에 대한 반성과 이타심이라는 인간의 본성이 발현된 것이라고 하였다.
⑤ 마지막 문단에서 어디에, 어떻게 소비하느냐에 따라 기업, 사회, 세상의 미래가 달라질 수 있다고 말하며 착한 소비의 중요성을 강조하였다.

09 소비자들이 윤리 경영을 하는 기업의 물건을 사는 착한 소비가 확산된다는 점을 볼 때 기업인은 이미지 마케팅보다는 윤리 경영에 힘쓸 것임을 예측할 수 있다.

10 이 글과 〈보기〉는 모두 착한 소비를 화제로 하는 글로, 이 글과 〈보기〉는 모두 착한 소비의 실천을 통해 세상의 미래를 바꿀 수 있다고 설득하고 있다.

11 '부각하다'는 '어떤 사물을 특정지어 두드러지게 하다.'라는 뜻이다. ③은 '어떤 일이나 사물이 생겨나다.'를 의미하는 '발생(發生)하다'가 쓰여야 하는 문장이다.
오답 풀이
① '대우하다'는 '어떤 사회적 관계나 태도로 대하다.'라는 뜻이다.
② '도입하다'는 '기술, 물자, 이론 등을 들여오다.'라는 뜻이다.
④ '발현되다'는 '속에 있거나 숨은 것이 밖으로 나타나다.'라는 뜻이다.
⑤ '확산하다'는 '흩어져 널리 퍼지다.'라는 뜻이다.

누구나 100점 테스트 166 ~ 167쪽

01 (1) **02** (1) 선택 (2) 삭제 (3) 일반화 (4) 재구성 **03** 예측하며 읽기 **04** (1)-㉠ (2)-㉠ (3)-㉡ **05** 지우 **06** (2) **07** •관점이 나머지와 다른 글: (다) •형식이 나머지와 다른 글: (나) **08** (1) ○ (2) × **09** 그림, 쉽게 **10** (1)

01 요약하기는 중요한 내용을 간추려 정리하는 활동이다.

02 (1)은 선택, (2)는 삭제, (3)은 일반화, (4)는 재구성의 방법으로 요약하였다.

03 예측하며 읽기는 배경지식이나 경험, 읽기 맥락을 활용하여 글의 내용 등을 예측하는 것이다.

04 (1)과 (2)는 읽기 맥락(표지, 그림과 같이 글에 나타난 정보)을 통해 예측하며 읽기를 하고 있다.
(3)은 자신의 배경지식이나 경험을 활용하여 예측하며 읽기를 하고 있다.

05 지우는 글을 읽는 중에 모르는 단어가 있어서 사전을 찾아보았는데, 이는 예측하며 읽기 활동으로 볼 수 없다.

06 (가)와 (나)는 '인공위성'을 화제로 하고 있으며, 제목과 내용으로 보아 (가)는 인공위성을 활용할 가치가 있다고 보고 있으며, (나)는 인공위성에 대해 문제점을 제기하고 있다.

07 (가)~(다)는 모두 '인공조명'을 공통 화제로 다루고 있다. (가)와 (다)는 주장하는 글이고, (나)는 〈시골 쥐와 도시 쥐〉를 재구성한 패러디 동화이다. (가)와 (나)는 인공조명에 대해 부정적인 관점을 보여 주고, (다)는 긍정적인 관점을 보여 준다.

08 (2) 비교하며 읽기는 동일한 화제를 다룬 여러 글을 읽으며 관점이나 형식의 차이를 파악하는 것이다.

09 제시된 일기 예보에서는 내용을 그림으로 제시하여 내용을 쉽게 파악할 수 있고, 지역별 날씨가 어떠한지도 한눈에 볼 수 있어 효과적이다.

10 제시된 글은 유기 동물의 수가 3년 연속 증가하고 있다는 내용을 전달하며 유기 동물 문제가 심각하다는 점을 말하고 있다. 유기 동물 문제의 심각성에 따라 유기 동물의 표정을 어둡게 한 글쓴이의 의도를 알 수 있다.

❶ 어휘 챌린지

1 ① 혹사 ② 위장 ③ 냉각 ④ 여파 ⑤ 법제화

2 ① 정석 ② 석빙고 ③ 해저 ④ 해식애 ⑤ 추진력 ⑥ 추세

⑦ 무작위 ⑧ 이주민 / 위편삼절(韋編三絕)

❶-1 ① '혹사'는 '심하게 일을 시키는 것.'이라는 뜻이다. '무시'는 '중요하게 생각하지 않음.'이라는 뜻이다.

② '위장'은 '본래의 정체나 모습이 드러나지 않도록 거짓으로 꾸밈. 또는 그런 수단이나 방법.', '적의 눈에 뜨이지 않게 병력, 장비, 시설 따위를 꾸미는 일.'이라는 뜻이다. '위선'은 '겉으로만 착한 체함. 또는 그런 짓이나 일.'이라는 뜻이다.

③ '냉각'은 '식어서 차게 됨. 또는 식혀서 차게 함.'이라는 뜻이다. '망각'은 '어떤 사실을 잊어버림.'이라는 뜻이다.

④ '여파'는 '어떤 일이 끝난 뒤에 남아 미치는 영향.'이라는 뜻이다. '한파'는 '겨울철에 기온이 갑자기 내려가는 현상.'이라는 뜻이다.

⑤ '법제화'는 '법으로 정해 놓음.'이라는 뜻이다. '다각화'는 '여러 방면이나 부문에 걸치도록 함.'이라는 뜻이다.

Memo

고등 국어 영역별 수능+내신 필독서

국어 고수의 지혜가 담긴 기본서

100인의 지혜 [문학]
[문법·화작]
[독서]

고등 국어의 왕도

교수, 교사, 유명 강사, 교과서 집필진 등
전국 국어 전문가 100명이 뭉쳤다!
초호화 라인업의 야심찬 국어 기본서

1등급의 변별력

내신&수능에 모두 통하는 개념과
명강사의 꿀Tip, 필수 기출문제로
불수능에도 끄떡 없는 국어의 자신감

세트 구매 혜택

세트 구매자들을 위한 스페셜 에디션
〈국어 필수 개념노트〉로 핵심만!
내신&수능 시험 전 마무리로 제격

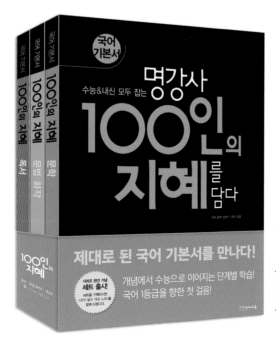

국어 명강사
100인의 지혜를 담다!
고1~2 (문학/문법·화작/독서)

정답은
이안에
있어!

시작은 하루 중학 영어

- 문법 1, 2, 3
- 어휘 1, 2, 3

이 교재도 추천해요!

- G코치 (Grammar Coach)
- 3초 보카

시작은 하루 중학 사회 / 역사

- 사회 ①, ②
- 역사 ①, ②

시작은 하루 중학 과학

- 1-1, 1-2
- 2-1, 2-2
- 3-1, 3-2

배움으로 행복한 내일을 꿈꾸는
천재교육 커뮤니티 안내

. . .

교재 안내부터 구매까지 한 번에!
천재교육 홈페이지

천재교육 홈페이지에서는 자사가 발행하는 참고서,
교과서에 대한 소개는 물론 도서 구매도 할 수 있습니다.
회원에게 지급되는 별을 모아 다양한 상품 응모에도
도전해 보세요.

구독, 좋아요는 필수! 핵유용 정보 가득한
천재교육 유튜브 <천재TV>

신간에 대한 자세한 정보가 궁금하세요?
참고서를 어떻게 활용해야 할지 고민인가요?
공부 외 다양한 고민을 해결해 줄 채널이 필요한가요?
학생들에게 꼭 필요한 콘텐츠로 가득한 천재TV로 놀러 오세요!

다양한 교육 꿀팁에 깜짝 이벤트는 덤!
천재교육 인스타그램

천재교육의 새롭고 중요한 소식을 가장 먼저 접하고 싶다면?
천재교육 인스타그램 팔로우가 필수!
누구보다 빠르고 재미있게 천재교육의 소식을 전달합니다.
깜짝 이벤트도 수시로 진행되니 놓치지 마세요!